Bruce Chatwin
De Zwarte Heuvel

Vertaald door Peter van Oers

UITGEVERIJ ATLAS
AMSTERDAM /ANTWERPEN

De eerste druk van deze vertaling verscheen in 1983 bij Uitgeverij
Bert Bakker, Amsterdam

Vijfde druk februari 2009

© 1982 Bruce Chatwin
© 1983, 2009 Nederlandse vertaling: Peter van Oers
Oorspronkelijke titel: *On the Black Hill*
Oorspronkelijke uitgave: Cape, Londen 1982

Omslagontwerp: Marjo Starink
Omslagillustratie: Simon Kennedy, *View from the Black Hill*,
www.simonkennedy.net

ISBN 978 90 450 1468 5
D/2009/0108/506
NUR 302

www.uitgeverijatlas.nl

Aangezien we hier niet blijven, eendagsmensen die we zijn,
en onze tijd van leven is als die van een vlieg, of een pompoen,
moeten we elders zoeken naar een duurzame stad, een oord
in een ander land om ons huis te bouwen...

JEREMY TAYLOR

I

Tweeënveertig jaar sliepen Lewis en Benjamin Jones naast elkaar in het bed van hun ouders, op hun boerderij die bekendstond als The Vision.

Het ledikant, een eiken hemelbed, was uit het huis van hun moeder bij Bryn-Draenog gekomen toen ze in 1899 trouwde. De verbleekte cretonnen draperieën, bedrukt met een dessin van ridderspoor en rozen, hielden 's zomers de muggen buiten en 's winters de tocht. Eeltige hielen hadden gaten gesleten in de linnen lakens en het gewatteerde lappendekbed was hier en daar gerafeld. Onder de ganzenverenmatras lag nog een matras, van paardenhaar, en die was uitgezakt tot twee kuilen met een hobbel tussen de slapers.

De kamer was altijd donker en rook naar lavendel en mottenballen.

De geur van mottenballen kwam uit een piramide van hoedendozen die naast de wastafel stond opgestapeld. Op het nachtkastje lag een speldenkussen waarin nog de hoedenpennen van mevrouw Jones staken, en bij het voeteneind hing de prent van 'Licht der Wereld' van Holman Hunt, gevat in een ebbenhouten lijst.

Een van de ramen keek uit over de groene velden van Engeland, achter het andere lag Wales, met voorbij een groepje lariksen de Zwarte Heuvel.

Beide broers hadden haar dat nog witter was dan de kussenslopen.

Elke morgen liep de wekker om zes uur af. Onder het scheren en aankleden luisterden ze naar de land- en tuinbouwberichten. Beneden tikten ze op de barometer, maakten de haard aan en zetten water

7

op voor thee. Dan gingen ze melken en voederen en kwamen vervolgens terug voor hun ontbijt.

Het huis had ruwgepleisterde muren en een dak van bemoste steenplaten en stond helemaal achter op het erf in de schaduw van een oude bosden. Beneden de koeienstal lag een boomgaard met door de wind kromgetrokken appelbomen en vandaar glooiden de weilanden verder af naar de dalgeul, en er stonden berken en elzen langs de beek.

In vroeger tijden had de boerderij Ty-Cradoc geheten – en Caractacus is nog steeds een begrip in deze contreien – maar in 1737 zag een ziekelijk meisje, Alice Morgan, de Heilige Maagd boven een rabarberveldje zweven en holde terug naar de keuken, genezen. Ter ere van dit wonder doopte haar vader zijn boerderij om in 'The Vision' en kerfde de initialen A.M. met de datum en een kruis in de bovendorpel van het portaal. De grens tussen de graafschappen Radnor en Hereford liep volgens zeggen midden door de trap heen.

De broers waren een eeneiige tweeling.

Als kleine jongens kon alleen hun moeder hen uit elkaar houden; nu waren ze door ouderdom en ongelukken elk op hun eigen manier verweerd.

Lewis was groot en pezig, met vierkante schouders en een stevige tred. Zelfs op zijn tachtigste kon hij de hele dag over de heuvels lopen of een bijl zwaaien zonder dat hij moe werd.

Hij had een penetrante lichaamsgeur. Zijn ogen – grijs, dromerig en astigmatisch – lagen diep in hun kassen en gingen schuil achter dikke ronde brillenglazen in een blank metalen montuur. Zijn neus droeg het litteken van een fietsongeluk en sinds dat voorval wees de punt naar beneden en kreeg bij koud weer een paarsige tint.

Zijn hoofd wiebelde als hij praatte: als hij niet met zijn horlogeketting speelde wist hij zich geen raad met zijn handen. In gezelschap keek hij altijd ietwat bevreemd; en als iemand een feitelijke mededeling deed, zei hij: 'Dank u!' of 'Heel vriendelijk van u!' Iedereen was het erover eens dat hij geweldig overweg kon met schapenhonden.

Benjamin was korter, rosser, netter en scherper van tong. Zijn kin was tegen zijn hals gezakt, maar hij bezat nog wel de volle lengte van zijn neus, die hij in gesprekken gebruikte als een wapen. Hij had minder haar.

Hij deed al het koken, stoppen en strijken; en hij hield de boeken bij. Er was niemand die scherper kon marchanderen over veeprijzen dan hij en hij bleef uren sjacheren tot de veehandelaar zijn handen in de lucht gooide en zei: 'Schei uit, ouwe vrek die je bent!' en dan glimlachte Benjamin en zei: 'Hoe bedoel je?'

In de wijde omgeving had de tweeling de naam dat ze verschrikkelijk schraperig waren – maar dat klopte niet helemaal.

Ze wilden beslist geen cent verdienen aan hooi. Hooi, zeiden ze, was Gods gave aan de boer, en als The Vision hooi overhad, konden hun arme buren zoveel krijgen als ze nodig hadden. Zelfs in de barre dagen van januari hoefde de oude juffrouw Fifield van The Tump maar een boodschap met de postbode mee te sturen en Lewis bracht met de tractor een vrachtje hooibalen langs.

Benjamins liefste werk was lammeren verlossen. De hele lange winter keek hij uit naar het einde van maart, als de eerste wulpen riepen en het lammeren begon. Hij, en niet Lewis, was degene die opbleef om bij de ooien te waken. Hij was degene die het lam er bij een zware bevalling uittrok. Soms moest hij zijn onderarm in de baarmoeder steken om een tweeling uit hun verstrengeling te bevrijden, en naderhand ging hij dan bij de open haard zitten, ongewassen en voldaan, en liet de kat de nageboorte van zijn handen likken.

Zomer of winter, de broers togen steevast aan het werk in gestreepte flanellen hemden met koperen boordenknopen. Hun jekken en vesten waren van bruine manchester en hun broeken van donkerder corduroy. Ze droegen hun hoedje van mollenvel met de rand naar beneden – maar doordat Lewis de gewoonte had om het zijne op te lichten voor de eerste de beste, hadden zijn vingers het bont van de punt afgeschuurd.

Af en toe raadpleegden ze met veel vertoon van plechtstatigheid hun horloge – niet om te kijken hoe laat het was, maar om te vergelijken wiens horloge voorliep. Op zaterdagavond stapten ze om de beurt in het zitbad voor de open haard, en hun leven draaide om de nagedachtenis van hun moeder.

Omdat ze elkaars gedachten kenden, maakten ze zelfs ruzie zonder een woord te zeggen. En soms – bijvoorbeeld na een van die stilzwijgende ruzies – stonden ze bij haar lappendeken te staren naar de zwarte fluwelen sterren en de zeshoeken van bedrukte katoen die ooit haar jurken waren geweest. En zonder een woord te zeggen zagen ze haar weer: in het roze, door het haverveld lopend met een versgetapte kruik cider voor de maaiers. Of in het groen, te midden van schaftende schaapscheerders. Of met een blauwgestreept schort voor, gebogen over het vuur. Maar de zwarte sterren brachten de herinnering boven aan hun vaders doodkist, op de keukentafel, en aan de huilende vrouwen met krijtwitte gezichten.

In de keuken was er sinds de dag van de begrafenis niets veranderd. Het behang, met een patroon van klaprozen en roestbruine varens, was donker geworden van de roet; en hoewel de koperen knoppen blonken als altijd, schilferde de bruine verf van de deuren en plinten.

Het kwam nooit bij de tweeling op om deze verweerde verfraaiingen te vervangen, uit vrees dat ze dan de herinnering zouden uitwissen aan die mooie lentemorgen, meer dan zeventig jaar terug, toen ze hun moeder hadden geholpen met een emmer bloem en water omroeren en hadden gekeken hoe het witsel aankoekte op haar omslagdoek.

Benjamin zorgde dat haar plavuizen werden geschrobd, dat het gietijzeren haardrooster glom van de kachelpoets en dat er altijd een koperen ketel stond te snorren op de haardplaat.

Vrijdag was voor hem bakdag – net zoals vroeger voor haar – en dan rolde hij 's middags zijn mouwen op om krentenbollen of boerenstoeten te maken, waarbij hij het deeg zo energiek met zijn vuisten bewerkte dat de korenbloemen op het zeiltje bijna waren weggesleten.

Op de schoorsteenmantel stond een stel Staffordshirespaniëls, vijf koperen kandelaars, een schip-in-een-fles en een met een Chinese dame beschilderd theekistje. In een kast met ruitjes aan de voorkant – waarvan er een was gerepareerd met plakband – stonden porseleinen siervoorwerpen, verzilverde theepotten en bekers van elke Kroning en Jubileumviering. In een rek tussen de balken zat een zij spek gepropt. De *Georgian* pianoforte was het tastbare bewijs van frivoler dagen en voorbije verrichtingen.

Lewis had een 12 mm-geweer, dat hij naast de staande klok bewaarde; beide broers hadden een heilige angst voor dieven en antiekhandelaars.

Hun vaders enige hobby – eigenlijk het enige waar hij naast het boerenbedrijf en de Bijbel warm voor liep – was het snijden van houten lijsten geweest voor de prenten en familiefoto's waarmee elk beschikbaar stukje muur was volgehangen. Voor mevrouw Jones was het een wonder geweest dat iemand met het driftige karakter en de lompe handen van haar echtgenoot het geduld had voor zulk priegelwerk. Maar vanaf het ogenblik dat hij zijn gutsen ter hand nam, vanaf het ogenblik dat de minuscule witte krullen in het rond vlogen, trok elk greintje kwaad weg uit zijn lijf.

Hij had een 'gotische' lijst gesneden voor de religieuze kleurenvoorstelling van 'De Brede en de Smalle Weg'. Hij had wat 'Bijbelse' motieven bedacht voor de aquarel van 'Het Bad van Bethesda', en toen zijn broer een oleografie opstuurde uit Canada, wreef hij het oppervlak in met lijnzaadolie om er het air van een Oude Meester aan te geven, en de hele winter werkte hij aan een omlijsting van esdoornbladeren.

En het was deze plaat, met de indiaan, de berkenschors, de pijnbomen en een scharlakenrode lucht – om maar te zwijgen van de associaties die hij opriep aan de legendarische oom Eddie – die bij Lewis voor het eerst het verlangen wakker maakte naar verre landen.

Behalve een vakantie aan zee in 1910 was geen van beide broers ooit verder geweest dan Hereford. Maar die beperkte horizon wakkerde bij Lewis de hartstocht voor geografie alleen maar aan. Hij vroeg bezoekers de oren van het hoofd over 'die wilden in Afrikanië'; over Siberië, Saloniki of Sri Lanka; en als iemand begon over president Carters mislukte poging om de gijzelaars uit Teheran te bevrijden, sloeg hij zijn armen over elkaar en zei op besliste toon: 'Hij had ze via Odessa moeten halen.'

Zijn beeld van de buitenwereld ontleende hij aan een Bartholomew's atlas van 1925, waarin de twee grote koloniale wereldrijken roze en lichtpaars waren gekleurd en de Sovjet-Unie mat kopergroen. En het stoorde zijn gevoel voor orde om te merken dat de planeet nu wemelde van bakkeleiende landjes met onuitspreekbare namen. En als om te kennen te geven dat echte reizen alleen in de verbeelding bestonden – en misschien ook wel om op te scheppen – deed hij af en toe zijn ogen dicht en galmde de regels die zijn moeder hem had geleerd:

Westwaarts, westwaarts zeilde Hiawatha
naar de glorie van de zinkende zon
naar de violette nevels
naar het avondduister.

Te vaak werd de tweeling geplaagd door de gedachte dat ze kinderloos zouden sterven – maar één blik op hun muur met foto's was voldoende om de somberste gedachten te verdrijven. Ze kenden alle personen op de foto's bij naam en kregen er nooit genoeg van om gelijkenissen te zoeken tussen mensen die wel honderd jaar na elkaar waren geboren.

Links naast de trouwfoto van hun ouders hing een portret van henzelf op zesjarige leeftijd, met open mond als pasgeboren kerkuilen en met identieke pagekragen om op de kermis in Lurkenhope Park. Maar het meest waren ze in hun schik met een kleurenkiekje van hun achterneef Kevin, ook als zesjarige, uitgedost met een tot tulband geknoopte handdoek, als Jozef in een kerstspel.

Sindsdien was er veertien jaar verstreken en was Kevin uitgegroeid tot een lange, zwartharige jongeman met borstelige wenkbrauwen die in elkaar overliepen, en leigrijsblauwe ogen. Over een paar maanden zou de boerderij van hem zijn.

Dus als ze nu naar die verbleekte trouwfoto keken, als ze keken naar hun vaders gezicht, omlijst door vuurrode bakkebaarden (zelfs op een sepiafoto kon je zien dat hij helrood haar had); als ze de pofmouwen van hun moeders jurk, de rozen op haar hoed en de margrieten in haar ruiker zagen, en als ze haar lieve glimlach vergeleken met die van Kevin, dan wisten ze dat hun leven niet voor niets was geweest en dat de tijd, in zijn helende cirkelgang, de pijn en woede, de schaamte en onvruchtbaarheid had uitgewist en was overgegaan in de toekomst met haar belofte van nieuwe dingen.

2

Van alle mensen die op die smoorhete middag in augustus 1899 op de stoep van de Red Dragon in Rhulen voor de foto poseerden, had niemand meer reden om tevreden te kijken dan Amos Jones, de bruidegom. Binnen één week had hij twee van zijn drie ambities verwezenlijkt: hij was getrouwd met een mooie vrouw en hij had het pachtcontract getekend voor een boerderij.

Zijn eigen vader, een praatlustige ciderdrinker die in de kroegen van Radnorshire bekendstond als Sam de Sleper, was begonnen als veedrijver; had daarna vergeefs geprobeerd om als voerman aan de kost te komen; en woonde nu, onder de plak van zijn vrouw, in een piepklein huisje op Rhulen Hill.

Hannah Jones was geen prettige vrouw. Als jong bruidje had ze zielsveel van haar man gehouden, had ze zijn uithuizigheid en slippertjes voor lief genomen en was ze er dankzij een kolossale zuinigheid altijd in geslaagd om de deurwaarders op afstand te houden.

Toen kwamen de rampen die haar verhardden tot een brok onvermurwbare verbittering en die haar mond zo scherp en verwrongen maakten als een hulstblad.

Van haar vijf kinderen was één dochter overleden aan de tering; een andere was getrouwd met een katholiek; de oudste zoon was omgekomen in een kolenmijn bij Rhondda; haar oogappel, Eddie, was er met haar spaarcenten vandoor gegaan naar Canada – zodat alleen Amos overbleef om op haar oude dag voor haar te zorgen.

Omdat hij de benjamin was legde ze hem meer dan de anderen in de watten en stuurde hem naar zondagsschool om schrijven en de vreze des Heren te leren. Hij was geen domme jongen, maar tegen zijn vijftiende was haar hoop om hem te scholen vervlogen; ze schopte hem het huis uit met de boodschap dat hij zelf de kost moest verdienen.

Tweemaal per jaar, in mei en november, hing hij rond op de kermis in Rhulen, met een plukje schapenwol op zijn pet en een schoon zondags jak over zijn arm gevouwen, in de hoop dat een boer hem emplooi wilde geven.

Hij vond werk op verscheidene boerderijen in Radnorshire en Montgomery, waar hij leerde ploegen en zaaien, maaien en scheren en verder varkens slachten en schapen redden uit sneeuwbanken. Als zijn laarzen uit elkaar vielen, moest hij zijn voeten omzwachtelen met repen vilt. Als hij 's avonds op de boerderij terugkwam, met pijn in al zijn gewrichten, kreeg hij een maal voorgezet van spekbouillon en aardappelen en wat korsten oud brood. Zijn werkgevers waren nog te krenterig voor een kop thee.

Hij sliep op hooibalen, op de graanzolder of de vliering van de stal, en lag 's winters nachtenlang wakker, rillend onder een vochtige deken: er was geen vuur om zijn kleren te drogen. Op een maandagmorgen tuigde zijn patroon hem af met de paardenzweep voor het stelen van een paar plakken schapenvlees terwijl het gezin in de kerk zat – een misdaad waaraan de kat, en niet hij, schuldig was.

Hij liep drie keer weg en verbeurde evenzovele keren zijn loon. En desondanks liep hij met branieachtige pas, droeg zijn pet zwierig schuins en gaf zijn spaarcenten uit aan felgekleurde zakdoeken, in de hoop de gunsten van een mooie boerendochter te winnen.

Zijn eerste verleidingspoging werd een fiasco.

Om het meisje wakker te maken gooide hij een takje tegen haar slaapkamerraam en zij gooide hem de sleutel toe. Terwijl hij op zijn tenen door de keuken liep stootte hij met zijn scheen tegen een kruk en struikelde. Een koperen pot kletterde op de vloer; de hond sloeg aan en een zware mannenstem riep iets: haar vader kwam de trap af op het moment dat hij het huis uitstormde.

Op zijn achtentwintigste begon hij over emigreren naar Argentinië, dat volgens zeggen land en paarden te over had – waarop zijn moeder in paniek raakte en een bruid voor hem vond.

Ze was een onaantrekkelijke vrouw, traag van geest en tien jaar ouder dan hij, die de hele dag naar haar handen zat te staren en haar familie toch al tot last was.

Hannah pingelde drie dagen lang tot de vader van de bruid akkoord ging dat Amos haar zou krijgen, plus dertig drachtige ooien, een kleine pachtboerderij, Cwmcoynant genaamd, en weiderecht op Rhulen Hill.

Maar de grond was zuur. De boerderij lag op een zonloze heuvel en als de sneeuw smolt liep het ijswater in stroompjes door het huis. Maar door hier en daar een lapje grond te pachten en samen met andere boeren vee te kopen kon Amos het hoofd boven water houden en hoop koesteren op betere tijden.

Het was een vreugdeloos huwelijk.

Rachel Jones gehoorzaamde haar man met de werktuiglijke bewegingen van een automaat. Ze mestte de varkensstallen uit in een gescheurde tweedjas die ze had dichtgebonden met een stuk hennep. Ze lachte nooit. Ze huilde nooit als hij haar sloeg. Ze beantwoordde zijn vragen met gebrom of eenlettergrepige woorden; en zelfs in barensnood klemde ze haar lippen zo vast op elkaar dat ze geen kik gaf.

De baby was een jongen. Omdat ze geen melk had besteedde ze hem uit bij een voedster, en hij ging dood. In november 1898 hield ze op met eten en keerde haar gezicht af van de levende wereld. Er stonden sneeuwklokjes op het kerkhof toen ze haar begroeven.

Vanaf die dag was Amos Jones een geregeld kerkbezoeker.

3

Tijdens een morgendienst, nog geen maand na de begrafenis, kondigde de dominee van Rhulen aan dat hij een dienst moest bijwonen in de kathedraal van Llandaff en dat de preek de volgende zondag zou worden gehouden door de dominee van Bryn-Draenog.

Dit was dominee Latimer, een vorser van het Oude Testament, die het zendingswerk in India had neergelegd en in deze afgelegen heuvelgemeente verblijf had gekozen om alleen te zijn met zijn dochter en zijn boeken.

Van tijd tot tijd had Amos Jones hem op de heuvel gezien – een broodmagere figuur met wit, als wollegras heen en weer waaiend haar, die over de hei beende en zo hard tegen zichzelf schreeuwde dat hij de schapen bang maakte. De dochter, van wie werd beweerd dat ze ongelukkig en mooi was, had hij nooit gezien. Hij nam zijn plaats in op de hoek van de bank.

Onderweg moesten de Latimers schuilen voor een wolkbreuk en toen ze eindelijk in hun dogkar bij de kerk arriveerden, waren ze twintig minuten te laat. Terwijl de dominee zich omkleedde in de consistoriekamer liep juffrouw Latimer naar de koorbanken, haar ogen neergeslagen naar de wijnrode loper om de starende blikken van de gemeente te ontwijken. Ze schampte langs de schouder van Amos Jones en ze bleef staan. Ze deed een halve stap naar achteren, een stap opzij en ging toen zitten, één bank voor hem maar aan de overkant van het gangpad.

Waterdruppels parelden op haar zwarte bevervilten hoed en haar wrong kastanjebruin haar. Haar grijze serge jas zat ook onder de regenspatten.

Een van de glas-in-loodramen had een afbeelding van de profeet Elias met zijn raaf. Buiten, op de vensterbank, zat een koppel duiven elkaar te besnavelen en te koeren en tegen het raam te pikken.

De eerste hymne was 'Leid mij, O Gij Machtige Verlosser' en toen de stemmen in koor aanzwollen, hoorde Amos haar heldere, trillende sopraan boven alles uit, terwijl zij zijn bariton hoorde brommen als een hommel rond haar nek. Onder het Onzevader staarde hij de hele tijd naar haar lange, blanke, spitse vingers. Na de tweede schriftlezing waagde ze een zijdelingse blik en zag zijn rode handen op de rode stijflinnen band van zijn gebedenboek. Ze bloosde van verwarring en trok schielijk haar handschoenen aan.

Toen stond haar vader op de kansel, met vertrokken mond.

"'Al waren uw zonden als scharlaken, ze zullen wit worden als sneeuw; al waren zij rood als karmozijn, zij zullen worden als witte wol. Indien gij willig zijt en hoort...'"

Ze keek strak naar haar voetkussen en voelde haar hart breken. Na de dienst liep Amos langs haar onder de kerkhofpoort, maar haar ogen flitsten weg en ze draaide zich om en tuurde naar een kale taxusboom.

Hij vergat haar – hij probeerde haar te vergeten – tot hij op een donderdag in april naar de markt in Rhulen ging om een paar éénjarige lammeren te verkopen en het laatste nieuws uit te wisselen.

Overal in Broad Street stonden boeren uit de streek hun pony's te tuien en in groepjes met elkaar te praten. Karren stonden werkeloos met hun lamoenen omhoog. Uit de bakkerij kwam de geur van versgebakken brood. Voor het gemeentehuis stonden stalletjes met roodgestreepte luifels in een zee van deinende zwarte hoeden. In Castle Street verdrong zich een nog grotere menigte om de Welshe en Hereford-koeien te inspecteren. De schapen en varkens zaten achter schotten. Er zat vorst in de lucht en van de flanken van de beesten sloegen wolken damp af.

Voor de Red Dragon zaten twee grijsbaarden cider te drinken en te klagen over 'die duvelse patjakkers in het parlement'. Een neuzelende stem riep de prijs van rieten stoelen om en een veehandelaar met een paars gezicht schudde pompend de hand van een magere man met een dophoed.

'En hoe is 't?'

'Gaat.'

'En de vrouw?'

'Matig.'

Twee blauwe boerenwagens, bedekt met stro en beladen met geplukt pluimvee, stonden naast de gemeenteklok geparkeerd; en de eigenaressen, twee vrouwen met Schotse omslagdoeken om, stonden te roddelen en deden hun uiterste best om onverschilligheid te veinzen voor de koopman van Birmingham die, zwaaiend met zijn palmhouten wandelstok, om hen heen draaide.

In het voorbijlopen hoorde Amos een van hen zeggen: 'De arme ziel! Helemaal alleen op de wereld!'

De zaterdag ervoor had een schaapsherder die te paard de heuvel overging het lijk van dominee Latimer gevonden met zijn gezicht in een plas. Hij was uitgegleden in het veen en verdronken. Ze hadden hem dinsdag begraven bij Bryn-Draenog.

Amos deed zijn lammeren van de hand en toen hij de munten in zijn vestzak liet glijden, zag hij dat zijn hand beefde.

De volgende morgen, na het voederen, pakte hij een stok en liep de vijftien kilometer naar Bryn-Draenog Hill. Bij de rij grote keien die de top bekroonden ging hij uit de wind zitten en knoopte een veter vast. Boven zijn hoofd kwamen wolkenflarden aandrijven uit Wales; hun schaduwen doken de hellingen van brem en heide af en minderden vaart zodra ze over de velden wintertarwe gleden.

Hij voelde zich licht in zijn hoofd, gelukkig bijna, alsof hij ook een nieuw leven ging beginnen.

In het oosten lag de rivier de Wye, een zilveren lint kronkelend door de drassige weilanden, en het hele landschap was bespikkeld met witte of rode bakstenen boerderijen. Een rieten dak lag als een vlekje geel in een schuimwolk van appelbloesem en hier en daar waakten hagen sombere coniferen over de woonplaatsen van de landadel.

Een paar honderd meter naar beneden trof de zon het leien dak van de pastorie van Bryn-Draenog en kaatste een parallellogram van blauwe lucht naar de heuveltop. Twee buizerds cirkelden en doken door de strakke hemel en er zwierven lammeren en kraaien over een helgroen veld.

Op het kerkhof scharrelde een vrouw in het zwart rond tussen de grafstenen. Toen liep ze door het ijzeren hekje de overwoekerde tuin in. Ze was halverwege het grasveld toen er een hondje naar buiten sprong om haar te begroeten, keffend en krabbelend aan haar jurk. Ze gooide een stok in het struikgewas en de hond spurtte weg en kwam terug, zonder stok, en begon weer aan haar jurk te krabbelen. Het leek alsof iets haar weerhield om het huis binnen te gaan.

Hij holde de heuvel af, zijn hakijzers kletterend op de losse stenen. Toen hij naar adem snakkend over het tuinhek hing, stond zij er nog steeds, roerloos tussen de peperboompjes, met de hond mak aan haar voeten.

'O! Bent u het?' zei ze terwijl ze zich omdraaide.

'Uw vader,' stamelde hij. 'Het spijt me, juffrouw.'

'Al goed,' onderbrak ze hem. 'Kom alstublieft binnen.'

Hij verontschuldigde zich voor de modder op zijn werkschoenen.

'Modder!' lachte ze. 'Modder kan dit huis niet bevuilen. Ik moet er trouwens toch uit.'

Ze liet hem in de studeerkamer van haar vader. De kamer was stoffig en van onder tot boven gevuld met boeken. Buiten het raam stond een apenboom die met zijn schutbladen het zonlicht tegenhield. Uit de sofa hingen plukjes paardenhaar op een versleten smyrnatapijt. Het bureau was bezaaid met vergeelde papieren en op een draaiplateau lagen bijbels en commentaren op de Bijbel. Op de zwartmarmeren schoorsteenmantel lagen een paar vuurstenen bijlbladen en wat scherven Romeins aardewerk.

Ze liep naar de piano, griste de bloemen uit een vaas en gooide ze op het haardrooster.

'Wat zijn ze toch afschuwelijk!' zei ze. 'Ik haat droogbloemen.'

Ze monsterde hem terwijl hij stond te kijken naar een aquarel – met witte bogen, een dadelpalm en vrouwen met kruiken.

'Dat is Het Bad van Bethesda,' zei ze. 'Daar zijn we geweest. Op de terugreis uit India hebben we het hele Heilige Land gezien. We hebben Nazareth en Bethlehem bezocht en het Meer van Galilea. We zijn ook in Jeruzalem geweest. Dat was mijn vaders droom.'

'Mag ik een slok water?' zei hij.

Ze ging hem door een gang voor naar de keuken. De tafel was geboend en leeg; en eten was nergens te bekennen.

Ze zei: 'En ik kan u niet eens een kopje thee aanbieden!'

Weer buiten in de zon zag hij dat haar haar doorschoten was met grijs en er waaierden kraaienpootjes uit naar haar jukbeenderen. Maar hij vond haar glimlach mooi, en ook de bruine ogen die glansden tussen lange zwarte wimpers. Om haar middel krulde een strakke lakleren ceintuur. Zijn fokkersoog dwaalde van haar schouders naar haar heupen.

'En ik weet niet eens hoe u heet,' zei ze en stak haar hand uit.

'Amos Jones; maar dat is een prachtige naam,' vervolgde ze, terwijl ze met hem opliep naar het tuinhek. Toen wuifde ze en holde terug naar het huis. Het laatste dat hij van haar zag was dat ze in de studeerkamer stond. De zwarte tentakels van de apenboom, weerspiegeld in het raam, leken haar tegen het glas gedrukte witte gezicht gevangen te houden.

Hij klom de heuvel op, sprong van de ene grasbult naar de andere en schreeuwde zo hard hij kon: 'Mary Latimer! Mary Jones! Mary Latimer! Mary Jones! Mary!... Mary!... Mary...!'

Twee dagen later was hij terug bij de pastorie met een kip die hij zelf had geplukt en ontdarmd.

Ze stond te wachten op de stoep, in een lange blauwe wollen jurk, met een kasjmier omslagdoek om haar schouders en een camee, van Minerva, aan een bruin fluwelen lint om haar hals.

'Ik kon gister niet komen,' zei hij.

'Maar ik wist dat je vandaag zou komen.'

Ze gooide haar hoofd in haar nek en lachte, en de hond kreeg lucht van de kip en begon met zijn poten tegen Amos' broekspijpen op te springen. Hij haalde de kip uit zijn knapzak. Ze zag het koude pukkelige vlees. De glimlach verdween van haar gezicht en ze stond aan de drempel genageld en sidderde.

Ze probeerden te praten in het portaal, maar ze wrong haar handen en staarde naar de roodbetegelde vloer, terwijl hij van de ene voet op de andere wipte en zich rood voelde worden tot achter zijn oren.

Allebei hadden ze elkaar duizend-en-één dingen te vertellen. Allebei voelden ze op dat moment dat er niets meer te zeggen viel; dat hun ontmoeting geen vervolg zou krijgen; dat hun twee tongvallen nooit één complete stem zouden doen klinken; en dat ze allebei in hun schulp zouden terugkruipen – alsof de flits van herkenning in de kerk een speling van het lot was geweest, of een verzoeking van de Duivel om hen in het verderf te storten. Ze stamelden verder en geleidelijk groeiden de pauzen tussen hun woorden uit tot één lange stilte: hun ogen ontweken elkaar toen hij achterwaarts de deur uitschuifelde en in de richting van de heuvel rende.

Ze had honger. Die avond braadde ze de kip en probeerde zich tot eten te dwingen. Na de eerste hap liet ze haar mes en vork vallen, zette het bord voor de hond neer en holde de trap op naar haar kamer.

Op het smalle bed snikte ze het uit, haar gezicht in het kussen, de blauwe jurk wijd uitgewaaierd, terwijl de wind door de schoorsteen huilde.

Tegen middernacht meende ze het geknerp van voetstappen op grint te horen. 'Hij is terug,' riep ze uit, ademloos van geluk, tot ze zich realiseerde dat het een klimroos was, die met zijn doornen langs het raam schraapte. Ze probeerde schaapjes te tellen, maar in plaats van haar in slaap te sussen brachten de domme dieren een andere herinnering boven – aan haar andere liefde, in een stoffig stadje in India.

Hij was een Anglo-Indiër – een magere man met stroperige ogen en een mond vol excuses. Ze zag hem voor het eerst in het telegraafkantoor waar hij als klerk werkte. Later, toen de cholera haar moeder en zijn jonge vrouw had geveld, wisselden ze condoleances uit op het anglicaanse kerkhof. Daarna spraken ze dikwijls 's avonds af en wandelden dan langs de trage rivier. Hij nam haar mee naar zijn huis en gaf haar thee met buffelmelk en te veel suiker. Hij declameerde monologen uit Shakespeare. Hij sprak, hoopvol, van platonische liefde. Zijn dochtertje droeg gouden oorbellen en haar neusgaten zaten dichtgekoekt met snot.

'Slet!' had haar vader gebulderd toen de postmeester hem had ingelicht over zijn dochters 'escapade'. Drie weken hield hij haar opgesloten in een snikhete kamer, op water en brood, tot ze berouw toonde.

Rond twee uur 's nachts veranderde de wind van richting en begon op een andere toon te jammeren. Ze hoorde een tak breken – *kra-ak* – en bij het geluid van scheurend hout schoot ze overeind:

'O, mijn God! Hij is gestikt in een kippenbotje!'

Ze liep op de tast naar beneden. Een tochtvlaag blies de kaars uit toen ze de keukendeur opendeed. Ze stond te huiveren in het donker. Boven de huilende wind uit hoorde ze het hondje snurken in zijn mand.

Bij het aanbreken van de dag keek ze langs de beddenspijlen en begon te peinzen over de prent van Holman Hunt. 'Klopt en u zal worden opengedaan,' had Hij gezegd. En had ze niet geklopt en met haar lamp voor de deur van het huis gezwaaid? Maar toen de slaap eindelijk kwam, leek de tunnel waardoor ze had gezworven langer en donkerder dan ooit.

4

Amos verkropte zijn woede. Die hele zomer stortte hij zich op zijn werk, alsof hij de herinnering wilde uitbannen aan de neerbuigende vrouw die zijn hoop had gewekt en vervolgens vernietigd. Vaak, als hij dacht aan haar grijze glacéhandschoenen, bonkte hij met zijn vuist op de eenzame tafel.

In de hooitijd ging hij bij een boer op de Zwarte Heuvel helpen en leerde een meisje kennen, Liza Bevan.

Ze troffen elkaar in de dalgeul en gingen dan onder de elzen liggen. Ze bedolf zijn voorhoofd onder zoenen en woelde met haar korte, stompe vingers door zijn haar. Maar wat hij ook deed – of wat zij ook deed – niets kon het beeld uitwissen van Mary Latimer, die haar wenkbrauwen gekwetst fronste. 's Nachts, wakker en alleen, wat brandde hij dan van verlangen naar haar blanke lichaam tussen zichzelf en de muur!

Op een dag, op de zomer-ponymarkt in Rhulen, maakte hij een praatje met een herder die het lijk van de dominee had gevonden.

'En de dochter?' vroeg hij, met een nadrukkelijk schouderophalen.

'Bijna weg,' zei de man. 'Druk bezig de boel te pakken.'

De volgende morgen begon het te regenen toen Amos bij Bryn-Draenog aankwam. De regen spoelde over zijn wangen en spetterde op de bladeren van de laurierbomen. In de beuken rond de pastorie leerden jonge roeken hun vleugels uitslaan, terwijl hun ouders almaar rondvlogen en kreten van aanmoediging krasten. In de oprijlaan stond een tilbury. De koetsier zwaaide met zijn roskam naar de vreemdeling die met een verhit gezicht het huis binnenbeende.

Ze was in de studeerkamer met een wrakke, kalende heer met een pince-nez, die in een in leer gebonden boek stond te bladeren.

'Professor Gethyn-Jones,' stelde ze hem voor, zonder een spoor van verrassing. 'En dit is meneer Jones zonder titel die me komt afhalen voor een wandeling. Ik hoop dat u ons wilt excuseren! Ga gerust verder met lezen!'

De professor lispelde een paar woorden door zijn tanden. Zijn hand voelde droog en leerachtig aan. Er liepen grijze aderen rond zijn knokkels, als wortels over keien, en zijn adem was bedorven. Ze ging de kamer uit en kwam blozend terug in rubberlaarzen en een waterdichte oliecape.

'Een vriend van vader,' fluisterde ze zodra ze buiten gehoorsafstand waren. 'Nu weet je wat ik heb moeten doormaken. En hij wil dat ik hem de boeken geef – voor niets!'

'Verkoop ze,' zei Amos.

In de regen liepen ze een schapenpad op. De heuvel was in een wolk gehuld en sluiers wit water vielen in stromen uit de nevelbank neer. Hij liep voorop om de brem en de varens opzij te houden, en zij volgde in zijn voetafdrukken.

Ze rustten uit bij de keien en namen vandaar de oude veedrijversroute, arm in arm en pratend met een vanzelfsprekendheid alsof ze van kindsbeen af bevriend waren geweest. Soms moest ze haar best doen een woord uit zijn Radnordialect te verstaan. Soms vroeg hij haar een uitdrukking te herhalen. Maar allebei wisten ze nu dat het ijs was gebroken.

Hij praatte over zijn ambities en zij praatte over haar angsten.

Hij wilde een vrouw en een boerderij, en zonen om de boerderij over te nemen. Zij was doodsbang om afhankelijk te worden van haar familie of een betrekking te moeten zoeken. Ze was gelukkig geweest in India voordat haar moeder stierf. Ze vertelde hem over de zendingspost en over de vreselijke dagen voordat de moesson losbarstte:

'De hitte! O, we stierven bijna van de hitte!'

'En ik,' zei hij, 'ik kon me de hele winter nergens warmen, behalve aan de haard in de kroeg waar ik als knecht werkte.'

'Misschien moet ik maar terug naar India?' zei ze, maar op zo'n onzekere toon dat hij wist dat ze dat niet wilde.

De wolken braken en kolommen koperlicht vielen schuin over het veen.

'Kijk!' riep hij, wijzend naar een leeuwerik boven hun hoofd die steeds hoger spiraalde, als wilde hij de zon begroeten. 'Die heeft hier ergens een nest.'

Ze hoorde een zachte krak en zag een gele klodder op de neus van haar laars.

'O nee!' riep ze. 'Kijk eens wat ik gedaan heb!'

Haar voet had het nest eieren vermorzeld. Ze ging op een graspol zitten. De tranen maakten vlekken op haar wangen en ze hield pas op met huilen toen hij zijn arm om haar schouders sloeg.

Bij het Mawn-ven lieten ze steentjes over het donkere water kaatsen. Zwartkopmeeuwen vlogen op uit de rietkragen en vulden de lucht met klaaglijk gekrijs. Toen hij haar over een drassig stuk tilde, voelde ze zich zo licht en ijl als de mistvlagen.

Terug in de pastorie spraken ze elkaar aan in kille, afgemeten zinnen – alsof ze de geest van haar vader wilden bezweren. Ze bemoeiden zich niet met de professor, die geheel verdiept was in de boeken.

'Verkoop ze!' zei Amos bij het afscheid op de stoep.

Ze knikte. Ze wuifde niet. Ze wist nu wanneer, en waarvoor, hij zou terugkomen.

Hij kwam op zaterdagmiddag, op een roodbruine Welshe hit. Aan een leidsel hield hij een bonte ruin met een amazonezadel. Ze riep zijn naam vanuit de slaapkamer zodra ze hoefgetrappel hoorde. Hij riep terug: 'Kom gauw! Er staat een boerderij te pacht op de Zwarte Heuvel.'

'Ik kom eraan,' riep ze terug en vloog de trap af in een rijkostuum van duifgrijze Indiase katoen. Op haar strooien hoed prijkten rozen en om haar kin zat een roze satijnen lint.

Hij had zijn spaarcenten aangesproken om nieuwe laarzen te kopen en zij zei: 'Zo, zo! Wat een laarzen!'

De geuren van de zomer waren zo zwaar dat ze boven de weggetjes bleven hangen. In de heggen verstrengelde de kamperfoelie zich met de hondsroos, en er waren ooievaarsbekjes en paars vingerhoedskruid. Op de boerenerven waggelden eenden voor hen opzij; schapenhonden sloegen aan en genten bliezen en rekten hun hals. Hij brak een tak van een vlier af om de paardenvliegen weg te wuiven.

Ze kwamen langs een huisje met stokrozen rond het portaal en een perk vlammende Oost-Indische kersen. Een oude vrouw met een neepjesmuts keek op van haar breiwerk en kraste de voorbijgangers een paar woorden toe.

'Mary Prosser,' fluisterde hij, en toen ze buiten gehoorsafstand waren, 'ze zeggen dat ze een heks is.'

Bij Fiddler's Elbow staken ze de weg naar Hereford over; ze staken de spoorlijn over en beklommen toen het steengroevepad dat zigzaggend over de flank van Cefn Hill voert.

Aan de zoom van de pijnbomenaanplant hielden ze halt om de paarden rust te gunnen en keken om over het stadje Rhulen – de wirwar van leien daken, de bouwvallige muren van het kasteel, de spits van het Bickerton Monument en het weerhaantje van de kerk dat blikkerde in een waterig zonnetje. Er brandde een vuurtje in de tuin van de pastorie en een sjerp grijze rook dreef boven de schoorstenen en stroomde weg door het rivierdal.

Het was koud en donker tussen de dennenbomen. De paarden schraapten over de dode naalden. Muggen zeurden en op de gevallen takken zat een franje gele schimmel. Ze rilde terwijl ze langs de lange zuilenrij van dennenstammen keek en zei: 'Het is hier zo doods.'

Ze reden naar de rand van het bos en toen weer het zonlicht in, naar een open glooiing, en zodra de paarden gras onder hun voeten voelden gingen ze over in galop en wierpen halvemaantjes grond op die als zwaluwen naar achteren zeilden.

Ze galoppeerden de heuvel over en daalden in draf af naar een dal met hier en daar een boerderij, tussen rijen laatbloeiende meidoorns door tot aan de weg naar Lurkenhope. Telkens als ze een hek passeerden had Amos iets te melden over de bewoner: 'Morgan van The Bailey. Heel nette vent.' 'Williams van de Vron, is getrouwd met zijn nicht.' Of: 'Griffiths van Cwm Cringlyn. De vader heeft zich doodgedronken.'

In een weiland waren jongens bezig hooi aan schelven te zetten en langs de weg stond een man met een rood gezicht zijn zeis te wetten, zijn overhemd open tot de navel.

'Bof jij even!' knipoogde hij naar Amos toen ze langsreden.

Ze drenkten hun paarden in de beek; en daarna bleven ze op de brug staan kijken hoe de waterpest wuifde in de stroom en hoe de bruine forel stroomopwaarts sprong. Een kilometer verder maakte Amos een met mos begroeid hek open. Vandaar kronkelde er een karrenspoor de heuvel op naar een huis tussen een bosje lariksen.

'Ze noemen het The Vision,' zei hij. 'En er zit vijftig bunder bij, half onder de varens.'

5

The Vision was een afgelegen boerderij op de Lurkenhope Landerijen, waarvan de eigenaars, de Bickertons, uit een oud katholiek ge-
slacht stamden dat zijn fortuin had gemaakt met de handel op West-
Indië.

De pachter was in 1896 overleden en liet een oude ongetrouwde
zuster achter die alleen was doorgegaan tot ze haar moesten afvoeren
naar een gekkenhuis. Op het erf stak een jonge es zijn stam omhoog
door de bodem van een hooiwagen. De daken van de bijgebouwen waren geel van de muurpeper; de hele mestvaalt was met gras begroeid.
Achter in de tuin stond een bakstenen privaat. Amos sloeg de brandnetels plat om een pad naar het portaal te banen.

Vanwege een kapot hengsel kon de deur niet goed open en toen hij
hem oplichtte sloeg hun een vlaag bedorven lucht tegemoet.

Ze liepen de keuken in en zagen een bundeltje bezittingen van de
oude vrouw, dat lag weg te rotten in een hoek. De pleister bladderde
en op de plavuizen had zich een laagje slijm afgezet. Twijgen uit het
nest van een kauw in de schoorsteen bedolven het haardrooster. De
tafel stond nog gedekt, voor twee personen, maar de theekopjes zaten
onder de spinnenwebben en het tafelkleed was halfvergaan.

Amos pakte een servet en sloeg de muizenkeutels weg.

'En ratten!' zei Mary vrolijk toen ze getrippel tussen de daksparren
hoorde.

In een van de slaapkamers vond ze een oude lappenpop die ze lachend aan hem gaf. Hij wilde hem uit het raam gooien maar zij hield
zijn hand tegen en zei: 'Nee, ik bewaar hem.'

Ze gingen naar buiten om de bijgebouwen en de boomgaard te

bekijken. Ze zouden een flinke pruimenoogst krijgen, zei hij, maar de appelbomen moesten worden verplant. Door de braamstruiken turend zag ze een rij wegrottende bijenkorven.

'En ik,' zei ze, 'ga de geheimen van de bij leren.'

Hij hielp haar over een hek en ze liepen de heuvel op door twee weilanden die overwoekerd waren met stekelbrem en sleedoorn. De zon was achter de heuvel gezakt en slierten koperkleurige wolken sleepten over de rand. De doornen prikten in haar enkels en kleine pareltjes bloed drongen door het wit van haar sokken. Ze zei: 'Het gaat best,' toen hij aanbood haar te dragen.

Tegen de tijd dat ze bij de paarden terugkwamen was de maan op. Hij bescheen de welving van haar hals en een nachtegaal slingerde vloeiende noten het donker in. Hij sloeg zijn arm om haar middel en zei: 'Zou je hier kunnen wonen?'

'Ik denk van wel...' zei ze, terwijl ze zich naar hem toedraaide en hij zijn vingers achter haar rug verstrengelde.

De volgende morgen vroeg ze belet bij de dominee van Rhulen en verzocht hem het huwelijk af te kondigen: aan haar vinger droeg ze een ring van gevlochten grassprieten.

De dominee, die zat te ontbijten, morste ei over zijn toog en stotterde: 'Dat zou uw vader niet gewild hebben.' Hij raadde haar aan een half jaartje te wachten met haar beslissing – waarop ze haar lippen opeenperste en antwoordde: 'De winter staat voor de deur. We hebben geen tijd te verliezen.'

Later die dag zag een groepje dorpsvrouwen hoe Amos haar in zijn sjees hielp. De vrouw van de manufacturenwinkel kneep kwaad haar ogen toe, alsof ze naar het oog van een naald tuurde, en gaf als haar mening ten beste dat ze 'vier maanden heen' was. Een andere vrouw zei: 'Schandalig!' – en allemaal vroegen ze zich af wat Amos Jones zag in 'die joffer'.

Maandagochtend vroeg, lang voordat er iemand op was, stond Mary op de stoep van het kantoor van de Lurkenhope Landerijen te wachten op de rentmeester van de Bickertons om de voorwaarden van het pachtcontract te bespreken. Ze was alleen. Amos vergat algauw zijn manieren als hij met voornaam volk te maken kreeg.

De rentmeester was een man met hangwangen en een rode kop, een verre neef van de familie, die oneervol was ontslagen uit het Brits-

Indische leger en zijn pensioen had verbeurd. Ze betaalden hem een karig salaris maar omdat hij een rekenhoofd had en wist hoe hij 'weerspannige' pachters moest aanpakken, mocht hij hun fazanten schieten en van hun port drinken.

Hij ging prat op zijn gevoel voor humor en toen Mary het doel van haar bezoek uiteenzette, plantte hij zijn duimen in zijn vestzakken en schaterde het uit:

'Dus u denkt erover om onder het boerenvolk te gaan wonen? Ha! Ik zou wel uitkijken!'

Ze bloosde. Hoog aan de muur hing een door de motten aangevreten vossenkop, met een grauwende bek. Hij trommelde met zijn vingers op het leren blad van zijn bureau.

'The Vision!' zei hij abrupt. 'Geloof niet dat ik The Vision ooit heb gezien. Weet niet eens waar The Vision ligt! Laten we eens een kijkje op de kaart nemen.'

Hij hees zich overeind en nam haar bij de hand naar de kaart van de landerijen die een wand van het vertrek besloeg. Zijn nagels waren bruin van de nicotine.

Hij stond naast haar, hees ademend: 'Nogal koud daar op die heuvel, niet?'

'Veiliger dan het vlakke land,' zei ze, terwijl ze haar vingers losmaakte uit de zijne.

Hij ging weer zitten. Hij gebaarde niet dat zij ook plaats kon nemen. Hij mompelde iets over 'andere kandidaten op de lijst' en zei dat het antwoord van kolonel Bickerton vier maanden op zich kon laten wachten.

'Dat wordt te laat, vrees ik,' glimlachte ze en ze maakte dat ze wegkwam.

Ze liep terug langs de North Lodge en vroeg de portiersvrouw om een vel papier. Ze krabbelde een briefje aan mevrouw Bickerton, die ze een keer had ontmoet met haar vader. De rentmeester was woedend toen hij hoorde dat er een knecht van het kasteel was uitgereden om Mary nog diezelfde middag uit te nodigen voor de thee.

Mevrouw Bickerton was een frêle bleke vrouw van achter in de dertig. Als meisje had ze zich aan schilderen gewijd en in Florence gewoond. Toen haar aanleg haar in de steek scheen te laten trouwde ze met een knappe maar van hersens gespeende cavalerieofficier, misschien om zijn collectie Oude Meesters, misschien om haar kunstvrienden te ergeren.

De kolonel had kortgeleden ontslag genomen uit dienst zonder ooit een schot op een vijand te hebben gelost. Ze hadden een zoon die Reggie heette en twee dochters, Nancy en Isobel. De butler ging Mary voor door de poort van de rozentuin.

Mevrouw Bickerton had bij een bamboe theetafel in de schaduw van een Libanese ceder beschutting gezocht tegen de felle zon. Roze klimrozen kluwden over de zuidgevel, maar in alle vensters waren linnen jaloezieën neergelaten en het kasteel zag er onbewoond uit. Het was een 'imitatie'-kasteel, gebouwd tussen 1820 en 1830. Van een ander gazon klonk het getok van croquetballen en het geluid van jeugdig rijkeluisgelach.

'Chinese of Indiase?' moest mevrouw Bickerton herhalen.

Drie parelsnoeren hingen tussen de plooien van haar grijze chiffon blouse.

'Indiase,' antwoordde haar gast afwezig; en terwijl de oudere vrouw uit de zilveren theepot schonk, hoorde Mary haar zeggen: 'Weet u zeker dat u er goed aan doet?'

'Ik weet het zeker,' zei ze en beet op haar lip.

'Ik mag de Welshmen wel,' ging mevrouw Bickerton verder. 'Maar het lijkt of ze zo grimmig worden, later. Het moet iets te maken hebben met het klimaat.'

'Nee,' herhaalde Mary. 'Ik weet het zeker.'

Mevrouw Bickertons gezicht stond strak en ontdaan en haar hand beefde. Ze probeerde Mary een betrekking als gouvernante van haar kinderen aan te bieden, maar het had geen zin te proberen haar tot andere gedachten te brengen.

'Ik zal er met mijn man over praten,' zei ze. 'U kunt rekenen op de boerderij.'

Toen de poort openzwaaide vroeg Mary of dezelfde rode rozen ook bij haar zo uitbundig zouden bloeien, aan de andere kant van de heuvel. Nog voor het einde van de maand hadden zij en Amos plannen gemaakt voor de rest van hun leven.

Haar vaders bibliotheek bevatte een aantal zeldzame boeken; en na verkoop aan een antiquarische boekhandel in Oxford bleken deze goed voor twee jaar pacht, een span trekpaarden, vier melkkoeien, twintig stuks mestvee, een ploeg en een tweedehands strosnijder. Het pachtcontract werd getekend. Het huis werd schoongeschrobd en gewit en de voordeur bruin geschilderd. Amos hing een lijsterbestak op om 'het boze oog buiten te houden' en kocht een koppel witte duiven voor de til.

Op een dag haalden hij en zijn vader met paard en wagen de piano en het hemelbed op uit Bryn-Draenog. Het was nog een 'heidens karwei' om het bed boven te krijgen; en naderhand in de kroeg schepte Ouwe Sam tegen zijn kornuiten op dat The Vision 'Gods eigen liefdesnestje' was. De bruid had één zorg: dat haar zuster in Cheltenham de trouwerij zou komen bederven. Ze slaakte een zucht van verlichting toen ze de brief las waarin haar zuster voor de uitnodiging bedankte, en toen ze bij de woorden 'beneden je stand' kwam, moest ze onbedaarlijk lachen en gooide hem in het vuur met de resterende paperassen van haar vader.

Tegen de tijd dat de vorst inviel was de nieuwbakken mevrouw Jones zwanger.

6

De eerste maanden van haar huwelijk had ze het druk met het op-
knappen van het huis.

De winter was streng. Van januari tot april smolt de sneeuw niet van
de heuvel en de bevroren bladeren van het vingerhoedskruid hingen
slap als de oren van een dode ezel. Elke morgen keek ze door het slaapkamerraam of de lariksen zwart waren of bros van de rijp. De dieren
waren stil in de bittere kou en het geratel van haar naaimachine was te
horen tot in de lammerenwei.

Ze maakte cretonnen gordijnen voor het hemelbed en groene plu-
chen gordijnen voor de mooie kamer. Ze verknipte een oude rode flanellen petticoat en maakte een lappenkleed in de vorm van rozen voor
op de vloer bij de keukenhaard. Na het avondeten zat ze op het rechte
bankje, haar knieën schuil onder een haakwerkje, terwijl hij zich in
aanbidding vergaapte aan zijn nijvere spinnetje.

Hij was bij weer en wind in touw – ploegen, afrasteringen herstellen, greppels graven, afwateringspijpen leggen of muurtjes bouwen.
Om zes uur 's avonds kwam hij smerig en hondsmoe thuis, waar een
mok warme thee en een paar verwarmde pantoffels klaar stonden.
Soms kwam hij drijfnat thuis en dan dampten er wolken stoom naar
de dakspanten.

Ze had nooit geweten hoe taai hij eigenlijk was.

'Trek die kleren uit,' commandeerde ze. 'Je gaat nog eens dood aan
longontsteking.'

'Zou me niks verbazen,' glimlachte hij dan en blies kringetjes rook
in haar gezicht.

Hij behandelde haar als een breekbaar voorwerp dat bij toeval in zijn bezit was gekomen en gemakkelijk kapot kon gaan in zijn handen. Hij was doodsbang dat hij haar zou bezeren of dat zijn temperament hem zou meeslepen. De aanblik van haar baleinkorset was voldoende om hem volkomen van zijn stuk te brengen.

Voor zijn trouwen had hij een keer per week een bad genomen in het washok. Nu, uit vrees dat hij haar fijngevoeligheid zou kwetsen, stond hij erop zich met warm water te wassen in de slaapkamer.

Een Minton-lampetkan, bedrukt met een klimopraster, stond op de wastafel onder de prent van Holman Hunt. En voor hij zijn nachthemd aantrok ontblootte hij zijn bovenlijf en zeepte zijn borst en zijn oksels in. Er stond een kaars naast het zeepbakje; en achteroverliggend in haar kussen keek Mary hoe het kaarslicht rossig door zijn bakkebaarden flakkerde en een goudgele rand om zijn schouders tekende en een grote, donkere schaduw op het plafond wierp.

Maar hij voelde zich onder het wassen slecht op zijn gemak en zodra hij merkte dat ze hem door de gordijnen begluurde, wrong hij de spons uit, doofde de kaars en nam de lucht van dieren en de geur van lavendelzeep mee naar bed.

Op een zondagmorgen reden ze de heuvel af naar Lurkenhope om ter communie te gaan. Eerbiedig liet ze de ouwel op haar tong vochtig worden: 'Het Lichaam van Onze Heer Jezus Christus die is gestorven voor u...' Eerbiedig bracht ze de kelk naar haar lippen: 'Het Bloed van Onze Heer Jezus Christus dat is vergoten voor u...' Dan sloeg ze haar ogen op naar het koperen kruis op het altaar en probeerde zich te concentreren op het passieverhaal, maar haar gedachten dwaalden steevast af naar het stevige, ademende lijf naast haar.

Hun buren waren voor het merendeel niet-Anglicanen, wier wantrouwen jegens de Engelsen stamde uit de dagen van de Grensbaronnen, eeuwen voor het non-conformisme. Vooral de vrouwen bekeken Mary argwanend, maar die nam ze algauw voor zich in.

Haar huishouden werd in de hele vallei benijd; en rond theetijd op zondag, als de wegen ijsvrij waren, kwamen er altijd wel vier of vijf ponysjezen het erf van The Vision opgereden. Reuben Jones en zijn vrouw waren vaste bezoekers, evenals Ruth en Dai Morgan van The Bailey, de jonge Haines van Red Daren en Watkins de Doodkist, een neerslachtige pokdalige man, die ondanks zijn horrelvoet over de berg gehobbeld kwam van Craig-y-Fedw.

De gasten kwamen binnen met plechtige gezichten en bijbels onder hun arm; hun vroomheid verdween als sneeuw voor de zon zodra ze zich tegoed deden aan Mary's vruchtencake of aan de kaneelbeschuitjes of de broodjes met veel verse room en aardbeienjam.

Als ze de scepter zwaaide over deze theepartijtjes had Mary het gevoel dat ze al jaren boerin was en dat haar dagelijkse bezigheden – melk karnen, de kalveren te drinken geven of de kippen voeren – geen dingen waren die ze had geleerd maar die voor haar een tweede natuur waren geworden. Opgewekt babbelde ze over schurft of koliek of hoefontsteking. 'Ik begrijp echt niet waarom de voederbieten dit jaar zo klein zijn,' kon ze dan zeggen. Of: 'Er is zo weinig hooi, ik weet niet hoe we de winter moeten doorkomen.'

Aan het hoofd van de tafel zat Amos zich dan dood te generen. Hij kon niet hebben dat zijn pientere vrouw zich belachelijk maakte. En als ze hem zag koken van ergernis, begon ze ergens anders over en amuseerde haar gasten met de aquarellen in haar Indiase schetsboek.

Ze liet hun de Taj Mahal zien, de lijkverbrandingen en de naakte yogi's die op spijkerbedden zaten.

'En hoe groot benne die olifanten?' vroeg Watkins de Doodkist.

'Wel drie keer zo groot als een karrenpaard,' zei ze, en de kreupele sloeg dubbel om zoiets absurds.

India was te ver weg, te groot en te verbijsterend om de Welshe verbeelding aan te spreken. Maar – zoals Amos hun regelmatig voorhield – haar voeten hadden in de sporen van Zijn voeten getreden; ook zij had de Roos van Saron gezien; en voor haar waren Carmel, Tabor, Hebron en Galilea even echt als, pakweg, Rhulen, of Glascwm, of Llanfihangel-nant-Melan.

De meeste boeren in Radnorshire konden de Bijbel dromen en hun voorkeur ging uit naar het Oude Testament boven het Nieuwe, omdat er in het Oude Testament veel meer verhalen stonden over schapenteelt. En Mary kon het Heilige Land zo prachtig beschrijven dat al hun meest geliefde figuren voor hun ogen leken te zweven: Ruth in het korenveld; Jacob en Ezau; Jozef in zijn lappenjas; of Hagar de Verstotene, smachtend naar water in de schaduw van een doornstruik.

Niet iedereen geloofde haar natuurlijk – het minst van iedereen haar schoonmoeder, Hannah Jones.

Zij en Sam maakten er een gewoonte van om zichzelf uit te nodigen en dan zat zij, gehuld in een zwarte omslagdoek met franje, aan tafel te broeden, terwijl ze de broodjes naar binnen schrokte en de stemming bedierf.

Op een zondag viel ze Mary in de rede met de vraag of ze 'toevallig' ook in Babylon was geweest.

'Nee, moeder. Babylon ligt niet in het Heilige Land.'

'Nee,' echode Haines van Red Daren. 'Dat legt niet in het Heilige Land.'

Hoe Mary ook haar best deed aardig te zijn, de oude vrouw had vanaf het eerste moment een hekel aan de nieuwe echtgenote van haar zoon gehad. Ze vergalde het ontbijt op de trouwdag door haar recht in haar gezicht 'Madam de Gravin' te noemen. De eerste familielunch eindigde in tranen toen ze haar vinger kromde en snierde: 'Te oud om kinderen te krijgen, als je het mij vraagt.'

Ze zette nooit voet in The Vision zonder ergens aanmerkingen op te maken: op de servetten die waren opgevouwen als waterlelies, op de marmeladepot of de kappertjessaus bij het schapenvlees. En toen ze de spot dreef met het zilveren toastrekje, waarschuwde Amos zijn vrouw het op te bergen 'voordat iedereen ons uitlacht'.

Hij zag op tegen de bezoeken van zijn moeder. Op een keer gaf ze Mary's terriër een por met de ijzeren punt van haar paraplu en vanaf die dag ontblootte het hondje altijd zijn tanden en probeerde onder haar rok te duiken om in haar enkel te bijten.

De definitieve breuk kwam toen ze een klont boter uit haar schoondochters hand griste en krijste: 'Je verknoeit geen goeie boter aan koekdeeg!' – en Mary, wier zenuwen op knappen stonden, gilde terug: 'En waar verknoeit u het dan aan? Aan uzelf, zeker?'

Hoewel hij van zijn vrouw hield, hoewel hij wist dat ze gelijk had, sprong Amos altijd voor zijn moeder in de bres. 'Moeder bedoelt het goed,' zei hij dan. Of: 'Ze heeft een zwaar leven achter de rug.' En als Hannah hem apart nam om te klagen over Mary's geldverspilling en 'verwaande' maniertjes, hoorde hij haar hele tirade aan en gaf haar – tegen beter weten in – gelijk.

Hij moest zichzelf wel bekennen dat hij zich bij Mary's 'verbeteringen' minder, in plaats van meer, op zijn gemak voelde. Haar smetteloze plavuizen vormden een barrière die hij moest overwinnen. Haar damasten tafelkleden waren een verwijt aan zijn tafelmanieren. Hij verveelde zich bij de romans die ze na het avondeten voorlas – en haar maaltijden waren ronduit niet te eten.

Als huwelijkscadeau had mevrouw Bickerton haar *Mrs. Beeton's*

Handboek voor de Huishouding gestuurd – en hoewel de recepten totaal ongeschikt waren voor een boerenkeuken, nam Mary het van A tot z door en begon dagen van tevoren menu's samen te stellen. In plaats van de voorspelbare kost – gekookt spek, knoedels en aardappelen – zette ze hem gerechten voor waar hij niet eens van had gehoord: kipfricassee of hazenpeper, of schapenvlees met lijsterbessensaus. Als hij klaagde over constipatie zei ze: 'Dan moeten we meer groenten kweken,' en begon meteen een bestellijst van groenten voor de moestuin te maken. Maar toen ze opperde om een aspergebed aan te leggen, sprong hij uit zijn vel. Wie dacht ze wel dat ze was? Dacht ze soms dat ze met een fijne meneer was getrouwd?

De bom barstte toen ze een licht gekruide Indiase kerrieschotel uitprobeerde. Hij nam één hap en spuugde het uit. 'Ik mot jouw smerige Indische vreten niet,' grauwde hij en kwakte de schotel tegen de vloer.

Ze raapte de scherven niet op. Ze rende naar boven en begroef haar gezicht in het kussen. Hij kwam niet bij haar slapen. Hij probeerde het de volgende morgen niet goed te maken. Hij begon in de schuur te slapen en ging 's avonds de deur uit voor lange wandelingen met een fles op zak. Op een regenachtige avond kwam hij dronken thuis en zat woest naar het tafelkleed te staren, terwijl hij zijn handen open- en dichtkneep. Tot hij overeind kwam en naar haar toe wankelde.

Ze kromp ineen en hief haar elleboog op.

'Sla me niet,' gilde ze.

'Ik sla jou niet,' brulde hij en vloog de deur uit, het donker in.

Eind april hingen er roze knoppen in de boomgaard en een scherm van wolken boven de berg.

Mary zat te rillen bij de haard en luisterde naar het onophoudelijke lekken van de regen. Het huis zoog het vocht op als een spons. Ringen schimmel mismaakten de witkalk en het behang zat vol bobbels.

Op sommige dagen drong zich de gedachte aan haar op dat ze al jaren in dezelfde vochtige, bedompte kamer zat, in dezelfde gevangenis, onder één dak met dezelfde driftige man. Ze bekeek haar gekloofde en ruwe handen en had het gevoel dat ze te vroeg oud en verschraald en lelijk zou worden. Ze verloor zelfs het besef dat ze een vader en moeder had gehad. De kleuren van India waren vervaagd; en ze begon zich te vereenzelvigen met de eenzame, door de wind geteisterde doornstruik die ze door het raam zag afgetekend op de kam van de kale rotswand.

7

Toen kwam het mooie weer.

Op achttien mei hoorden ze – hoewel het geen zondag was – het ge-
lui van kerkklokken aan de andere kant van de heuvel. Amos spande
de pony in en ze reden de heuvel af naar Rhulen, waar uit alle ramen
Engelse vlaggen wapperden om het ontzet van Mafeking te vieren.
Er speelde een fanfare en door Broad Street liep een optocht van
schoolkinderen met afbeeldingen van de koningin en Baden-Powell.
Zelfs de honden liepen rond met patriottische lintjes aan hun hals-
band.

Terwijl de stoet voorbijtrok stootte ze hem aan en hij glimlachte.

'Het is de winter die me kwaad maakt.' Het klonk alsof hij smeekte
om begrip. 'Sommige winters daar lijkt geen end aan te komen.'

'Nou, de volgende winter,' zei ze, 'hebben we iemand anders om ons
druk over te maken.'

Hij drukte een kus op haar voorhoofd en zij sloeg haar armen om
zijn nek.

Toen ze de volgende morgen wakker werd waaide een briesje rimpels in de vitrage; een lijster zong in de perenboom; duiven zaten te
koeren op het dak en witte lichtvlekken dwaalden over de sprei. Amos
lag te slapen in zijn calico nachthemd. De knopen waren losgespron-
gen en zijn borst lag bloot. Vanuit haar ooghoeken gluurde ze naar de
zwoegende ribbenkast, de rode haartjes rond zijn tepels, de roze indruk van zijn boordenknoopje en de grenslijn tussen zijn gebruinde
hals en zijn melkwitte borst.

Ze kromde haar hand over zijn biceps en liet weer los.

'Dat ik erover gedacht heb om hem te verlaten' – ze liet de woorden niet uit haar mond ontsnappen en draaide blozend haar gezicht naar de muur.

En Amos dacht nu aan niets anders dan zijn zoon – en in zijn verbeelding zag hij een stevig kereltje dat de koestal zou uitmesten.

Mary hoopte ook op een jongen en had al plannen voor zijn loopbaan. Op een of andere manier zou ze hem op kostschool zien te krijgen. Hij zou studiebeurzen winnen. Hij zou het brengen tot staatsman of jurist of chirurg, een redder van mensenlevens.

Toen ze op een dag de weg afliep, trok ze verstrooid aan de tak van een es; en kijkend naar de kleine doorzichtige blaadjes die losbraken uit de roetzwarte knoppen, bedacht ze dat ook hij behoefte had aan zonlicht.

Haar enige goede vriendin was Ruth Morgan van The Bailey, een kleine gemoedelijke vrouw met een gezicht van grote eenvoud en vlasblond haar opgestoken onder een keuvel. Ze was de beste vroedvrouw in het dal en ze hielp Mary met de babyuitzet.

Op zonnige dagen zaten ze op rieten stoelen in de voortuin flanellen ondergoed en sluitlakens te naaien; hemdjes, petticoats en kapothoedjes te garneren; of blauwe wollen slofjes te breien die dichtgingen met satijnen linten.

Om haar stijve handen te oefenen speelde Mary soms walsen van Chopin op de piano, die nodig gestemd moest worden. Haar vingers dansten over het toetsenbord en een zwerm dissonante akkoorden zweefde het raam uit en omhoog naar de duiven. Ruth Morgan zuchtte van ontroering en zei dat het de prachtigste muziek was die er bestond.

Pas toen de uitzet compleet was mocht Amos alles komen bewonderen.

'Maar die benne niet voor een jongen,' zei hij verontwaardigd.

'O jawel!' riepen ze in koor. 'Voor een jongen!'

Twee weken later kwam Sam de Sleper een handje helpen met het scheren van de schapen en bleef daarna in de moestuin werken om maar niet naar huis te hoeven. Hij zaaide en schoffelde. Hij pootte slaplanten uit en sneed erwtenrijzen en bonenstaken. Op een dag staken hij en Mary een vogelverschrikker in een tropenpak van de zendeling.

Sam had het gezicht van een treurige clown.

Zijn neus was geplet door vijftig jaar vuistgevechten. Een eenzame snijtand stond nog overeind in zijn onderkaak. Over zijn oogballen lag een net van rode draadjes en zijn oogleden leken te ritselen als hij knipperde. De aanwezigheid van een aantrekkelijke vrouw bracht hem tot roekeloos geflirt.

Mary mocht zijn hoffelijkheden wel en lachte om de verhalen die hij ophing want hij had 'ook rondgekeken in de wereld'. Elke morgen plukte hij uit haar eigen bloembed in de voortuin een boeket voor haar; en elke avond, als Amos hem passeerde op weg naar de slaapkamer, wreef hij zijn handen en kakelde: 'Bofkont! Ooh! Als ik toch jonger was...!'

Hij bezat nog een oude viool – een souvenir uit zijn veedrijverstijd – en als hij die uit de kist haalde, streelde hij het glanzende hout als was het een vrouwenlijf. Hij kon zijn wenkbrauwen fronsen als een concertviolist en het instrument laten trillen en snikken – maar wanneer hij in de hoge noten kwam, stak Mary's hond zijn snuit in de lucht en jankte.

Af en toe, als Amos weg was, oefenden ze duetten – 'Heer Thomas en de Schone Eleonora' of 'Het Onrustige Graf'; en een keer betrapte hij hen bij een polka over de plavuizen.

'Hou op!' schreeuwde hij. 'Moet het kind soms wat krijgen?'

Sams gedrag maakte Hannah zo razend dat ze ziek werd.

Voordat Mary ten tonele verscheen had ze alleen maar 'Sam!' hoeven roepen om gedaan te krijgen dat haar man zijn hoofd liet hangen, 'Ja, schat!' mompelde en wegschuifelde om een onbenullig klusje op te knappen. Nu zagen de mensen in Rhulen haar in de richting van de Red Dragon stormen, terwijl de hele straat weergalmde van haar bulkende kreten, 'Saa-am!... Saa-am!' – maar Sam was ergens op de heuvel paddenstoelen aan het plukken voor zijn schoondochter.

Op een zwoele avond – het was de eerste week van juli – klonk er geratel van ijzeren wielbanden vanaf de weg, en Hughes de voerman kwam voorrijden met Hannah en een paar bundeltjes. Amos was bezig een nieuw hengsel aan de staldeur te schroeven. Hij liet de schroevendraaier vallen en vroeg waarom ze gekomen was.

Somber antwoordde ze: 'Ik hoor aan het kraambed.'

Een dag of twee later werd Mary wakker met een aanval van misselijkheid en een kloppende pijn die door haar hele ruggengraat trok. Toen Amos de slaapkamer uit wilde lopen, klampte ze zich aan zijn arm vast en zei smekend: 'Vraag haar alsjeblieft of ze weggaat. Ik zou me beter voelen als ze wegging. Ik smeek het je. Anders word ik –'

'Nee,' zei hij, terwijl hij de klink oplichtte. 'Moeder hoort hier. Ze moet blijven.'

Die hele maand heerste er een hittegolf. De wind waaide uit het oosten en de lucht was wolkeloos hardblauw. De bron viel droog. De grond scheurde. Zwermen paardenvliegen zoemden rond de brandnetels en de pijn in Mary's ruggengraat werd al heviger. Elke nacht had ze dezelfde droom, van bloed en Oost-Indische kersen.

Ze voelde haar kracht wegvloeien. Ze had het gevoel dat er vanbinnen iets was geknapt: dat de baby doodgeboren zou worden of dat zijzelf het er niet levend af zou brengen. Ze wenste dat ze in India was gestorven, voor de armen. Opzittend tegen de kussens bad ze de Verlosser om haar leven te nemen, maar – Here! Here! – om hem te laten leven.

De oude Hannah zat op het heetst van de dag met een zwarte omslagdoek om te rillen in de keuken en breide, heel langzaam, een paar lange witte wollen kousen. Toen Amos een adder die bij het portaal had liggen zonnen doodsloeg, vertrok ze haar lip en zei: 'Dat betekent dood in de familie!'

Vijftien juli was Mary's verjaardag; en omdat ze zich iets beter voelde kwam ze naar beneden en probeerde een praatje te maken met haar schoonmoeder. Hannah sloot haar ogen en zei: 'Lees voor!'

'Wat zal ik lezen, moeder?'

'Wie de bloemen hebben gestuurd.'

Mary sloeg de overlijdensberichten van de *Hereford Times* op en begon:

'De begrafenisplechtigheid voor juffrouw Violet Gooch, die vorige week op zeventienjarige leeftijd zo tragisch om het leven kwam, is gehouden in de kerk van Sint Asaf –'

'De bloemen, zei ik.'

'Ja, moeder,' verbeterde ze zichzelf en begon opnieuw.

'Krans van witte aronskelken van tante Vi en oom Arthur. "Nimmermeer!" Krans van gele rozen. "Ter innige nagedachtenis, van Poppie, Winnie en Stanley..." Krans kunstbloemen in glazen kast. "Ter liefhebbende gedachtenis, van warenhuis Hooson..." Boeket Gloire de Dijonrozen. "Slaap zacht, mijn hartje. Van tante Mavis, Mostyn Hotel, Llandrindod..." Veldboeket. "Enkel goe'nacht, liefste, niet vaarwel! Je liefhebbende zus, Cissie..."'

'Nou? Ga door!' Hannah had een ooglid opgetrokken. 'Wat heb je? Ga verder! Lees het helemaal!'

'Ja, moeder... "De kist, van prachtig gepolijst eikenhout met koperbeslag, werd vervaardigd door de firma Lloyd en Lloyd in Presteigne en droeg de volgende inscriptie op het deksel: *Een harp! Een prachtige harp! Met een gebroken snaar!*"'

'Ah!' zei de oude vrouw.

De voorbereidingen voor Mary's bevalling werkten zo op Sams zenuwen dat een buitenstaander gedacht zou hebben dat hij, en niet zijn zoon, de vader was. Hij probeerde haar voortdurend pleziertjes te doen: zijn gezicht was dan ook het enige dat haar een glimlach ontlokte. Van zijn laatste spaarcenten bestelde hij een schommelwieg bij Watkins de Doodkist. De wieg was roodgeschilderd, met blauwe en witte strepen en op alle vier hoeken sierknoppen in de vorm van zangvogels.

'Vader, dat had je niet moeten...' Mary sloeg haar handen in elkaar terwijl hij hem uitprobeerde op de keukenplavuizen.

'Ze heb een doodkist nodig, geen wieg,' mompelde Hannah en ging verder met haar breiwerk.

Meer dan vijftig jaar had ze in haar uitzet een nooit gewassen witkatoenen nachthemd bewaard dat ze samen met de witte kousen wilde dragen wanneer ze haar aflegden. Op 1 augustus rondde ze de hiel van de tweede sok en daarna breide ze steeds trager, terwijl ze tussen de steken zuchtte en kraste: 'Niet lang meer!'

Haar huid, die altijd al perkamentachtig was geweest, leek nu doorschijnend. Haar adem kwam met horten en stoten en ze had moeite om haar tong te bewegen. Iedereen behalve Amos had in de gaten dat ze naar The Vision was gekomen om te sterven.

Op 8 augustus sloeg het weer om. Stapels donkere wolken met zilveren daken pakten zich samen achter de heuvel. Om zes uur 's avonds waren Amos en Dai Morgan de laatste haver aan het maaien. Alle vogels zwegen in de stilte die voorafgaat aan een storm. Distelpluis dwarrelde op en een gil sneed door het dal.

De barensweeën waren begonnen. Boven in de slaapkamer lag Mary te kronkelen en te kreunen, schopte lakens weg en beet in het kussen. Ruth Morgan probeerde haar te kalmeren. Sam was in de keuken bezig water te koken. Hannah zat op de houten bank en telde haar steken.

Amos zadelde de zwarte hit en joeg hem de heuvel over, hals over kop het steengroevepad af naar Rhulen.

'Kop op, kerel!' zei dokter Bulmer, terwijl hij zijn verlostang uit elkaar haalde en in elk van zijn rijlaarzen een helft liet glijden. Vervolgens stak hij een flacon moederkoren in zijn ene zak, een fles chloroform in de andere, knoopte de kraag van zijn regencape dicht en de twee mannen zetten zich schrap tegen de storm.

Het regenwater siste op de dakpannen toen ze hun paarden vastbonden aan het tuinhek.

Amos wilde mee naar boven. De dokter duwde hem terug en hij liet zich in de schommelstoel vallen alsof hij een klap op zijn borst had gekregen.

'God geve dat het een jongen is,' kreunde hij. 'Dan raak ik haar nooit meer aan.' Hij greep Ruth Morgans schort vast toen ze langsliep met een waterkan. 'Gaat het goed met haar?' vroeg hij smekend, maar zij schudde hem van zich af en zei dat hij zich niet moest aanstellen.

Twintig minuten later ging de slaapkamerdeur open en bulderde een stem:

'Zijn er nog kranten? Een zeiltje? Maakt niet uit wat!'

'Is het een jongen?'

'Twee.'

Die avond werkte Hannah de teen van haar tweede sok af en drie dagen later was ze dood.

8

De eerste herinnering van de tweeling – een gezamenlijke herinnering die hun allebei even goed bijbleef – was van de dag dat ze werden gestoken door de wesp.

Ze zaten in kinderstoelen aan de theetafel. Het moet theetijd geweest zijn omdat de zon binnenstroomde uit het westen, weerkaatste op het tafelzeil en hen aan het knipperen maakte. Het moet laat in het najaar geweest zijn, misschien wel oktober, als de wespen slaperig zijn. Buiten voor het raam hing een ekster in de lucht, en trosjes lijsterbessen zwiepten heen en weer in de storm. Binnen glansden de beboterde sneden brood met de kleur van sleutelbloemen. Mary voerde Lewis een zachtgekookt eitje en Benjamin zwaaide, in een aanval van jaloezie, met zijn handen om aandacht te trekken, toen zijn linkerhand tegen de wesp sloeg en werd gestoken.

Mary zocht in het medicijnkastje watten en ammonia, depte de hand en zei, toen die opzwol en vuurrood werd, sussend: 'Op je tanden bijten, kleine baas! Even op je tanden bijten!'

Maar Benjamin huilde niet. Hij kneep zijn mond dicht en sloeg zijn droeve grijze ogen op naar zijn broer. Want het was Lewis, en niet hij, die snikte van de pijn en zijn eigen linkerhand aaide alsof het een gewond vogeltje was. Hij bleef snotteren tot het bedtijd was. Pas toen ze in elkaars armen lagen dommelden de broers in slaap – en vanaf dat moment associeerden ze eieren met wespen en wantrouwden ze alles wat geel was.

Het was de eerste keer dat Lewis blijk gaf van zijn vermogen om de pijn van zijn broer over te nemen.

Hij was de sterkste van de tweeling en de eerstgeborene.

Om aan te geven dat hij de eerstgeborene was kerfde dokter Bulmer een kruisje in zijn pols, en in de wieg al toonde hij zich de sterkste. Hij was niet bang voor het donker of voor vreemden. Hij stoeide graag met de schapenhonden. Op een dag, toen er niemand in de buurt was, wurmde hij zich door de deur van de stal en daar trof Mary hem een paar uur later aan, babbelend met de stier.

Daarentegen was Benjamin een ontzettende bangerik die op zijn duim zoog, jengelde als hij van zijn broer werd gescheiden en altijd nachtmerries had – dat hij tussen de strosnijder kwam of door karrenpaarden werd vertrapt. Maar wanneer hij zich echt bezeerde – als hij in de brandnetels viel of zijn scheen flink stootte – dan was het Lewis, en niet hij, die huilde.

Ze sliepen in een rolbed, in een kamer met lage balken aan de overloop, waar ze, in een andere vroege herinnering, op een morgen bij het wakker worden zagen dat het plafond een ongewone kleur grijs had.

Toen ze naar buiten keken zagen ze de sneeuw op de lariksen en de sneeuwvlokken die neerdwarrelden.

Toen Mary binnenkwam om hen aan te kleden zaten ze, als egels, in een bult aan het voeteneind.

'Stel jullie niet zo aan,' zei ze. 'Het is maar sneeuw.'

'Nee, mama,' klonken twee gedempte stemmetjes onder de dekens vandaan. 'God spuugt.'

Afgezien van zondagsritjes naar Lurkenhope was hun eerste uitstapje in de buitenwereld een bezoek aan de bloementoonstelling van 1903, toen de pony schichtig werd van een dode egel op de weg en hun moeder de eerste prijs won voor snijbonen.

Ze hadden nog nooit zoveel mensen bij elkaar gezien en waren helemaal beduusd van het geschreeuw, het gelach, het flapperende tentzeil en de rinkelende paardentuigen, en van de vreemde mensen die hen op de schouders langs de inzendingen namen.

Ze hadden matrozenpakjes aan; en met hun ernstige grijze ogen en zwarte pagekopjes trokken ze algauw een kring van bewonderaars. Zelfs kolonel Bickerton kwam naar hen toe:

'Zo, zo, jolige jantjes!' zei hij en kietelde ze onder hun kin.

Later maakte hij een rondritje met ze in zijn rijtuig; en toen hij hun naam vroeg, antwoordde Lewis Benjamin en Benjamin Lewis.

Later waren ze onvindbaar.

Om vier uur moest Amos weg om te touwtrekken voor de ploeg van Rhulen en omdat Mary zich had opgegeven voor de dameswedloop met lepel-en-ei, liet ze de tweeling achter onder de hoede van mevrouw Griffiths van Cwm Cringlyn.

Vrouw Griffiths was een groot, bazig mens met een glimmend gezicht, die zelf tweelingnichtjes had en prat ging op haar kennis van zaken op dit gebied. Ze zette de jongens naast elkaar en bekeek hen van top tot teen totdat ze een minuscuul moedervlekje achter Benjamins rechteroor ontdekte.

'Kijk eens aan!' riep ze luidkeels. 'Ik heb een verschil gevonden!' – waarop Benjamin een wanhopige blik naar zijn broer wierp en deze hem bij de hand pakte en tussen de benen van de toeschouwers door op sleeptouw nam naar de grote tent, waar ze zich verstopten.

Ze doken onder het laken van een schragentafel onder de bekroonde mergpompoenen, en ze genoten zo van het uitzicht op de dames- en herenvoeten dat ze zich net zo lang verscholen hielden tot ze hun moeders stem hoorden roepen en roepen met een stem die schriller en angstiger klonk dan een blatend ooi.

Onderweg naar huis zaten ze achter in de dogkar bij elkaar gekropen en bespraken hun avontuur in hun eigen geheimtaal. En toen Amos bulkte: 'Is het nou uit met die onzin, ja?' ging Lewis er tegenin. 'Het is geen onzin, papa. Het is de engelentaal. Daar zijn we mee geboren.'

Mary probeerde ze het verschil tussen 'mijn' en 'dijn' in te prenten. Ze kocht zondagse kleren voor ze – een grijs tweed pak voor Lewis en een blauw serge voor Benjamin. Ze liepen er een halfuur in rond, slopen toen weg en kwamen even later terug met elkaars jasje aan. Ze konden het niet laten om alles te delen. Ze deelden zelfs hun boterhammen in tweeën en ruilden dan hun helft.

Met Kerstmis kregen ze een keer een pluizige teddybeer en een Holle-Bolle-Gijs van vilt, maar de middag van tweede kerstdag besloten ze de beer prijs te geven aan een vreugdevuur en hun genegenheid te concentreren op 'De Bolle'.

De Bolle sliep op hun kussen en ze namen hem mee uit wandelen. Maar in maart – op een grijze stormachtige dag met katjes aan de takken en sneeuwbagger op de weg – besloten ze dat ook hij tussen hen was gekomen. Dus toen Mary even niet keek, zetten ze hem op de brugleuning en duwden hem de beek in.

'Kijk, mama!' riepen ze, twee onaangedane gezichtjes die over de leuning naar het zwarte ding tuurden dat met de stroom meedobberde.

Mary zag dat De Bolle in een draaikolk verzeild raakte en aan een tak bleef haken.

'Blijf daar!' riep ze en snelde te hulp, maar ze gleed uit en viel bijna in het schuimende bruine smeltwater. Bleek en verfomfaaid haastte ze zich terug naar de tweeling en drukte hen tegen zich aan.

'Geeft niet, mama,' zeiden ze. 'We vonden De Bolle toch niet leuk.'

Net zomin als ze de volgende herfst hun nieuwe zusje, Rebecca, leuk vonden.

Ze hadden bij hun moeder gezeurd om ze een zusje te geven – en toen dat eindelijk kwam klommen ze de trap op naar de slaapkamer, allebei met een koperkleurige chrysant in een eierdopje water. Ze zagen een nijdig roze wezentje dat in Mary's borst beet. Ze lieten hun offerande op de grond vallen en vlogen naar beneden.

'Doe haar weg,' snikten ze. Een maand lang vervielen ze in hun geheimtaaltje en het duurde een jaar voor ze haar aanwezigheid duldden. Op een dag, toen vrouw Griffiths van Cwm Cringlyn op bezoek kwam, trof ze de tweeling krampachtig kronkelend aan op de keukenvloer.

'Wat is er met de tweeling?' vroeg ze ongerust.

'Let maar niet op ze,' zei Mary. 'Ze spelen dat ze een baby krijgen.'

Op hun vijfde hielpen ze in het huishouden, brooddeeg kneden, krulletjes van de boter maken en taartgebak glazuren. Voor het slapen gaan beloonde Mary ze met een verhaal van de gebroeders Grimm of Hans Christian Andersen: hun lievelingssprookje was het verhaal van de zeemeermin die in het paleis van de koning op de bodem van de zee ging wonen.

Op hun zesde konden ze zelf lezen.

Amos Jones wantrouwde boekenwijsheid en bromde tegen Mary dat ze geen 'doetjes' van ze moest maken.

Hij gaf ze ratels en liet ze in het haverveld alleen om de houtduiven weg te jagen. Hij liet ze het kippenvoer mengen en de kippen plukken en schoonmaken voor de markt. Bij goed of slecht weer zette hij ze op zijn pony, een voorop en een achterop, en deed de ronde langs de kudde schapen op de heuvel. In de herfst zagen ze hoe de ooien werden gedekt: vijf maanden later waren ze getuige van de geboorte van de lammetjes.

Ze waren zich van het begin af aan bewust van hun affiniteit met tweelingschapen. Net als lammetjes speelden ze 'De-Berg-is-Mijn' en op een winderige morgen, toen Mary de was stond op te hangen, kropen ze onder haar schort, duwden hun hoofd tegen haar dijen en maakten geluiden alsof ze aan een uier zogen.

'Niets daarvan, mallerds,' lachte ze en duwde hen weg. 'Ga opa maar zoeken.'

9

Ouwe Sam was op The Vision komen wonen en beleefde een tweede jeugd.

Hij droeg een vest van mollenvel en een slappe zwarte pet en hij ging nergens heen zonder een stok van sporkehout. Hij sliep op een zolderkamertje vol spinrag dat nauwelijks groter was dan een kast, te midden van de weinige spullen die hij nog had willen bewaren: de viool, een pijp, een tabaksdoos en een porseleinen beeldje dat hij op een van zijn reizen op de kop had getikt – van een corpulente heer met een valies en een inscriptie rond het voetstuk die luidde: 'Ik sta aan het begin van een lange reis'.

Zijn voornaamste bezigheid was het verzorgen van de varkens. Varkens, zei hij, 'waren pienterder dan mensen'; en zoveel was zeker, alle zes zijn zeugen waren dol op hem, knorden als hij met hun spoelingemmer rammelde en luisterden stuk voor stuk naar hun naam.

Zijn oogappel was een Grote Zwarte die Hannah heette, en terwijl Hannah onder de appelbomen liep te wroeten naar maden, krabde hij haar achter de oren en dacht terug aan de prettiger momenten van zijn huwelijk.

Maar Hannah was een hopeloze moeder. Haar eerste worp drukte ze dood. De tweede keer, nadat ze tot kolossale afmetingen was uitgedijd, wierp ze één enkel mannetjesbiggetje, dat de broers Beertje noemden en waarover ze zich ontfermden alsof het hun kind was.

Op een dag, toen Beertje drie maanden oud was, besloten ze dat het tijd was om hem te dopen.

'Ik ben de dominee,' zei Lewis.

'Nee, ik wil dominee wezen,' zei Benjamin.

'Nou, best. Dan ben jij de dominee.'

Het was een snikhete dag in juni. De honden lagen te hijgen in de schaduw van de schuur. Vliegen zoemden en soesden. Zwarte koeien liepen te grazen in de wei beneden het huis. De meidoorn stond in bloei. De hele wei was zwart en wit en groen.

De tweeling glipte de keuken uit met een schort dat als superplie moest dienen en een gestreepte handdoek als doopjurk. Na een wilde achtervolging door de boomgaard kregen ze Beertje klem bij de kippenren en droegen hem krijsend naar de beek. Lewis hield hem vast terwijl Benjamin zijn vinger natmaakte en een kruis maakte boven zijn snuit.

Maar hoe ze Beertje ook volstopten met wormpoeders, en gegapte cake, en ook al maakte hij zijn geringe grootte goed door een meegaand karakter – hij liet de tweeling zelfs ritjes op zijn rug maken – Beertje bleef een achterblijver; en achterblijvers kon Amos niet gebruiken.

Op een morgen in november ging Sam naar het voederhok om gerst te halen en trof er zijn zoon aan bezig met het scherpen van een slachtmes. Hij probeerde te protesteren, maar Amos fronste dreigend zijn wenkbrauwen en liet zijn slijpsteen nog harder draaien.

'Onzin om een achterblijver te houwen,' zei hij.

'Maar Beertje toch niet,' stotterde Sam.

'Onzin om een achterblijver te houwen, zei ik.'

Om te zorgen dat ze niets zouden horen ging de oude baas met zijn kleinzoons paddenstoelen zoeken op de heuvel. Toen ze tegen donker thuiskwamen zag Benjamin een plas bloed naast de deur van het voederhok en door een spleet zag hij het karkas van Beertje aan een haak hangen.

Beide jongens wisten hun tranen te bedwingen tot bedtijd; en toen huilden ze hun kussen door en door nat.

In de loop der tijd raakte Mary ervan overtuigd dat ze hun vader de moord nooit hadden vergeven. Ze hielden zich van de domme als hij hun iets van het boerenwerk wilde leren. Ze krompen ineen wanneer hij hen probeerde te knuffelen; en als hij hun zusje Rebecca knuffelde haatten ze hem helemaal. Ze maakten plannen om weg te lopen. Ze praatten achter zijn rug om op samenzweerderige fluistertoon. Ten slotte kon zelfs Mary het niet langer aanzien en smeekte ze: 'Wees alsjeblieft aardig voor papa.' Maar hun ogen schoten venijn en ze zeiden: 'Hij heeft ons Beertje doodgemaakt.'

10

De tweeling ging dolgraag uit wandelen met hun grootvader en had twee lievelingsroutes – een 'Welshe wandeling' de berg op, en een 'Engelse wandeling' naar Lurkenhope Park.

De 'Welshe wandeling' was alleen bij mooi weer te doen. Vaak gingen ze op pad met zon en kwamen drijfnat thuis. En even vaak, als ze de heuvel af naar Lurkenhope liepen, keken ze achterom naar de grijze regensluier in het westen, terwijl boven hun hoofd de wolken oplosten in blauw en vlinders boven de zonovergoten kervel fladderden.

Een kilometer voor het dorp kwamen ze langs de molen van Maesyfelin en de congregationalistische kerk ernaast. Dan kwamen er twee rijen huisjes van werkvolk van het landgoed, met sprieterige schoorstenen en tuintjes vol kool en lupine. Aan de brink van het dorp keek een tweede, doopsgezinde, kerk schuins uit op de anglicaanse kerk, de pastorie en de Bannut Tree Inn. Er stond een haag van oeroude taxusbomen om het kerkhof; het zwart-witte vakwerk van de klokkentoren stelde volgens zeggen de Drie Kruisen van Golgotha voor.

Sam wipte altijd de kroeg binnen voor een pint cider en een spelletje tafelkegelen met meneer Godber de kastelein. En soms, als het spelletje uitliep, kwam mevrouw Godber naar buiten met kroezen limonade voor de tweeling. Ze liet hen in haar gehoortoeter brullen en als wat ze zeiden haar aanstond, gaf ze hun elk een driestuiverstuk met de vermaning dat ze er geen snoep voor moesten kopen – waarop ze naar het postkantoortje holden, en weer terug, hun kin vol chocoladevegen.

Vijf minuten verder lopen bracht hen bij de westelijke ingang van het park. Vandaar liep er een oprijlaan in lussen de heuvel af, tussen eiken en kastanjebomen door. Onder de takken graasden damherten hun staart zwiepend naar de vliegen, hun buik zilverwit glanzend in de diepe schaduwpoelen. Het geluid van menselijke stemmen maakte ze aan het schrikken en hun witte staartjes wipten weg tussen de adelaarsvarens.

De tweeling was goede maatjes met meneer Earnshaw, de hoofdtuinman, een gedrongen, pezige man met porseleinblauwe ogen, die regelmatig bij Mary op theevisite kwam. Gewoonlijk troffen ze hem met een leren schort voor in de kweekkas, met halvemaantjes poot aarde onder zijn nagels.

Ze vonden het heerlijk de balsemieke tropische lucht in de kas op te snuiven, over het dons van witte perziken te aaien of te turen naar orchideeën met gezichtjes als van de apen uit prentenboeken. Ze kwamen nooit weg zonder een presentje – een cineraria of een wasachtige rode begonia – en nog zeventig jaar later kon Benjamin op een roze geranium wijzen en zeggen: 'Dat is van een stek van Earnshaw.'

De gazons van het kasteel liepen terrasgewijs af naar het meer. Aan de oever stond een boothuis van dennenstammen en op een dag, toen ze verstopt zaten tussen de rododendrons, zag de tweeling de boot!

Zijn geverniste romp kwam fluisterend op hen af door de water-lelies. Kammen water vielen van de roeispanen. De roeier was een jongen in een rood-witgestreepte blazer, en op de achtersteven, half schuil onder een witte parasol, zat een meisje in een lila jurk. Haar blonde haar hing in weelderige lokken en ze liet haar vingers door de kabbelende groene golfjes glijden.

Terug op The Vision stormde de tweeling naar Mary toe:

'We hebben juffrouw Bickerton gezien,' schreeuwden ze in koor Toen ze hun een nachtzoen gaf, fluisterde Lewis: 'Mama, als ik groot ben, trouw ik met juffrouw Bickerton,' en Benjamin barstte in tranen uit.

Voor de 'Welshe wandeling' banjerden ze over de weilanden naar Cock-a-Loftie, een schaapherdershut die in verval was geraakt na de omheining van de landerijen. Vandaar liepen ze via een stenen over-stap de hei op en volgden een ponypad naar het noorden, met aan hun linkerhand de steil oplopende steenhelling. Voorbij een berkenbosje kwamen ze bij een schuur met een langgerekt huis, te midden van ver-

vallen tuinmuren. Een pluimpje rook dreef zijwaarts uit de schoorsteen. Er stonden een paar verwrongen essen, een paar katwilgen, en
de modderige vijver was aan de rand overdekt met vlokken ganzen-
dons.

Dit was de hoeve van de familie Watkins, Graig-y-Fedw, De Rots bij
de Berken – in de streek beter bekend als The Rock.

Bij het eerste bezoek van de tweeling blaften schapenhonden, rukkend aan hun ketting; een spichtig roodharig jongetje rende het huis
binnen; en Aggie Watkins kwam naar buiten en versperde de deuropening in een lange zwarte jurk en een schort van jute.

Ze knipperde in de zon, maar zodra ze de wandelaars herkende brak
er een glimlach door.

'O! Ben jij het, Sam,' zei ze. 'Nu kommen jullie ook een kop thee
drinken, zeker?'

Ze was een magere kromgegroeide vrouw met wratten op haar gezicht, een blauwige teint en strengen loshangend schurftig haar dat
fladderde in de wind.

Voor de deur lagen de stapels planken waar Tom Watkins zijn doodkisten van timmerde.

'En wat zonde dat jullie Tom mislopen,' ging ze verder. 'Die is met de
muilezel een doodkist wegbrengen voor die arme vrouw Williams
van Cringoed, die is doodgegaan aan haar longen.'

Tom Watkins maakte de goedkoopste doodkisten van de streek en
verkocht ze aan mensen die te gierig of te arm waren om een behoor-
lijke begrafenis te bekostigen.

'En dat is zeker de tweeling,' zei ze, terwijl ze haar armen over elkaar
sloeg. 'Anglicaans, net als Amos en Mary?'

'Anglicaans,' zei Sam.

'En God wees ze genadig! Breng ze binnen!'

De keukenmuur was pas gewit, maar de balken waren zwart van het
roet en de aarden vloer was bekorst met verdroogde kippenstront.
Asgrijze bantams paradeerden in en uit en pikten de resten op die van
de tafel waren gevallen. In de kamer erachter was een bedstee, met een
berg dekens en overjassen; en daarboven hing een ingelijste tekst: 'De
Stem van een Roepende in de Woestijn. Bereidt de Weg des Heren,
maakt Zijn Paden recht...'

In een andere kamer – in wat vroeger de 'mooie kamer' was geweest
– stonden twee vaarzen hooi weg te kauwen, en een scherpe geur

kroop langs de keukendeur en vermengde zich met de geur van turf en stremsel. Aggie Watkins veegde haar handen af aan haar schort voordat ze een snufje thee in de pot deed:

'En het weer,' zei ze. 'Verdraaid koud voor juni!'

'Koud!' zei Sam.

Lewis en Benjamin zaten op de rand van een stoel, terwijl het roodharige joch bij een ketel hurkte en de vlammen aanwakkerde met een ganzenvleugel.

De jongen heette Jim. Hij stak zijn tong uit en spuugde.

'Aagh! Duvels joch!' Aggie Watkins schudde haar vuist en hij maakte dat hij de deur uitkwam. 'Trek je maar niks van hem aan,' zei ze onder het uitvouwen van een schoon wit linnen tafelkleed want hoe krap ze er ook bij zaten, ze dekte altijd met een schoon wit linnen laken voor de thee.

Ze was een goed mens dat hoopte dat de wereld niet zo slecht was als iedereen beweerde. Ze had een zwak hart van de armoede en het zware werk. Soms nam ze haar spinnewiel mee de heuvel op en spon de sliertjes schapenwol die in de brem en de heide waren blijven hangen.

Ze vergat nooit een belediging en ze vergat nooit een vriendelijk gebaar. Een keer, toen ze het bed moest houden, stuurde Mary Sam langs met wat sinaasappelen en een pakje smyrnavijgen. Aggie had nooit eerder vijgen geproefd en voor haar was het manna uit de hemel.

Vanaf die dag liet ze Sam nooit teruggaan zonder een tegengift. 'Neem een pot bramenjam voor haar mee,' zei ze dan. Of: 'Wat dacht je van een paar krentenbollen? Ik weet dat ze die lekker vindt.' Of: 'Zou ze dit keer geen eendeneieren willen hebben?' En als haar enige schriele sering in bloei stond, overlaadde ze hem met takken alsof zij de enige sering van de schepping had.

Aggie en Tom Watkins waren niet-anglicaans en ze waren kinderloos.

Misschien omdat ze kinderloos waren zochten ze altijd naar zieltjes om te redden. Na de Eerste Wereldoorlog zag Aggie kans verscheidene kinderen te 'redden', en als iemand zei: 'Hij is grootgebracht op The Rock', of 'Zij komt bij The Rock vandaan', dan kon je aannemen dat het kind onwettig of zwakzinnig was. Maar in die tijd hadden Aggie en Tom alleen de jongen Jim gered, plus een meisje dat Ethel heette, een groot meisje van een jaar of tien, dat met haar dijen uit elkaar ging zitten en de tweeling dan met sombere fascinatie aanstaarde, met haar hand nu eens voor het ene, dan weer voor het andere oog, alsof ze dubbelzag.

Vanaf The Rock slingerde een veedrijverspad omhoog langs de noordflank van de Zwarte Heuvel, af en toe zo steil dat de oude baas even moest stilstaan om op adem te komen.

Lewis en Benjamin huppelden vooruit, joegen korhoenders op, speelden vingervoetbal met konijnenkeutels, tuurden over de afgrond neer op de rug van torenvalken en raven, en kropen om de haverklap tussen de adelaarsvarens en hielden zich verstopt.

Ze speelden graag dat ze verdwaald waren in een bos, net als de tweeling in het sprookje van Grimm, en dat elke varenstengel de stam van een boom in een woud was. Alles was stil en klam en koel in de groene schaduw. Paddenstoelen staken hun hoedje omhoog door het dek van afgestorven planten, en ver boven hun hoofd floot de wind.

Ze lagen op hun rug en staarden naar de wolken die door de gekartelde stukjes lucht dreven, naar de zigzaggende stippen die vliegers waren en ver daarboven de andere zwarte stippen die rondcirkelende zwaluwen waren.

Of ze kwijlden speeksel op een klodder koekoekspog, en als ze een droge mond kregen, drukten ze hun voorhoofd tegen elkaar, volledig opgaand in het grijze oog van de ander, totdat hun grootvader ze wekte uit hun dromerij. Dan sprongen ze tevoorschijn op het pad en deden net alsof ze daar de hele tijd waren geweest.

Op mooie zomeravonden nam Sam hen mee naar de Adelaarssteen – een grijs granieten menhir met plekken oranje korstmos, die in het diagonale licht leek op een roestende adelaar.

Sam zei dat daar een van de 'Ouden' begraven lag. Of anders was het een paardenkerkhof, of een plek waar de 'Farizeeërs' dansten. Zijn vader had ooit de toverfeeën gezien – 'Die hadden vleugels als waterjuffers' – maar waar precies kon hij zich nooit herinneren.

Als hij de jongens op de kei getild had, wees Sam ze boerderijen en kerkjes en het klooster van pater Ambrosius, dat half verborgen in het dal beneden lag. Op sommige avonden was het dal gehuld in nevel, maar in de verte rezen de Radnor Hills op, met hun bultige contouren grijs-op-grijs terugwijkend naar het einde van de wereld.

Sam wist al hun namen: de Whimble, de Bach en de Black Mixen

– 'en dat zal de Smatcher wezen, daar ben ik vlakbij geboren'. Hij vertelde ze verhalen over prins Llewellyn en zijn hond of over schimmiger figuren als Arthur of Merlijn of de Zwarte Vaughan; door een verhitte fantasie was hij Willem de Veroveraar gaan verwarren met Napoleon Bonaparte.

De tweeling beschouwde het pad naar de Adelaarssteen als hun privé-eigendom. 'Dit is Ons Pad!' riepen ze als ze wel eens een groepje wandelaars tegenkwamen. Een laarsafdruk in de modder deed ze in laaiende woede ontsteken en dan probeerden ze hem weg te krabben met een stok.

Op een avond, toen ze bij zonsondergang over de top van de heuvel kwamen, zagen ze in plaats van het vertrouwde silhouet een paar strooien hoeden. Twee jongedames, hun handen in hun zij, zaten boven op de steen; een paar stappen ervandaan stond een jongeman in grijs flanel gebogen achter een camerastatief.

'Stil zitten,' riep hij onder de fladderende zwarte doek. 'Lachen zodra ik het zeg! Eén... Twee... Drie... Lachen!'

Onverhoeds, voordat Sam hem kon tegenhouden, had Lewis zijn stok weggegrist en de fotograaf een klap in zijn knieholten toegediend.

Het statief sloeg om, de camera viel en de meisjes, die krom lagen van het giechelen, rolden bijna van de kei af.

Maar Reggie Bickerton – want hij was de man achter de camera – liep paars aan en holde Lewis over de hei achterna, onder het schreeuwen van: 'Ik vermoord het stuk ongeluk'. En hoe hard zijn zusters ook 'Nee, Reggie! Nee! Nee! Doe hem geen pijn!' riepen, hij legde het joch over de knie en gaf hem een pak slaag.

Onderweg naar huis leerde Sam zijn kleinzoons het Welshe woord voor 'vuile Saks', maar Mary was ontdaan van het nieuws.

Ze was diep geschokt en beschaamd om haar jongens, beschaamd dat ze zich voor ze schaamde. Ze probeerde een verontschuldigende brief aan mevrouw Bickerton te schrijven, maar de ganzenpen kraste en de woorden wilden niet komen.

11

Die herfst ging Mary, al bedrukt door de last van de komende winter, regelmatig op bezoek bij de dominee.

Dominee Thomas Tuke was een classicus met privé-inkomen, die de gemeente Lurkenhope had gekozen omdat de dorpsheer katholiek was en omdat de tuin van de pastorie bestond uit groenzand – de ideale grond voor het kweken van zeldzame heesters uit de Himalaya.

Hij was een rijzige, knokige man met een bos sneeuwwit haar en hij had de hebbelijkheid om zijn gemeente met zijn amberkleurige ogen te biologeren alvorens hun de glorie van zijn luisterrijke profiel te tonen.

Zijn vertrekken getuigden van een geordende geest en omdat zijn huishoudster stokdoof was, hoefde hij niet tegen haar te spreken. De planken van zijn bibliotheek puilden uit van de reeksen klassieken. Hij kende de hele Homerus uit zijn hoofd; elke morgen, tussen een koud bad en het ontbijt, componeerde hij voor zichzelf een paar hexameters. Aan de muur boven de trap hing een waaiervormig arrangement van roeiriemen – hij had geroeid voor Cambridge – en in de vestibule stonden, in het gelid als een kolonie pinguïns, verscheidene paren rijlaarzen, want hij was tevens jachtmeester van het Rhulendal.

Voor de dorpelingen was hun dominee een raadsel. De meeste vrouwen waren verliefd op hem – of verrukt van het timbre van zijn stem. Maar hij had het veel te druk om hun geestelijke noden te lenigen en zijn gedrag riep dikwijls heftige verontwaardiging op.

Op een zondag kwam er een stel vrouwen met bloemetjeshoeden naar de kerk gelopen voor de heilige communie, hun gezicht in een vrome plooi. Plotseling vloog er een raam van de pastorie open, de stem van de dominee brulde: 'Denk om jullie hoofd!' en hij vuurde een dubbelloops salvo af op de houtduiven in de iepen.

De hagel viel kletterend tussen de grafzerken. 'Verduvelde heiden!' mompelde Amos; en Mary kon amper haar gegiechel bedwingen.

Ze waardeerde dominee Tukes gevoel voor het absurde en zijn snedige manier van uitdrukken. Aan hem – en hem alleen – bekende ze dat het boerenleven haar bedrukte; dat ze hongerde naar gesprekken en ideeën.

'U bent niet de enige,' zei hij, en gaf haar een kneepje in de hand. 'Dus laten we er het beste van maken.'

Hij leende haar boeken. Shakespeare of Euripides, de Oepanisjad of Zola – ze graasde het hele terrein van de literatuur af. Nooit, zei hij, had hij een intelligentere vrouw ontmoet, alsof dat op zich al een tegenspraak was.

Hij sprak met spijt over zijn jeugdige beslissing om het heilig ambt te aanvaarden. Hij had zelfs weinig meer op met de Bijbel, zo weinig dat hij vertalingen van de *Odyssee* ronddeelde in het dorp: 'Wat waren die Israëlieten uiteindelijk? Schapendieven, mevrouw! Een stam zwervende schapendieven!'

Zijn hobby was bijen houden, en in een hoek van zijn tuin had hij een bed stuifmeeldragende bloemen geplant.

'Kijk aan!' riep hij uit wanneer hij een korf opende. 'Het Athene van de insectenwereld!' Waarna hij, druk gebarend naar de architectuur van honingcellen, uitweidde over de essentie van de beschaving, haar heersers en onderdanen, haar oorlogen en veroveringen, haar steden en voorsteden en de elkaar aflossende ploegen werkers, die de steden in leven hielden.

'En de darren,' zei hij dan. 'Liever lui dan moe!'

'Ja,' zei Mary. 'Dat soort kennen we.'

Hij spoorde haar aan om haar eigen korven te vervangen. Halverwege het eerste seizoen werd er een getroffen door wasmot en de bijen zwermden uit.

Amos wandelde de keuken in en zei met een geamuseerde grijns: 'Je bijen zitten op een kluitje in de pruimen.'

Zijn aanbod om te helpen was zo mogelijk nog minder welkom. Mary zette de jongens op de uitkijk voor het geval de zwerm zou wegvliegen en haastte zich naar Lurkenhope om de dominee te halen;

Benjamin zou nooit vergeten hoe de oude man van de ladder afkwam, zijn armen, borst en hals overdekt met een zoemende bruine massa bijen.

'Bent u niet bang?' vroeg hij, terwijl de dominee ze met handenvol opschepte en in een zak stopte.

'Ben je mal? Bijen steken alleen bangeriken!'

In een andere hoek van zijn tuin had de dominee een rotspartij aangelegd voor de bloembollen die hij had verzameld op zijn reizen door Griekenland.

In maart bloeiden er krokussen en scilla's; in april cyclamen, tulpen en hondsviooltjes; en er was ook een kolossale donkerpaarse aronskelk die stonk naar bedorven vlees.

Mary stelde zich graag voor hoe deze bloemen in het wild groeiden, in zeeën van kleur, op de bergen, en ze had medelijden met de ballingen in de rotstuin.

Op een winderige middag, terwijl de jongens liepen te voetballen op het gazon, liet de dominee haar een keizerskroon van de hellingen van de berg Ida op Kreta zien.

'Zeer zeldzaam als kweekplant,' zei hij. 'Moest de helft van mijn bollen afstaan aan de botanische tuin!'

Op dat ogenblik wipte Lewis de bal de lucht in, een windvlaag blies hem weg en hij landde op de rotspartij, waar hij de broze campanula vermorzelde.

Mary zakte op haar knieën en probeerde de stengel recht te buigen, bijna in tranen, niet zozeer om de bloem als om de toekomst van haar zoons.

'Boerenkinkels!' zei ze bitter. 'Dat worden ze, als het aan hun vader lag tenminste!'

'Niet als het aan mij ligt,' zei de dominee en hielp haar overeind.

Na de zondagochtenddienst gaf hij bij het zuidportaal zijn gemeenteleden een hand en toen Amos aan de beurt was, zei hij: 'Wil je even op me wachten, Jones? Ik heb een kleinigheid met je te bespreken.'

'Ja, dominee!' zei Amos en hij begon rond de vont te ijsberen, nerveus omhoogblikkend naar de klokkentoren.

De dominee wenkte hem de consistoriekamer binnen. 'Het gaat over je jongens,' zei hij, terwijl hij de superplie over zijn hoofd trok. 'Pientere knapen, allebei! Hoog tijd dat ze naar school gaan!'

'Jawel, dominee!' stotterde Amos. Hij had helemaal geen 'Jawel!' of 'Dominee!' willen zeggen. De toon van de dominee had hem overrompeld.

'Zo mag ik het horen! Dat is dan geregeld! De school begint maandag.'

'Jawel, dominee!' Hij had het alweer gezegd, ditmaal ironisch of als ontboezeming van zijn woede. Hij zette bruusk zijn hoed op en beende naar buiten, tussen de zonovergoten grafstenen door.

Kauwen cirkelden rond de klokkentoren en de iepen kraakten in de wind. Mary en de kinderen waren al in de sjees geklommen. Amos liet zijn zweep over de rug van de pony knallen en ze schoten slingerend de straat op, zodat een groepje doopsgezinden opzij moest springen.

De kleine Rebecca gilde van schrik.

'Waarom moet je zo hard rijden?' Mary trok aan zijn mouw.

'Omdat jij me woest maakt!'

Na een zwijgend middagmaal vertrok hij voor een wandeling over de heuvel. Het liefst had hij gewerkt, maar het was de dag des Heren. Dus liep hij in zijn eentje over en rond de Zwarte Heuvel. Het was donker toen hij thuiskwam en hij vervloekte Mary en de dominee nog steeds.

12

Desondanks ging de tweeling naar school.

Om zeven uur 's morgens gingen ze deur uit in zwarte norfolkpakjes en knickerbockers en gestijfde Eton-boorden die in hun nek schuurden en waren dichtgebonden met een grofgreinen strik. Op natte dagen diende Mary hun levertraan toe en liet ze een warme sjaal omdoen. Hun boterhammen verpakte ze in vetvrij papier en stopte ze in hun tas, bij hun boeken.

Ze zaten in een tochtig klaslokaal waar een zwarte klok de uren afdreunde en meneer Birds aardrijkskunde en Engels gaf, en juffrouw Clifton rekenen, natuurkunde en godsdienstles.

Ze hadden een hekel aan meneer Birds.

Zijn paarse gezicht, de aderen op zijn slapen, zijn slechte adem en zijn hebbelijkheid om in een snuifzakdoek te spuwen – dat alles deed heel onprettig aan en ze kropen dan ook in elkaar als hij in de buurt kwam.

Toch leerden ze Shelleys 'Ode aan een Leeuwerik' declameren; hoe ze Titicaca en Popocatepetl moesten spellen – dat het Britse rijk het beste was van alle denkbare rijken; dat de Fransen lafaards waren en de Amerikanen verraders, en dat de Spanjaarden protestantse jongetjes op de brandstapel gooiden.

Daarentegen volgden ze met plezier de lessen van juffrouw Clifton, een mollige vrouw met een melkwitte huid en haar met de kleur van citroenschil.

Benjamin was haar oogappel. Niemand wist hoe ze hen uit elkaar hield; maar hij was beslist haar oogappel en als ze zich vooroverboog om zijn sommen te verbeteren, snoof hij haar warme moederlijke geur op en vlijde zijn hoofd tussen haar fluwelen keurslijfje en de bungelende gouden ketting van haar borstkruis. Ze bloosde van plezier als hij een tuil duizendschoon voor haar meebracht, en in het speelkwartier nam ze de tweeling mee naar haar kamer en liet ze weten dat ze 'echte jongeheren' waren.

Hun voorkeursbehandeling maakte hen er niet populairder op. De vechtersbaas van de school, een deurwaarderszoon die George Mudge heette, voelde zich in zijn gezag bedreigd en probeerde voortdurend een wig tussen hen te drijven.

Hij liet ze bij het voetballen tegen elkaar spelen. Maar onder het partijtje ontmoetten hun ogen elkaar en krulden hun lippen van heimelijk plezier. Dan dribbelden ze over het veld en speelden elkaar de bal toe, zonder zich iets aan te trekken van de andere spelers of het gejoel.

Soms, in de klas, schreven ze identieke antwoorden op. Ze maakten dezelfde fout in een couplet van 'De Vrouwe van Shalott' en meneer Birds betichtte hen van afkijken. Hij liet ze voor het bord komen en hun broek omlaag doen, waarna hij zijn berkenroede liet zwiepen en op hun achterwerk zes symmetrische striemen aanbracht.

'Het is niet eerlijk,' jammerden ze, terwijl Mary hen in slaap suste met een verhaaltje.

'Nee, schatjes van me, het is niet eerlijk.' Ze doofde de kaars en liep op haar tenen de deur uit.

Kort daarna werd meneer Birds van zijn post ontheven om redenen die 'maar beter ongenoemd' konden blijven.

Twee weken voor Kerstmis kwam er een pakket van oom Eddie uit Canada met de oleografie van de indiaan.

Nadat hij was begonnen als houthakker, had de broer van Amos zich opgewerkt tot hoofd van een handelsonderneming in Moose Jaw, in Saskatchewan. Een foto van hem, met een pelsmuts op en met zijn voet op een dode grizzly, maakte de tweeling dol van opwinding. Mary gaf hun haar exemplaar van Longfellow en algauw konden ze uit hun hoofd het levensverhaal van Hiawatha en Minnehaha opzeggen.

Met de andere kinderen speelden ze Comanche en Apache in de bosjes achter het schooltje. Lewis noemde zich 'Kleine Raaf' en begeleidde het krijgslied van de Comanches op een oude blikken emmer;

Benjamins taak was de wigwams van de Apachen te bewaken. Allebei zwoeren ze met de hand op het hart dat ze bereid waren te sterven en voor altijd vijanden zouden blijven.

Maar op een keer betrapte George Mudge, het Apachen-opperhoofd, het tweetal in de middagpauze op een vredesceremonie in de braambosjes en blafte: 'Verrader!'

Hij trommelde zijn trawanten op, die Benjamin wilden wegslepen voor een 'brandnetel-marteling', maar op verzet stuitten van Lewis. In het gevecht dat volgde kozen de Apachen het hazenpad en leverden hun opperhoofd uit aan de genade van de tweelingbroers, die zijn arm op zijn rug draaiden en hem met zijn gezicht in de modder duwden.

'We hebben hem levend gevild,' kraaide Benjamin toen ze de keuken binnenstormden.

'Tjonge, jonge,' verzuchtte Mary, gruwend van de toestand van hun kleren.

Maar ditmaal was Amos in zijn sas: 'Zo mag ik het horen, jongens! Laat eens zien waar jullie hem geraakt hebben! Au! Ja! Echte vechtersbazen, jullie! Nog een keer! Ja! Ja! En jullie hebben zijn arm omgedraaid? Au! Zo mot je hem aanpakken...'

Een foto, gemaakt tijdens het hooien in 1909, toont een gelukkige, lachende groep voor een paard-en-wagen. Amos staat met een zeis over zijn schouder. Ouwe Sam heeft zijn vest van mollenvel aan. Mary, in een gingang jurk, houdt een hooivork vast. En de kinderen – samen met Jim van The Rock, die een paar centen was komen verdienen – zitten met zijn vieren in kleermakerszit op de grond.

De tweeling is nog niet uit elkaar te houden; maar jaren later herinnerde Lewis zich dat hij de schapenhond vasthield, terwijl Benjamin zijn zusje probeerde te laten stilzitten – tevergeefs, want Rebecca staat op de foto als een witte vlek.

Later die zomer richtte Amos twee bergpony's af en de jongens gingen uit rijden in de omgeving, soms helemaal tot de houtzagerij van Lurkenhope.

Dat was een bakstenen gebouw dat op een vlakke strook tussen de molenvliet en de wand van een ravijn stond. De leien waren van het dak gewaaid; er groeiden varens in de goten, maar het waterrad dreef nog steeds de zaagbank aan en voor de deur lagen bergen harsig zaagsel en stapels gele planken.

De tweeling mocht graag kijken hoe Bobbie Fifield, de zager, de boomstammen op het snerpende blad afstuurde. Maar de ware attractie was zijn dochter, Rosie, een ondeugend meisje van tien dat haar blonde krullenbol op een brutale manier in haar nek kon gooien. Haar moeder deed haar kersenrode jurkjes aan en zei tegen haar dat ze er beeldig uitzag, 'net een plaatje'.

Rosie nam ze mee naar geheime schuilplekjes in het bos. Niemand hoefde haar iets wijs te maken over wie van de tweeling wie was. Ze was het liefst bij Lewis en kwam stilletjes naast hem lopen om lieve niemendalletjes in zijn oor te murmelen.

Soms trok ze de blaadjes van een madeliefje uit en riep: 'Hij houdt van me! Hij houdt niet van me! Hij houdt van me! Hij houdt niet van me!' – en bewaarde het laatste blaadje altijd van 'Hij houdt niet van me!'

'Maar ik hou wel van je, Rosie!'

'Bewijs het dan!'

'Hoe?'

'Loop door de brandnetels en je mag mijn hand kussen.'

Op een middag zette ze haar handen aan zijn oor en fluisterde: 'Ik weet een teunisbloem te staan. We laten Benjamin hier.'

'Ja, goed,' zei hij.

Ze baande zich een weg tussen de hazelaars door tot ze bij een zonnige open plek kwamen. Daar maakte ze haar jurk los en liet hem over haar middel vallen.

'Je mag er aankomen,' zei ze.

Behoedzaam drukte Lewis twee vingers op haar linkertepel – en ineens zette ze het op een lopen, een flits van rood en goud, zichtbaar en halfzichtbaar tussen de blikkerende bladeren.

'Pak me dan!' riep ze. 'Pak me dan, als je kan!'

Lewis holde en struikelde over een boomwortel, en krabbelde overeind, en rende verder:

'Rosie!'

'Rosie!'

'Rosie!'

Zijn kreten echoden door het bos. Hij zag haar. Hij zag haar niet. Hij struikelde weer en viel op zijn gezicht. Hij voelde een scherpe steek in zijn zij en Benjamins klaaglijke gehuil ergens ver beneden deed hem de pas inhouden.

'Ze is een varken,' zei Benjamin naderhand, terwijl zijn ogen zich vernauwden van gekwetste liefde.

'Ze is geen varken. Varkens zijn lief.'

'Nou, dan is ze een kwal.'

De tweeling had zijn eigen schuilplek, in de dalgeul beneden Craig-y-Fedw – een kom die aan het oog werd onttrokken door lijsterbessen en berken, waar water over een kei ruiste en de grasoever door de schapen was afgegraasd.

Ze bouwden een dam van graszoden en takken en op warme dagen gooiden ze hun kleren op een hoop op de oever en gleden de ijskoude beek in. Het bruine water spoelde over hun iele witte lijven en trosjes scharlakenrode lijsterbessen weerspiegelden zich in het oppervlak.

Ze lagen op het gras te drogen, zonder een woord over of weer, alleen de stroompjes die af en aan golfden langs hun tegen elkaar gedrukte enkels. Opeens gingen de takken achter hen opzij en ze schoten overeind:

'Ik zie jullie wel.'

Het was Rosie Fifield.

Ze graaiden hun kleren bij elkaar maar zij rende weg en het enige dat ze nog van haar zagen was de blonde krullenbol die de heuvel afvloog tussen de varenbladeren.

'Ze gaat klikken,' zei Lewis.

'Dat durft ze niet.'

'O, jawel,' zei hij bedrukt. 'Ze is een kwal.'

13

Na het oogstfeest kwamen de zeemeeuwen landinwaarts gevlogen en kwam Jim van The Rock als knecht werken op The Vision.

Het was een magere pezige knaap met ongewoon sterke handen en oren die als zuringbladeren onder zijn pet uitstaken. Hij was veertien. Hij had de snor van een veertienjarige en een heleboel mee-eters op zijn neus. Hij was blij dat hij weg kon van huis en hij was net gedoopt.

Amos leerde hem met een ploeg omgaan. Mary zat erover in dat de paarden zo groot waren en Jim zo klein, maar hij leerde algauw hoe hij bij de heg moest keren en een rechte voor door het veld trekken. Hij was pienter voor zijn leeftijd maar nogal laks in het schoonmaken van zadels en tuig, en Amos noemde hem een 'luie bliksem'.

Hij sliep op de hooizolder, op een strobed.

Amos zei: 'Ik heb als jongen op zolder geslapen en daar slaapt hij ook maar.'

Jims favoriete bezigheid was mollen vangen en wanneer de tweeling op hun paasbest naar school vertrok, hing hij hen over het hek na te kijken. 'Ja ja! Glad als mollen, hè?'

Hij nam de tweeling mee op strooptocht.

Op een zaterdag waren ze kastanjes gaan zoeken in Lurkenhope Park toen er een zweep door de grijze lucht floot en juffrouw Nancy Bickerton op een zwart jachtpaard kwam aanrijden. Ze verstopten zich achter een boom en gluurden langs de stam. Ze reed zo vlak langs dat ze de mazen van het haarnetje over haar goudblonde knotje konden zien. Toen sloot de mist zich om de flanken van het paard en het enige dat ze vonden was een hoop dampende drek in het verdorde gras.

Benjamin vroeg zich dikwijls af waarom Jim zo vreselijk stonk en raapte op een keer de moed bijeen om te zeggen: 'Weet jij wat jij doet? Je stinkt.'

'Doen ík niet,' zei Jim, en raadselachtig er achteraan, 'iemand anders!'

Hij troonde de tweeling mee de ladder op naar zolder, wroette in het stro en trok een zak tevoorschijn waarin iets spartelde. Hij knoopte het touw los en er floepte een kleine roze neus uit.

'Me fret,' zei hij.

Ze beloofden niets van de fret te zeggen en in de herfstvakantie, toen Amos en Mary naar de markt waren, knepen ze er met zijn drieën tussenuit om konijnen te vangen bij Lower Brechfa. Tegen de tijd dat ze drie konijnen hadden gevangen, waren ze zo opgewonden dat ze niet zagen hoe donkere wolken zich begonnen te roeren boven de heuvel. De storm barstte los en het regende hagelstenen. Doorweekt en rillend renden de jongens naar huis en kropen bij de haard.

'Sufferds,' zei Mary toen ze binnenkwam en hun natte kleren zag. Ze stopte ze vol met watergruwel en zweetpoeders en stuurde ze naar bed.

Rond middernacht stak ze een kaars aan en sloop naar de kinderkamer. De kleine Rebecca sliep met een pop op haar kussen en een duim in haar mond. In het grote bed lagen de jongens te snurken, precies in de maat.

'Alles goed met de kinders?' Amos draaide zich om toen ze weer naast hem kroop.

'Best,' zei ze. 'Allemaal best.'

Maar de volgende morgen zag Benjamin er koortsig uit en klaagde over pijn in zijn borst.

Tegen de avond was de pijn erger geworden. De volgende dag kreeg hij krampen en hoestte klontertjes roestbruine slijm op. Bleek als een hostie en met koortsvlekken op zijn jukbeenderen lag hij op het bultige bed, enkel gespitst op het ruisen van zijn moeders jurk of de stap van zijn tweelingbroer op de trap: het was de eerste keer dat de twee apart sliepen.

Dokter Bulmer kwam en stelde longontsteking vast.

Veertien dagen lang week Mary nauwelijks van zijn bed. Ze lepelde dropwater en vlierbessensap in zijn mond, en bij het geringste teken van herstel voerde ze hem vla en reepjes beboterde toast.

Af en toe riep hij uit: 'Wanneer ga ik dood, mama?'

'Ik zal je waarschuwen als het zover is,' zei ze dan. 'En dat duurt nog een hele tijd.'

'Ja, mama,' mompelde hij dan weer en sukkelde in slaap.

Soms kwam Ouwe Sam naar boven en smeekte om in zijn plaats te mogen sterven.

Tot Benjamin op 1 december, volkomen onverwachts, opzat en meedeelde dat hij heel erge honger had. Tegen de kerst was hij weer op de been – zij het niet zonder een verandering in zijn persoonlijkheid.

'O, we weten wie Benjamin is,' begonnen de buren te zeggen. 'Dat is die ene die er zo minnetjes uitziet.' Want zijn schouders waren gaan hangen, zijn ribben staken uit als een harmonica en er zaten donkere kringen onder zijn ogen, Hij viel twee keer flauw in de kerk. Hij werd geobsedeerd door de dood.

Toen het weer warmer werd zocht hij de heggen af naar dode vogels en andere dieren om ze een christelijke begrafenis te geven. Hij legde een miniatuur-kerkhof achter in het koolveldje aan en markeerde elk graf met een kruis van twijgen.

Hij liep nu liever niet meer naast Lewis, maar één stap achter hem – om in zijn voetstappen te treden en de lucht in te ademen die hij had ingeademd. Op dagen dat hij te ziek was voor school ging hij op Lewis' kant van de matras liggen, met zijn hoofd in het kuiltje dat Lewis in het kussen had gemaakt.

Op een druilerige morgen was het vreemd stil in huis en toen Mary boven haar hoofd een plank hoorde kraken, liep ze naar boven. Toen ze de deur van de slaapkamer opendeed zag ze haar lievelingszoon, tot zijn oksels in haar groene fluwelen rok, en met haar trouwhoed halverwege zijn gezicht.

'Psst! In Godsnaam!' fluisterde ze. 'Laat je vader je niet zien!' Ze had het geluid van schoenspijkers op de keukenvloer gehoord. 'Trek uit! Vlug!' en met spons en water waste ze de geur van eau de cologne weg.

'Beloof me dat je dat nooit meer zult doen.'

'Ik beloof het,' zei hij en vroeg of hij een cake voor bij de thee mocht bakken, voor Lewis.

Hij roerde de boter zacht, klopte de eieren, zeefde het meel en hield in de gaten hoe de bruine korst rees. Nadat hij beide lagen had gevuld met aardbeienjam, bestrooide hij de bovenkant met poedersuiker en toen Lewis uitgehongerd uit school kwam, zette hij hem trots op tafel. Hij hield zijn adem in toen Lewis zijn hap nam.

'Lekker,' zei Lewis. 'Een hele lekkere cake.'

Mary zag in Benjamins ziekte de kans om hem beter te scholen en ze besloot hem zelf les te geven. Ze lazen Shakespeare en Dickens; en omdat ze een beetje Latijn had gehad, leende ze een grammatica en een woordenboek van de dominee en een paar gemakkelijke teksten – Caesar en Tacitus, Cicero en Vergilius maar de *Oden* van Horatius waren te moeilijk voor ze.

Toen Amos bezwaar probeerde te maken snoerde ze hem de mond: 'Ach kom, je kunt toch wel één boekenwurm in de familie hebben?' Maar hij haalde zijn schouders op en zei: 'Daar ken geen goed van komen.' Hij had niets tegen scholing op zich. Wat hem dwarszat was de gedachte dat zijn zoons netjes zouden leren praten en de boerderij in de steek zouden laten.

Voor de lieve vrede gaf Mary haar leerling dikwijls standjes: 'Benjamin, ga meteen je vader helpen!' Heimelijk zwol ze van trots als hij dan zonder op te kijken zei: 'Toe, mama! Ziet u niet dat ik zit te lezen?' Het was een heerlijke verrassing toen de dominee zijn kennis testte en zei: 'Ik geloof voorwaar dat we hier een geleerde hebben.'

Maar niemand had gerekend op de reactie van Lewis. Hij mokte en deed zijn werk met de Franse slag; en op een nacht, in de vroege uurtjes, hoorde Mary een gerucht uit de keuken en trof hem daar aan met rode ogen, terwijl hij probeerde wijs te worden uit de boeken van zijn broer. Erger nog, de tweeling begon te kibbelen over geld.

Ze bewaarden hun spaargeld in een spaarvarken. En hoewel buiten kijf was dat de muntjes in zijn buik van hen allebei waren, schudde Benjamin zijn hoofd toen Lewis het varken wilde openbreken.

Een paar maanden eerder, bij de aftrap van een partijtje voetbal, had Lewis zijn zakgeld in bewaring gegeven aan zijn broer – het spel was te ruw voor het bleekneusje – en vanaf dat moment was Benjamin de beheerder van zijn geld; Benjamin die hem geen waterpistool liet kopen; die hem zelden ook maar een cent liet uitgeven.

Toen begon Lewis zich onverwachts te interesseren voor luchtvaart.

In de natuurkundeles had juffrouw Clifton verteld over de vlucht van Monsieur Blériot over het Kanaal, maar uit haar tekening op het bord had de tweeling opgemaakt dat zijn eendekker eruitzag als een mechanische waterjuffer.

Op een maandag in juni 1910 kwam een jongen die Alfie Bufton heette op school met opzienbarend nieuws over zijn weekend: op zaterdag hadden zijn ouders hem meegenomen naar een luchtvaartshow op de landbouwtentoonstelling van Worchester en Hereford, waar hij niet alleen een Blériot-eendekker had gezien, hij had er zelfs een zien neerstorten.

De hele week keek Lewis reikhalzend uit naar het volgende nummer van de *Hereford Times*, maar die mocht hij niet openslaan voordat zijn vader hem had gelezen. Dat deed Amos hardop na het avondeten; het leek een eeuw te duren voor hij bij het ongeluk kwam.

De eerste poging van de vliegenier was een fiasco geworden. De machine kwam een meter van de grond en zakte toen weer omlaag. Het publiek morde en eiste zijn geld terug – waarop de vliegenier, ene kapitein Diabolo, de politie bezwoer de baan vrij te maken en opnieuw startte.

Weer kwam de machine van de grond, hoger dit keer; toen zwenkte hij naar rechts en stortte neer in de buurt van de Bloementent.

'De propeller,' las Amos met dramatische onderbrekingen verder, 'met een capaciteit van 2700 omwentelingen per minuut, maakte links en rechts slachtoffers.' Verscheidene toeschouwers waren gewond geraakt en een zekere mevrouw Pitt uit Hindlip was in het ziekenhuis van Worchester aan haar verwondingen bezweken.

'Opmerkelijk detail' – hij liet zijn stem een octaaf zakken – 'drie kwartier na de catastrofe vloog er een zwaan laag over het feestterrein. Zijn sierlijke vlucht leek de spot te drijven met de onfortuinlijke pogingen van de vliegenier.'

Het duurde nog een week voor Lewis het verhaal met de schrale lijngravure mocht uitknippen voor zijn plakboek – een plakboek dat mettertijd uitsluitend gewijd zou worden aan vliegrampen; dat bleef groeien, boek na boek, tot een paar maanden voor zijn dood; en als iemand het had over de verongelukte Comets in de jaren vijftig of de Jumbo-botsing op de Canarische Eilanden, dan schudde hij zijn hoofd en mompelde geheimzinnig: 'Maar ik herinner me de Ramp van Worchester.'

De andere gedenkwaardige gebeurtenis van 1910 was hun vakantie aan zee.

14

De hele lente en zomer bleef Benjamin groen slijm ophoesten en toen hij een paar keer wat bloed had opgegeven raadde dokter Bulmer een verandering van lucht aan.

Dominee Tuke had een zuster met een huis in St. David's in Pembrokeshire. En omdat het toch tijd was voor zijn jaarlijkse schetsvakantie, vroeg hij of hij zijn twee jonge vrienden mocht meenemen.

Amos ging op zijn achterste poten staan toen Mary het idee ter sprake bracht: 'Ik ken jouw soort. Allemaal fijne praat en vakanties aan zee!'

'Nou en?' zei ze. 'Jij wilt zeker liever dat je zoon aan de tering sterft?'

'Hm!' Hij krabde de plooien in zijn nek.

'Dus?'

Op 5 augustus bracht meneer Fogarty, de hulppredikant, het reisgezelschap naar de trein in Rhulen. Het station had pas een nieuw bruin verfje gekregen en tussen de pijlers van het perron hingen manden van ijzerdraad met klimgeraniums. De stationschef had wat last met een dronken man.

De man was een Welshman die met de trein was meegekomen zonder te betalen. Hij had de kruier een klap verkocht. De kruier had hem een kaakslag teruggegeven, en nu lag hij met zijn neus op de grond, in een gescheurde tweedjas. Er sijpelde bloed uit zijn mond. Zijn zakhorloge lag aan scherven, en de scheldende omstanders vergruisden de splinters onder de hakken van hun laarzen.

De kruier bracht zijn mond bij het oor van de dronken man en brulde: 'Opstaan, Taffy!'

'Ai! A-ai!' bromde de gewonde man.

'Mama, waarom doen ze hem pijn?' riep Benjamin, terwijl hij tussen de kring van glimmende bruine beenkappen door gluurde.

De dronken man probeerde overeind te komen, maar zijn knieën sloegen weer dubbel; en deze keer grepen twee kruiers hem onder zijn oksels beet en hesen hem overeind. Zijn gezicht was vaal. Zijn pupillen rolden weg in zijn kassen en het wit van zijn ogen was rood.

'Maar wat heeft hij gedaan?' drong Benjamin aan.

'Wat ik dee?' kraste de man. 'Ik dee helegaar niks!' Hij trok zijn muil wagenwijd open en braakte een stroom van verwensingen uit.

De omstanders deinsden achteruit. Iemand riep: 'Haal de politie!' De kruier gaf hem weer een dreun in zijn gezicht en een nieuwe golf bloed droop van zijn kin.

'Vuile Saksen!' gilde Benjamin. 'Vuile Saks –' maar Mary sloeg haar hand voor zijn mond en siste: 'Nog één kik en je gaat terug naar huis.'

Ze sleepte de tweeling mee naar het uiteinde van het perron waar ze de locomotief konden zien aankomen. Het was een warme dag en de lucht had een diep donkerblauwe kleur. De rails blikkerden bij de bocht rond het dennenbos. Het was de eerste keer dat ze in een trein zouden rijden.

'Maar ik wil weten wat hij gedaan heeft,' zei Benjamin, op en neer springend.

'Sstt, alsjeblieft!' En op dat ogenblik klapte het sein naar beneden – klonk! – en kwam de trein de bocht om stomen. De locomotief had rode wielen en de zuiger ging heen en weer, langzamer en langzamer, tot hij puffend tot stilstand kwam.

Mary en meneer Fogarty hielpen de dominee de bagage in de coupé stouwen. De fluit klonk, de deur werd dichtgeslagen en de tweeling stond bij het raam te zwaaien. Mary wuifde met een zakdoek, lachend en huilend om Benjamins dapperheid.

De trein reed door slingerende dalen met witgepleisterde boerderijen tegen de heuvels. Ze keken hoe de telegraafdraden in het raam op en neer dansten, kruisend en kriskrassend en dan ineens wegflitsend over het dak. Er kwamen stations voorbij, tunnels, bruggen, kerken, gasfabrieken, en aquaducten. De banken in de coupé voelden aan als rietsigaren. Laag boven een rivier zagen ze een blauwe reiger.

Omdat ze vertraging hadden, misten ze de aansluiting in Carmarthen en kwamen ze ook te laat voor de laatste omnibus van Haverford-

West naar St. David's. Gelukkig vond de dominee een boer bereid om hen te brengen in zijn vis-à-vis.

Het was donker toen ze over de top van Keeston Hill kwamen. Een van de strengen schoot los en terwijl de voerman van de bok klom om hem vast te haken keek de tweeling staande uit over St. Bride's Bay. Een zachte zeewind streek langs hun gezicht. De volle maan glimmerde op het zwarte water. Een vissersboot gleed als op vleermuisvleugels voorbij, en verdween. Ze hoorden de golven over het strand spoelen en een belboei klaaglijk luiden. Twee vuurtorens, een op Skomer Island, de andere op Ramsey Island, lieten hun lichtbundels rondzwaaien. De straten van St. David's waren verlaten toen het rijtuig over de kinderhoofdjes bolderde, langs de kathedraal, en stilhield voor een groot wit hek.

De eerste paar dagen was de tweeling vol ontzag voor de dames die er woonden en voor de 'artistieke' stijl van het huis.

Juffrouw Catherine Tuke was de kunstenares – een knappe, broze vrouw met wolkengrijs ponyhaar, die in een gebloemde kimono van kamer naar kamer dwaalde, en zelden een glimlach vertoonde. Haar ogen hadden de kleur van haar kat, een blauwe rus, en in haar studio had ze een compositie gemaakt van wrakhout en zeedistels.

Juffrouw Catherine bracht de winters door aan de Golf van Napels, waar ze groot aantal gezichten op de Vesuvius en taferelen uit de klassieke mythologie schilderde. 's Zomers schilderde ze zeegezichten en kopieerde Oude Meesters. Soms riep ze midden onder de maaltijd 'Ah!' en glipte weg om aan een schilderij te werken. Op het doek dat Benjamin fascineerde stond een prachtige jongeman, naakt tegen een blauwe hemel, van alle kanten met pijlen doorboord en om zijn lippen een glimlach.

Juffrouw Catherines huisgenote heette juffrouw Adela Hart.

Ze was een veel grotere, zwaarmoedige vrouw, met een hypernerveus karakter. Ze stond het grootste deel van de dag in de keuken de schotels te bereiden die ze in Italië had leren maken. Ze droeg altijd hetzelfde heliotroopkleurige gewaad dat het midden hield tussen een jurk en een omslagdoek. Ze droeg een halsketting van ambergele kralen en ze huilde veel.

Ze huilde in de keuken en ze huilde aan tafel. Ze zat maar te snotteren in een kanten zakdoekje en noemde haar vriendin 'Liefste!' of 'M'n Poesje!' of 'Popje!' – en dan fronste Miss Catherine haar wenkbrauwen alsof ze wilde zeggen: 'Niet waar gasten bij zijn!' Maar dat maakte het alleen nog maar erger, want dan barstte ze uit in een ware vloed van tranen: 'Ik kan het niet helpen,' huilde ze. 'Echt niet!' En dan kneep juffrouw Catherine haar lippen op elkaar en zei: 'Ga alsjeblieft naar je kamer.'

'Waarom noemt ze haar Poesje?' vroeg Benjamin aan de dominee.

'Dat weet ik niet.'

'Juffrouw Hart horen ze Poesje te noemen. Zij heeft snorharen.'

'Niet zo onaardig over juffrouw Hart.'

'Ze heeft een hekel aan ons.'

'Ze heeft geen hekel aan jullie. Ze is alleen niet gewend aan kleine jongens over de vloer.'

'Nou, ik zou niet willen dat iemand mij Poesje noemde.'

'Niemand wil jou Poesje noemen,' zei Lewis.

Ze liepen over een wit pad naar de zee. De golven in de baai hadden witte kuiven en de gouden gerstebaarden zwiepten in de wind. De dominee hield zijn panamahoed en zijn schildersezel stevig vast. Benjamin droeg de verfdoos en Lewis, die het garnalennet achter zich aan liet slepen, maakte in het zand een ringslangenspoor.

Toen ze bij de ingang kwamen zette de oude man de ezel op en de tweeling holde naar de plassen tussen de rotsen om er te spelen.

Ze vingen garnalen en slijmvisjes, prikten met hun vingers in zee-anemonen en streken over het zeegras, dat aanvoelde als glibberige schapenvacht. Een voor een ploften de golven op het kiezelstrand, waar een paar kreeftvissers hun boot stonden te breeuwen.

Bij eb kwamen scholeksters aanvliegen, pikkend naar schelpdieren met vlamrode snavels. Voor de opening van de inham lag de romp van een gestrande schoener met een klipperboeg, het houtwerk behangen met zeewier en omkorst met mosselen en eendenmosselen.

De tweeling sloot vriendschap met een van de kreeftvissers, die in een huisje met een wit dak woonde en ooit op de schoener had gevaren.

Als jongeman had hij vaak Kaap Hoorn gerond. Hij had de Reuzen van Patagonië gezien en de meisjes van Tahiti. Als Lewis naar zijn verhalen luisterde, zakte zijn mond open van verwondering, en daarna ging hij ergens in zijn eentje zitten dagdromen.

Hij zag zichzelf in het kraaiennest van een schip met volle zeilen de horizon afspeuren naar een palmenkust. Of hij ging tussen het

strandkruid liggen en tuurde naar de riffen, waar zeemeeuwen rondvlogen als vlekjes zonlicht, terwijl groene golven op de rotsen beneden beukten en nevels van druppeltjes opwierpen.

Op een rustige dag nam de oude zeeman hen op zijn logger mee op
makreelvangst. Ze gingen de zee op tot voorbij Guillemot Rock, en
nauwelijks hadden ze de spinner uitgegooid of ze voelden het snoer
aantrekken en zagen een flits van zilver in het kielzog. De handen van
de zeeman zaten onder het bloed toen hij de vis van de haak haalde.

Halverwege de morgen zaten de vullings boordevol vis – kletsend,
spartelend, iriserend in hun doodsstrijd; hun scharlakenrode kieu-
wen deden de jongens denken aan de anjers in meneer Earnshaws
broeikas. Juffrouw Hart bereidde de makreel voor het avondeten en
vanaf dat moment was iedereen goede vrienden.

Op de dag van hun vertrek gaf de zeeman ze een schip-in-een-fles
met ra's van lucifers en zeilen van een zakdoek. En zodra de trein op
het station van Rhulen tot stilstand was gekomen, holde Benjamin
het perron op en riep: 'Kijk-eens-wat-we-hebben! Een schip-in-een-
fles!'

Mary kon nauwelijks geloven dat deze lachende gebruinde knaap de
zieke zoon was die ze had uitgewuifd. Zij noch Amos schonk veel aandacht aan Lewis, die kwam aanzetten met het garnalennet en bedaard
en nadrukkelijk meedeelde: 'Als ik groot ben, word ik zeeman.'

15

De herfst was bar en boos. Op Guy Fawkes' Day tuurde Mary naar de donkergele lucht boven de heuvel en zei: 'Er zit sneeuw in de lucht.'

'Nog te vroeg voor sneeuw,' zei Amos, maar het was sneeuw.

De sneeuw viel 's nachts en smolt, waarbij lange witte vegen op de steenhellingen achterbleven. Toen sneeuwde het weer, ditmaal een dik pak, en hoewel ze een flink aantal schapen uit de sneeuwbanken groeven, hadden de raven een feestmaal toen de dooi inviel.

En Sam was ziek.

Eerst was er iets met zijn ogen. Hij werd wakker met een korst etter over zijn oogleden en Mary moest ze met warm water deppen om ze open te krijgen. Hij werd verstrooid. Hij vertelde almaar hetzelfde verhaal, over een meisje in de cidertapperij in Rosgoch en dat hij een hoornen beker had verstopt in een nis naast de haard.

'Die beker zou ik terug willen hebben,' zei hij.

'ik weet zeker dat hij er nog staat,' zei ze. 'En we gaan hem op een keer ophalen.'

Tegen eind november begonnen ze kippen kwijt te raken.

Lewis had een lievelingskip, die de korrels maïs uit zijn hand pikte, maar op een morgen, toen hij het deurtje van de ren opendeed, bleek ze verdwenen. Een week later kwam Mary bij telling zes kippen te-kort. 's Nachts verdwenen er weer twee. Ze zocht naar sporen en vond in plaats van bloed en veren de afdruk van een jongensschoen in de prut.

'O jee,' zuchtte ze terwijl ze de eieren schoonveegde en in het rek zette. 'Ik ben bang dat we te maken hebben met een menselijke vos.' Maar ze verzweeg haar vermoedens voor Amos tot ze bewijzen had Hij was toch al in een vervaarlijke stemming.

Na de eerste sneeuwval had hij de halve kudde van de heuvel afgedreven en te grazen gezet op het haverstoppelveld. Aan de bovenkant van het haverveld liep een strook dichte braamstruiken, doorzeefd met dassenholen, en aan de andere kant daarvan was een armzalige heg, die de grens afbakende tussen The Vision en The Rock. Op een middag ging Mary sleedoornpruimen plukken en kwam terug met het bericht dat de schapen van Watkins waren doorgebroken en nu tussen die van hen liepen.

Laaiend om het verlies aan voedergras maar meer nog om het gevaar van schurft – want Watkins nam zelden de moeite om zijn schapen te ontsmetten – pikte Amos de verdwaalde dieren eruit en gaf Jim opdracht ze over de weg terug te drijven.

'Doe me een lol,' zei hij, 'en vraag je vader of hij voortaan zijn beesten thuishoudt.'

Er ging een week voorbij en toen braken de schapen opnieuw door. Maar ditmaal zag Amos bij inspectie van de heg aan de verse kepen dat iemand een doorgang had gehakt.

'Nu is de maat vol,' zei hij.

Hij haalde een bijl en twee kapmessen en commandeerde de tweeling om de heg dicht te vlechten.

De grond was hard. De lucht was blauw. De crèmekleurige stoppels waren bezaaid met hoopjes half-opgevreten mangelwortels en de vaalwitte schapen verdrongen zich eromheen. Over de braamstruiken lag een sluier van clematis. Nauwelijks hadden ze de eerste doornstruik geveld of Watkins kwam in eigen persoon het weiland afhobbelen met een geweer in zijn hand.

Sprakeloos van woede stond hij met zijn rug naar het lage zonlicht, zijn wijsvinger trillend aan de trekkerbeugel.

'Duvel op, Amos Jones.' Hij had de stilte verbroken. 'Dat land is van ons' – en barstte los in een scheldkanonnade.

Nee, antwoordde Amos. De strook grond hoorde bij de Landerijen en dat kon hij bewijzen met een kaart.

'Nee, nee,' schreeuwde Watkins. 'Het land is van ons.'

Ze bleven schreeuwen maar Amos zag hoe gevaarlijk het was om hem nog verder uit te dagen. Hij wist hem te kalmeren en de twee spraken af dat ze elkaar op marktdag in de Red Dragon zouden treffen.

In de gelagkamer van de Red Dragon was het iets te warm, Amos ging een eindje bij het vuur vandaan zitten en gluurde door de groezelige vitrage naar de straat. De tapknecht haalde een lapje over het buffet. Een paar veehandelaars in opperbeste stemming hesen aan hun pul en spuugden klodders fluim in het zaagsel op de vloer; van een andere tafel klonk het getik van dominostenen en aangeschoten gelach. Buiten zag de hemel grijs en greinig en het vroor dat het kraakte. Volgens de klok was Watkins twintig minuten te laat. Een stijve zwarte hoed bewoog heen en weer voor het raam van de gelagkamer.

'Ik geef hem nog tien minuten.' Amos keek weer op de klok.

Zeven minuten later zwaaide de deur open en drong Watkins zich het vertrek binnen. Hij knikte met het geestelijk gestichte voorkomen van iemand op een gebedsbijeenkomst. Hij zette zijn hoed niet af en bleef staan.

'Wat drink je?' vroeg Amos.

'Niks,' zei Watkins, terwijl hij zijn armen over elkaar sloeg en zijn wangen naar binnen zoog zodat de huid op zijn jukbeenderen glansde.

Amos haalde zijn pachtcontract voor The Vision uit zijn zak. Het bierglas had een vochtring op de tafel gemaakt. Die veegde hij met zijn mouw weg alvorens de kaart uit te vouwen. Zijn nagel kwam tot stilstand op een kleine roze strook met daarin geschreven '2 hectare'.

'Daar!' zei hij. 'Kijk zelf maar!'

Rechtmatig behoorde de strook struikgewas tot de Lurkenhope Landerijen.

Watkins tuurde naar de wirwar van lijnen, letters en cijfers. Zijn adem floot door zijn tanden. Zijn hele lichaam beefde toen hij de kaart verfrommelde en door de gelagkamer in de haard gooide.

'Hou hem tegen!' schreeuwde Amos, maar toen hij het geschroeide papier had gered, was Watkins al de deur uitgestormd. Die avond was Jim ook verdwenen.

De volgende morgen, na het voederen, trok Amos zijn zondagse pak aan en ging op bezoek bij de rentmeester van de Bickertons. De rentmeester hoorde hem aan, zijn hangwangen op zijn vuisten en af en toe een wenkbrauw fronsend. De integriteit van het landgoed stond op het spel; er diende opgetreden te worden.

Er kwamen vier mannen om een muur tussen de twee boerderijen te bouwen en er ging een politieagent naar Craig-y-Fedw om Watkins te waarschuwen dat hij er geen vinger naar mocht uitsteken.

Elk jaar werd de week voor Kerstmis op The Vision vrijgehouden voor het plukken van eenden en ganzen.

Amos draaide ze de nek om en hing ze de een na de ander bij hun zwemvliezen op aan een balk in de schuur. Tegen de avond leek het of er een sneeuwstorm had gewoed. De kleine Rebecca nieste aan een stuk door terwijl ze het dons in een zak propte. Lewis schroeide de karkassen met een waspit; en Benjamin toonde geen spoor van onpasselijkheid bij het verwijderen van de ingewanden.

Ze bewaarden de schoongemaakte dieren in het melkhok, dat doorging voor rattenbestendig. Amos spreidde een laag stro in de wagen en stuurde vervolgens iedereen naar bed – om tegen vieren op te staan, op tijd voor de inkopers uit Birmingham.

De nacht was wolkeloos en het maanlicht hield Mary wakker. Een poos na middernacht meende ze een dier op het erf te horen. Ze liep op haar tenen naar het raam en tuurde naar buiten. Het zwarte haar van de lariksen wuifde voor de maan. De gestalte van een kleine jongen glipte de schaduw van de koeienstal in. Er knarste een deurklink. De honden blaften niet.

'Aha,' fluisterde ze. 'De vos.'

Ze maakte haar man wakker, die een jas aanschoot en Jim in het melkhok betrapte met vijf ganzen al in zijn zak. De trekpaarden hinnikten van het geschreeuw.

'Ik hoop dat je hem niet te veel pijn hebt gedaan,' zei Mary, toen Amos weer in bed klom.

'Vuile dieven!' zei hij en draaide zich om.

Op de dag voor Kerstmis begon het tegen donker in Rhulen weer te sneeuwen. Voor de etalage van de slagerij in Broad Street hingen ritsen hazen, kalkoenen en fazanten te bungelen in de sneeuwvlagen. Vlokken glinsterden op kransen van hulst en klimop; en terwijl de mensen onder de gloed van de gaslampen langs de winkels liepen, zwaaide hier en daar een deur open, viel er een strook heller licht over het trottoir en riep een vrolijke stem: 'Gelukkig kerstfeest! Kom erin voor een glas grog!'

Een kinderkoor zong kerstliedjes; de sneeuwvlokken sisten als ze op hun stormlamp vielen.

'Kijk!' Benjamin stootte zijn moeder aan. 'Mevrouw Watkins!'

Aggie Watkins kwam de straat aflopen, een hoed met zwarte linten op en een bruin geruite omslagdoek om. Onder haar arm sjouwde ze een mand eieren mee.

'Verse eieren! Verse eieren!'

Mary zette haar eigen mand op de grond en liep op haar af met een ernstige glimlach.

'Aggie, het spijt me van Jim, maar –'

Ze deinsde met een schok achteruit toen er een sliert spuug uit de mond van de oude vrouw schoot en op de zoom van haar jurk belandde.

'Verse eieren! Verse eieren!' Aggies schorre stem werd nog luider. Ze waggelde rond de klok en weer terug: 'Verse eieren! Verse eieren!' Een man hield haar aan, maar ze keek glazig weg naar de gaslampen: 'Verse eieren! Verse eieren!' En toen de inkoper uit Hereford haar de weg versperde – 'Vooruit, moeder Watkins! Het is Kerstmis! Wat wil je hebben voor de hele mand?' – hief ze woedend haar arm alsof hij haar baby had willen stelen: 'Verse eieren! Verse eieren!' Toen verdween ze in de sneeuw, en in de nacht

'Arme ziel,' zei Mary. Ze was in de dogkar geklommen en sloeg een deken om de tweeling heen. 'Ik ben bang dat ze een beetje van slag is.'

16

Drie jaar later schreef Mary, met een grote blauwe plek boven haar linkeroog, een brief aan haar zuster in Cheltenham waarin ze opsomde waarom ze Amos Jones wilde verlaten.

Ze verontschuldigde zich niet. Ze vroeg ook niet om medelijden. Ze vroeg alleen om onderdak tot ze een betrekking zou vinden. Maar onder het schrijven maakten haar tranen vlekken op het briefpapier en ze zei bij zichzelf dat haar huwelijk niet tot mislukken gedoemd was geweest; dat het had kunnen slagen, dat ze allebei verliefd waren geweest en nog altijd van elkaar hielden, en dat al hun moeilijkheden waren begonnen met de brand.

Het was rond elven op de avond van twee oktober 1911. Amos had zijn houtgutsen opgeborgen en zat te kijken hoe zijn vrouw de laatste hand legde aan een borduurlap, toen Lewis schreeuwend de trap af kwam hollen: 'Brand! Er is brand!'

Ze schoven de gordijnen open en zagen een rode gloed boven het dak van de koeienstal. Op hetzelfde ogenblik schoot er een zuil van vonken en vlammen omhoog de duisternis in.

'Het zijn de hooibergen,' zei Amos en vloog naar buiten.

Hij had twee hooibergen staan op een vlak stukje grond tussen de gebouwen en de boomgaard.

De wind kwam uit het oosten en wakkerde de vuurzee aan. Plukjes brandend hooi vlogen op in de rookwolk en vielen neer. De gloed en het geknetter brachten de dieren in paniek. De stier loeide, de paarden stampten in hun stal; en de duiven, roze in het licht van de vlammen, vlogen almaar rond in grillige cirkels.

Mary bediende de pomp, en de tweelingbroers droegen de klotsende emmers naar hun vader die op een ladder wanhopig het rieten dak van de andere hooiberg probeerde nat te houden. Maar het brandende hooi regende steeds harder neer en het duurde niet lang of ook die berg stond in lichterlaaie.

De brand was mijlenver in de omtrek te zien en toen Dai Morgan arriveerde met zijn knecht, waren de zijkanten van beide hooibergen al ingezakt.

'Uit mijn ogen,' snauwde Amos. Ook Mary schudde hij van zich af toen ze zijn arm probeerde te pakken.

Bij het krieken van de dag hing er een grauwe rooksluier boven de gebouwen en was Amos in geen velden of wegen te bekennen. Verstikt door de rook riep ze bang zijn naam: 'Amos? Amos? Geef antwoord! Waar zit je?' – en vond hem, zwart in zijn gezicht en geknakt, tegen de muur van het varkenskot, in de drek.

'Kom nou maar binnen,' zei ze. 'Je moet nu slapen. Je kunt niets meer doen.' Hij knarsetandde en zei: 'Ik vermoord hem.'

Hij was er heilig van overtuigd dat de brand was aangestoken. Hij was er heilig van overtuigd dat Watkins de brandstichter was. Maar meneer Hudson, de agent die de zaak behandelde, een man met een minzaam roze gezicht, mengde zich liever niet in een burenruzie. Hij opperde dat het hooi vochtig was geweest.

'Hooibroei, heel waarschijnlijk,' zei hij, terwijl hij zijn pet lichtte en zijn been over het zadel van zijn fiets zwaaide.

'Ik zal zijn hooi eens laten broeien!' brieste Amos, modder stampend over de hele keukenvloer. Een theekopje suisde langs Mary's hoofd, verbrijzelde een ruitje van de porseleinkast en ze wist dat er zware tijden voor de deur stonden.

Zijn haar viel bij bosjes uit. Zijn wangen raakten doortrokken van loodkleurige aderen; en de vroeger zo vriendelijke blauwe ogen zonken weg in hun kassen en loerden, als door een tunnel, naar een vijandige buitenwereld.

Hij waste zich niet meer en schoor zich zelden – al was dat eigenlijk een opluchting, want als hij zijn scheermes aanzette, gleed er zo'n kwaadaardige blik over zijn gezicht dat Mary haar hart vasthield en achteruitdeinsde naar de deur.

In bed gebruikte hij haar hardhandig. Om haar gekreun te smoren sloeg hij zijn hand over haar mond. De jongens, in hun kamer aan de overloop, hoorden haar worstelen en klampten zich aan elkaar vast.

Hij sloeg hen voor het minste of geringste. Hij sloeg hen zelfs omdat ze met een bekakt accent praatten. Ze leerden hun gedachten om te zetten in het dialect van Radnorshire.

Hij scheen alleen nog om zijn dochter te geven – een ongezeglijk wicht met valse ogen dat het leuk vond langpootmuggen hun poten uit te trekken. Ze had een kop met vlammend rood haar, dat naar beneden lekte. Hij liet haar op zijn knie rijden en fleemde: 'Jij houdt tenminste van me. Ja toch? Ja toch?' En Rebecca, die Mary's gebrek aan genegenheid voelde, staarde haar moeder en broers aan alsof ze tot een vijandige stam behoorden.

Stap voor stap groeide de oorlog met The Rock uit tot een ritueel van slag en weerslag; de politie erbij halen was beneden de waardigheid van de strijdende partijen. Ook was er geen sprake van voorbedachten rade, maar een gevild lam hier, een dood kalf daar of een gent bungelend aan een boom – alles gold als waarschuwing dat de vete nog steeds gaande was.

Mary was allang gewend aan de driftbuien van haar man, die opkwamen en verdwenen met de seizoenen. Ze verwelkomde ze zelfs, want na het onweer bloeide hun liefde altijd weer op.

In andere jaren hadden ze een stilzwijgende overeenkomst: dat de storm uitgewoed zou zijn met Pasen. De hele Goede Week zag ze hem worstelen met zijn demonen. Dan gingen ze op paaszaterdag wandelen in de bossen en kwamen terug met een mand vol sleutelbloemen en viooltjes voor een bloemenkruis op het altaar van de kerk in Lurkenhope.

Na het avondeten spreidde ze de bloemen uit op tafel en legde de viooltjes apart voor de letters INRI, waarna ze de stengels van de sleutelbloemen in een geraamte van koperdraad vlocht. Dan kwam hij achter haar staan en streelde haar nek. En als de laatste letter klaar was, nam hij haar in zijn armen en droeg haar naar bed.

Maar dat jaar – het jaar van de brand – ging hij niet mee uit wandelen. Hij raakte zijn avondeten niet aan. En toen ze met kloppend hart de sleutelbloemen uitspreidde, viel hij erop aan alsof het vliegen waren en plette ze tot groenige pulp.

Ze slaakte een gesmoorde kreet en rende naar buiten, de nacht in.

Dat was de zomer dat het hooi verrotte en de schapen ongeschoren bleven.

Amos ontzegde Mary het contact met de weinige vrienden die ze

had. Hij sloeg haar als ze een tweede snufje thee in de pot deed. Hij ve
bood haar nog één voet binnen te zetten bij Albion Manufacturer
voor het geval ze geld zou verspillen aan geborduurde zijde. En toe
ze hoorde dat dominee Tuke was overleden – aan longontsteking, n
een val in een zalmrivier – mocht ze geen bloemen naar zijn begrafe
nis sturen.

'Hij was mijn vriend,' zei ze.

'Hij was een heiden,' zei hij.

'Ik ga je verlaten,' zei ze, maar ze kon nergens heen – en haar ander
vriend, Sam, lag op sterven.

Het hele voorjaar had hij geklaagd over 'ophopingen' in zijn lin
kerzij en was hij te zwak om uit zijn zolderkamertje te komen. Hij la
daar maar onder het vettige dekbed, staarde naar de spinnenwebbe
of sukkelde in slaap. Op een keer, toen Benjamin zijn eten op een bla
boven bracht, zei hij:

'Ik wil mijn beker hebben. Doe me een lol! Hol effe naar Rosgoch e
vraag of ze je die beker geeft.'

Tegen juni was de pijn van leven erger dan hij kon verdragen.

Het ging hem aan zijn hart hoe Mary leed en in een heldere bui pro
beerde hij zijn zoon tot rede te brengen.

'Bemoei je met je eigen zaken,' zei Amos. 'Ouwe gek!'

Op een marktdag, toen ze alleen thuis waren, haalde Sam zijr
schoondochter over om een bezoek te brengen aan Aggie Watkins
'Doe haar de laatste groeten van me! Het is een beste meid. Een goe
net mens die nooit kwaad heb gewild.'

Mary trok een paar overschoenen aan en ploeterde het drassige wei
land over. De wind spookte over het veld. De grassprietjes glimmer
den als scholen stekelbaarsjes en er waren paarse orchideeën en rod
zuringkolfjes. Een paar kieviten vlogen krijsend op en de moede
streek neer bij een rietbos en strekte haar 'gebroken' vleugel. Mary
zei een schietgebedje toen ze het hek van Craig-y-Fedw openmaak
te.

De honden huilden en Aggie Watkins kwam aan de deur. Haar ge
zicht toonde geen emotie, geen enkele uitdrukking. Ze boog zich
voorover en maakte een zwarte bastaardhond los die naast de water
ton aan de ketting lag.

'Pak ze,' zei ze.

De hond dook in elkaar en ontblootte zijn tandvlees, maar toer

Mary rechtsomkeert maakte naar het hek, sprong hij naar voren en zette zijn tanden in haar hand.

Amos zag het verband en raadde de oorzaak. Hij haalde zijn schouders op en zei: 'Eigen schuld!'

Die zondag was de wond ontstoken. Maandag klaagde ze over een opgezwollen klier onder haar oksel. Met tegenzin bood hij aan haar naar het avondspreekuur te rijden, samen met de kleine Rebecca, die keelpijn had.

Toen de tweeling terug uit school kwam was hun vader de naven van de sjees aan het smeren. Mary zat, bleek maar glimlachend, in de keuken met haar arm in een draagverband.

'We hebben op jullie gewacht,' zei ze. 'Maak je maar geen zorgen. Doe jullie huiswerk en hou een oogje op opa.'

Tegen zonsondergang was de tweeling sprakeloos van verdriet en was Ouwe Sam twee uur dood.

Om vijf uur 's middags zaten de jongens hun sommen te maken aan de keukentafel toen een gekraak op de overloop hen onderbrak. Hun grootvader kwam voorzichtig tastend de trap af.

'Sstt!' zei Benjamin, terwijl hij zijn broer aan zijn mouw trok.

'Hij hoort in bed,' zei Lewis.

'Sstt!' herhaalde hij en trok hem mee de bijkeuken in.

De oude man strompelde de keuken door en ging naar buiten. De lucht was open en winderig en de vederwolken leken te dansen met de lariksen. Hij had zijn trouwpak aan – een geklede jas en broek en glimmende lakschoenen – en in zijn handen had hij de viool en de strijkstok.

De tweeling gluurde van achter het gordijn.

'Hij moet terug naar bed,' fluisterde Lewis.

'Stil!' siste Benjamin. 'Hij gaat spelen.'

Een rauw gekras barstte los uit het oude instrument. Maar de tweede noot was al welluidender en de noten erna kwamen nog welluidender. Hij stond met opgeheven hoofd. Zijn kin stak uitdagend over de klankkast en zijn voeten schuifelden perfect in de maat over de tuintegels.

Toen begon hij te hoesten en de muziek hield op. Met één tree tegelijk hees hij zich de trap op. Hij hoestte weer en nog eens, en daarna was het stil.

De jongens vonden hem languit op de beddensprei met zijn handen over de viool gevouwen. Zijn gezicht, waaruit alle kleur was wegge trokken, had een uitdrukking van geamuseerde minzaamheid. Eer hommel die naar buiten wilde stuiterde zoemend tegen het glas.

'Niet huilen, lieverds!' Mary sloeg haar goede arm om hen heen toer ze het nieuws uitsnikten. 'Toe, niet huilen. Hij moest toch een keer doodgaan. En het was een mooie manier om dood te gaan.'

Amos spaarde kosten noch moeite voor de begrafenis en bestelde een doodkist met koperbeslag bij de firma Lloyd in Presteigne.

De lijkwagen werd getrokken door een span glimmend zwarte paarden en op alle vier de hoeken van de baldakijn stonden zwarte urnen met gele rozen. De rouwstoet liep erachteraan en zocht zich een weg tussen de plassen en karrensporen. Mary droeg een snoer van gitdruppels dat ze had geërfd van een tante.

Meneer Earnshaw had een krans aronskelken gestuurd voor op het deksel van de kist. Maar toen de dragers de kist neerzetten in het koor, waren er bergen andere kransen, die ze eromheen moesten optasten.

Het grootste deel was gestuurd door mensen die vreemden waren voor Mary, maar die Ouwe Sam wel degelijk hadden gekend. Ze herkende vrijwel niemand. Ze keek de kerk rond en vroeg zich af wie in Godsnaam al die besjes waren die in hun zakdoeken zaten te snotteren. Ze dacht: zoveel oude vlammen kan hij toch niet hebben gehad?

Amos liet Rebecca op de bank staan zodat ze kon zien wat er gebeurde.

'"Dood, wees niet hovaardig..."' De nieuwe dominee begon zijn preek en hoewel de woorden fraai waren, hoewel de dominee een sonore, prettige stem had, dwaalden Mary's gedachten om de haverklap af naar de twee jongens naast haar.

Wat waren ze groot geworden! Ze moesten zich binnenkort scheren, dacht ze. Maar wat zagen ze er mager en bleek uit! Wat was het vermoeiend om meteen na school aan de slag te moeten op de boerderij! En wat stonden die versleten pakjes ze raar! Als ze nou maar geld had, zou ze mooie nieuwe kleren voor ze kopen! En schoenen! Het was niet eerlijk dat ze moesten rondlopen in schoenen van twee maten te klein! En ook niet eerlijk dat ze niet meer naar zee mochten! Ze waren verleden zomer zo gezond en gelukkig geweest. En daar had je het, Benjamin hoestte al weer! Eigenlijk moest ze voor de winter nog een dikke sjaal voor hem breien, maar waar haalde ze de wol vandaan?

'"Stof zijt gij en tot stof zult gij wederkeren..."' De kluiten ploften op het deksel van de kist. Ze stopte de doodgraver een *sovereign* toe en liep met Amos naar de kerkhofpoort, waar ze bleven staan om afscheid te nemen van de gasten.

'Bedankt voor uw komst,' zei ze. 'Dank u... Nee. Hij heeft een vredige dood gehad... Het was het beste... Ja, mevrouw Williams, de Here zij geprezen! Nee. We komen dit jaar niet. Zoveel te doen...' Ze knikte, zuchtte, glimlachte en schudde de hand van al die aardige meelevende mensen, de een na de ander, tot haar vingers zeer deden.

En thuisgekomen, toen ze haar hoedenpennen had losgetrokken en haar hoed als een slak op de keukentafel lag, wendde ze zich tot Amos met een blik van innig verlangen, maar hij draaide haar de rug toe en snierde: 'Jij hebt zeker zelf nooit een vader gehad.'

17

In oktober maakte een nieuwe bezoeker zijn opwachting bij The Vision.

Dominee Owen Gomer Davies was een congregationalistische predikant, die kort daarvoor van Bala naar Rhulen was verhuisd om de kerk in Maesyfelin onder zijn hoede te nemen. Hij woonde samen met zijn zuster op Jubilee Terrace nummer 3 en hij had een vogelbadje in zijn tuin en een palmlelie.

Hij was een lijvige man met een ongezond witte huid, een vetrol rond zijn boord en gelaatstrekken in de vorm van een Grieks kruis. Zijn scherpe mond werd nog scherper als hij eens een keer glimlachte. Zijn handdruk was kil en hij had een melodieuze zangerige stem.

Een van zijn eerste initiatieven na zijn vestiging in de streek was ruziemaken met Tom Watkins over de prijs van een doodkist. Dat alleen al nam Amos voor hem in – maar Mary vond hem een windbuil.

Zijn opvattingen over de Bijbel waren kinderlijk. De leer van de transsubstantiatie was veel te diepzinnig voor zijn prozaïsche geest; en het ceremoniële gebaar waarmee hij een zoetje in zijn theekopje deponeerde deed haar vermoeden dat hij een zwak had voor kleverige cake.

Op een keer plantte hij tijdens de thee zijn vuisten plechtig op tafel en verklaarde dat de hel 'heter was dan Egylypte of Jamaico!' – en Mary, die de hele week nauwelijks had gelachen, moest haar gezicht achter een servet verbergen.

Ze daagde hem uit door meer juwelen te dragen dan anders. 'Ah!' zei hij. 'De zonde van Jezebel!' Als ze haar mond opendeed, vertrok hij steevast zijn gezicht, alsof haar Engelse accent voldoende was om haar te veroordelen tot de Eeuwige Verdoemenis. Hij leek eropuit om haar man van haar weg te lokken – en Amos liet zich leiden als een mak schaap.

De vete met Watkins was een obsessie voor hem geworden. Hij had God om raad gevraagd. En nu was er eindelijk een man Gods bereid zijn zijde te kiezen. Hij las met fanatieke toewijding de stapels traktaatjes die de predikant op de theetafel achterliet. Hij verliet de anglicaanse kerk en haalde de tweeling van school. Hij liet Benjamin apart van zijn broer slapen, op de hooizolder; en toen hij het joch met het schip-in-de-fles de ladder op zag sluipen, nam hij dat in beslag.

Tien uur, twaalf uur, de godganse dag moest de tweeling werken, tot ze erbij neervielen. Behalve 's zondags natuurlijk, want dan deed het gezin niets anders dan bidden.

De kerk van Maesyfelin was een van de oudste non-conformistische kerken van het land.

Het lange stenen gebouw, met als enige versiering een zonnewijzer boven de deur, lag tussen de beek en de weg, omringd door een windkering van Portugese laurierbomen. Ernaast stond het gemeenschapshuis, een groengeschilderd bouwsel van golfplaten.

In de kerk waren de muren witgepleisterd. Er waren eiken koorbanken met deurtjes en gewone eiken banken en op de kansel stonden de namen van alle vroegere predikanten – de Parry's, de Williams's, de Vaughn's en Jones's – die teruggingen tot de dagen van Cromwell. Aan de oostkant stond de communietafel waarin het jaartal 1682 was gekerfd.

In India had Mary de non-conformistische zendelingen aan het werk gezien en voor haar belichaamden ze alles wat onbehouwen en verkrampt en onverdraagzaam was. Maar ze hield haar gevoelens voor zich en verklaarde zich bereid mee te gaan. Gomer Davies was zo'n aperte huichelaar dat het waarschijnlijk het best was als hij haar man in de luren bleef leggen, want vroeg of laat zou Amos toch wel tot bezinning komen? Ze stuurde een briefje naar de dominee om haar afwezigheid uit te leggen. 'Een voorbijgaande fase', voegde ze er als naschrift aan toe; want ze kon het gewoonweg niet serieus nemen.

Hoe kon ze haar gezicht in de plooi houden als de vrouw van Ruben Jones de hymnen van William Williams uit het amechtige harmonium stampte? Of bij de beverige stemmen en de wiebelende verenhoedjes? Of als ze zag hoe de mannen – door de week nuchtere boeren – nu zweetten en deinden en 'Halleluja!', 'Amen!' en 'Ja, Heer! Ja!' brulden. En toen vrouw Griffiths van Cwm Cringlyn midden onder psalm 150 haar handtas pakte en een tamboerijn tevoorschijn haalde, moest Mary haar ogen weer dichtknijpen en de verleiding onderdrukken om te giechelen.

En waren de preken geen klinkklare nonsens?

Op een zondag somde de eerwaarde Gomer Davies alle dieren aan boord van de Ark op en tijdens de avonddienst overtrof hij zichzelf. Hij zette vijf brandende kaarsen op de rand van de kansel en als hij met zijn vinger naar de gemeente wees, tekenden zich vijf afzonderlijke schaduwen van zijn onderarm af op het plafond. Toen begon hij met donkere, liturgische stem: 'Ik zie uw zonden als kattenogen in het donker...'

Toch kwam er een moment dat ze met schaamte bedacht hoe ze met deze ernstig gemeende plechtigheden had gespot; momenten dat het Woord de muren leek te doen beven – en één moment dat een gastpredikant haar overdonderde met zijn welsprekendheid:

'Hij is een Zwart Lam, mijn bemind lam, zwart als een raaf en leider van duizend. Mijn beminde is een Wit Lam, een pril lam en leider van tienduizend. Wie komt daar uit Edom, uit Bosra, in helrode kleren? Is het geen wonderschoon Lam, mijne broeders en zusters? O, mijne broeders en zusters, beijvert u om dit lam te vinden! Beijvert u! Beijvert u om dit lam in uw bezit te krijgen...!'

Na de preek riep de predikant de gelovigen op tot de communie. Ze gingen op de banken zitten, de mannen tegenover hun vrouwen. Over de hele lengte van de tafel lag een schoon linnen laken.

De predikant sneed hompen brood af, zegende ze en deelde ze rond op een tinnen schaal. Daarna zegende hij de wijn in een tinnen beker. Mary nam de beker over van haar buurvrouw en terwijl ze haar lippen aan de rand zette, wist ze, in een flits van openbaring, dat dit inderdaad het Feestmaal des Heren was, dit wás de Bovenzaal; en geen van de grote kathedralen was gebouwd voor de glorie van God, maar voor de ijdelheid van de Mens; en pausen en bisschoppen waren Caesars en vorsten; en als iemand haar naderhand verweet dat ze de anglicaanse kerk afvallig was geworden, boog ze haar hoofd en zei alleen: 'De broeders en zusters zijn een grote troost voor me.'

Maar Amos bleef razen en tieren en aan migraine en slapeloosheid lijden. Nooit – zelfs niet bij fakirs of geselbroeders – had Mary een dergelijk fanatisme meegemaakt. 's Avonds zat hij, turend bij het lamplicht, de Bijbel uit te ziften op passages die zijn gelijk konden bevestigen. Hij las het boek Job: '"Des nachts priemt de pijn tot in mijn beenderen; dat knagend zeer kent geen slaap..."'

Hij dreigde met verhuizen, dat hij een boerderij zou kopen in het graafschap Carmarthen, in het hart van Wales. Maar hij had niets op de bank staan en zijn dorst naar wraak nagelde hem vast aan de plek.

In maart 1912 betrapte hij Watkins op het kapothakken van een hek. Er ontstond een gevecht: hij wankelde naar huis met een gapende wond boven zijn slaap. Een week later vond de postbode de muilezel van Watkins langs de weg, nog ademend, met een hoop ingewanden lillend op het gras. Op 1 april vond Amos na het opstaan zijn lievelingshond dood op de mestvaalt, en hij barstte in tranen uit en griende als een kind.

'... ... ag geen eind aan de misère. Ze bekeek zichzelf in de spiegel, ee... ... ... g grijzer en met meer barsten dan de geschilderde spiegel... ... ... naar wist dat ze verder moest leven voor de tweelin... ... ... n te verzetten las ze de boeken die ze als meisje graag had ge... ... ... e verstopte ze voor Amos, die ze in zijn humeur meteen zou verbranden. Op een wintermiddag was ze, soezerig van het haardvuur, weggedommeld met *Woeste Hoogten* open op schoot. Hij kwam binnen, maakte haar ruw wakker en raakte haar met een hoek van de band op haar oog.

Ze sprong overeind. De maat was vol. Haar angst was verdwenen en ze was weer sterk. Ze rechtte haar rug en zei: 'Dwaas, die je bent!'

Hij stond bij de piano, bevend over zijn hele lijf, zijn lip slap hangend – en toen was hij weg.

Er lag nu één weg voor haar open: haar zuster in Cheltenham! Haar zuster die een huis en een inkomen had. Uit haar schrijfmap haalde ze twee vellen postpapier. 'Niets,' besloot ze de laatste alinea, 'kan eenzamer zijn dan de eenzaamheid van het huwelijk...'

De volgende morgen voor het ontbijt rolde Amos de melkbus het melkhok uit en zag haar de envelop overhandigen aan de postbode. Het leek wel of hij elke regel van de brief kende. Hij probeerde aardig te zijn tegen de tweeling, maar die beantwoordde zijn toenaderingspogingen met ijskoude blikken.

Naarmate haar oog van blauw veranderde in geelpaars, begon Mary steeds meer op te fleuren. De narcissen stonden in bloei. Ze begon hem te vergeven en uit zijn schuldige blikken maakte ze op dat hij haar voorwaarden accepteerde. Ze weerstond de verleiding om triomfantelijk te doen. De brief uit Cheltenham kwam. Hij keek vreselijk zenuwachtig toe terwijl zij hem opensneed.

Haar ogen dansten over het oudevrijsterhandschrift en ze gooide haar hoofd in de nek en lachte:

'...Vader zei altijd dat je eigenzinnig en impulsief was. Niemand kan zeggen dat ik je niet heb gewaarschuwd... Maar eens getrouwd, blijft getrouwd... een bindend sacrament... en je moet je man trouw blijven door dik en dun...'

Ze zei: 'Ik vertel je niet eens wat erin staat.' Ze blies hem een kus toe. Haar lippen trilden van tederheid toen de brief opflakkerde in het haardvuur.

18

Een halfjaar later was Benjamin ineens opgeschoten en acht centimeter langer dan Lewis.

Eerst kreeg hij een iel zwart snorretje en het dons verspreidde zich over zijn wangen en kin. Toen kwam zijn gezicht onder de puistjes te zitten en hij zag er niet fraai uit. Hij schaamde zich en het maakte hem verlegen dat hij zoveel groter was dan zijn broer. En Lewis was jaloers – jaloers op de gebroken stem, zelfs jaloers op de puistjes en bang dat hij nooit zo groot zou worden. Ze meden elkaars ogen en de maaltijden verliepen in stilte. Op de morgen dat Benjamin zich voor het eerst schoor, liep Lewis stampvoetend de deur uit.

Mary pakte een toiletspiegel en zette een kom warm water op de keukentafel. Amos wette het mes aan zijn leren scheerriem en deed voor hoe hij het vast moest houden. Maar Benjamin was zo zenuwachtig en zijn hand was zo onvast dat, toen hij het schuim wegveegde, zijn gezicht onder de bloederige sneden zat.

Tien dagen later schoor hij zich weer, nu alleen.

Tot dan toe hadden de broers bij het zien van hun gezicht – in een spiegel, in een raam of zelfs in het water – hun eigen reflectie dikwijls aangezien voor hun wederhelft. Dus toen Benjamin zijn scheermes klaar hield en opkeek in de spiegel had hij het gevoel dat hij op het punt stond om de keel van Lewis door te snijden.

Daarna weigerde hij zich te scheren tot Lewis even groot was en een baard had. Mary hield haar zoons in de gaten en voorvoelde dat ze vroeg of laat allebei zouden terugvallen in het oude, vertrouwde patroon van afhankelijkheid. Maar voorlopig flirtte Lewis met meisjes, en omdat hij aantrekkelijk en niet opdringerig was, moedigden de meisjes hem aan.

Hij flirtte met Rosie Fifield. Ze wisselden een ademloze kus uit achter een hooimijt en hielden elkaars hand twintig minuten vast tijdens de zanguitvoering. Op een maanloze avond slenterde hij langs de weg naar Lurkenhope toen hij een stel meisjes in witte jurken tegenkwam, die de heggen afzochten naar glimwormen. Hij hoorde het heldere en koele geklater van Rosies lach in het donker. Hij liet zijn hand om haar satijnen ceintuur glijden en zij verkocht hem een klets: 'Donder op, Lewis Jones! En haal je grote neus uit mijn gezicht!'

Benjamin hield van zijn moeder en zijn broer en hij vond meisjes maar niets. Als Lewis de kamer uitliep, bleven zijn ogen gericht op de deur en betrokken zijn irissen tot een donkerder grijs; zodra Lewis terugkwam, glinsterden zijn pupillen.

Ze kwamen nooit meer op school. Ze werkten op de boerderij en als ze samenwerkten konden ze het werk van vier man aan. Als hij alleen werd gelaten – om aardappelen te rooien of koolraap tot pulp te verwerken – raakte Benjamins energie snel uitgeput en dan hijgde en hoestte hij en voelde zich slap. Hun vader merkte dat en met zijn boerenoog voor doelmatigheid wist hij dat het zinloos was hen te scheiden: het duurde nog tien jaar eer de tweeling een onderlinge werkverdeling had gevonden.

Lewis droomde nog steeds van verre reizen, maar zijn belangstelling was verlegd naar luchtschepen. En als er een foto van een zeppelin in de krant stond – of als de naam van graaf Zeppelin werd genoemd – dan knipte hij het artikel uit en bewaarde het in zijn plakboek.

Benjamin zei dat zeppelins leken op komkommers.

Hij dacht nooit aan het buitenland. Hij wilde voor altijd en eeuwig bij Lewis wonen, dezelfde kost eten, dezelfde kleren dragen, het bed delen, en een bijl zwaaien in dezelfde boog. Er waren vier hekken die toegang gaven tot The Vision, en voor hem waren dat de vier poorten van het paradijs.

Hij hield van de schapen en in de buitenlucht sterkte hij weer aan. Hij had een scherp oog voor gevallen van niervergiftiging of baarmoederverzakking. In de lammertijd ging hij de kudde langs met een herdersstaf aan zijn arm en controleerde de uiers van de ooien om te zien of de melk vloeide.

Hij was ook diepgelovig.

Toen hij op een avond over het weiland liep zag hij de zwaluwen laag boven de paardenbloemkaarsjes flitsen en de schapen afgetekend te- gen het avondrood stuk voor stuk omkranst met een aureool van goud – en hij begreep waarom het Lam Gods een stralenkrans had.

Hij kon uren bezig zijn om zijn ideeën over zonde en vergelding te verwerken in een veelomvattend theologisch systeem dat op een dag de wereld zou redden. En als zijn ogen moe waren van de kleine letter- tjes – beide broers waren enigszins astigmatisch – bestudeerde hij de kleurenprent van 'De Brede en de Smalle Weg'.

Die had Amos gekregen van de eerwaarde Gomer Davies en die hing naast de haard in een lijst van gotische nisjes. Aan de linkerkant wandelden dames en heren in groepjes naar 'De Weg van de Onder- gang'. Aan weerszijden van de poort stonden standbeelden van Venus en de Dronken Bacchus: en daarachter nog meer chique mensen – die dronken, dansten, dobbelden, naar het theater gingen, hun bezit ver- pandden en 's zondags de trein namen.

Hoger op dezelfde weg zag hij hetzelfde slag mensen roven, moor- den, slaven drijven en ten strijde trekken. En helemaal bovenaan zweefden de Helpers van de Duivel boven brandende kantelen – die deden denken aan Windsor Castle – en wogen de zielen van zondaars.

De rechterkant van de prent was 'De Weg van de Verlossing', en daar waren de gebouwen onmiskenbaar Welsh. Sterker nog, de kerk, de zondagsschool en het diaconessenhuis – allemaal met steile gevels en leien daken – deden Benjamin denken aan een geïllustreerde folder van Llandrindod Wells.

Op dit smalle en lastige pad waren alleen de lagere standen te zien, die allerlei godvruchtige werken verrichtten totdat ook zij een berg- helling opjokten, die precies leek op de Zwarte Heuvel. En op de top lag het Nieuwe Jeruzalem, met het Lam van Zion en de bazuinende engelenkoren...!

Het was een beeld dat Benjamins fantasie niet losliet. En hij geloof- de echt dat de Weg naar de Hel de weg naar Hereford was, terwijl de Weg naar de Hemel leidde naar de Radnor Hills.

19

Toen brak de oorlog uit.

Al jarenlang hadden de handelaars in Rhulen beweerd dat er oorlog met Duitsland zou komen, al wist niemand wat oorlog precies zou betekenen. Er was geen echte oorlog meer geweest sinds Waterloo en iedereen was het erover eens dat deze oorlog, met spoorwegen en moderne kanonnen, heel verschrikkelijk of heel gauw voorbij zou zijn.

Op 7 augustus 1914 stonden Amos Jones en zijn zoons distels te maaien toen er een man over de heg riep dat de Duitsers België waren binnengevallen en het ultimatum van Engeland naast zich neer hadden gelegd. Hij zei dat er een rekruteringskantoor was geopend in het gemeentehuis. Er hadden zich al een stuk of twintig jongens aangemeld.

'Motten die stommelingen zelf weten,' reageerde Amos schouderophalend, en staarde fel de heuvel af richting Herefordshire.

Ze gingen alle drie verder met maaien, maar de jongens deden heel zenuwachtig toen ze thuiskwamen voor het avondeten.

Mary had rode bieten ingemaakt en haar schort zat onder de paarse vlekken.

'Maak je geen zorgen,' zei ze. 'Jullie zijn veel te jong om te vechten. Het zal trouwens wel voorbij zijn met de kerst.'

De winter brak aan en het einde van de oorlog was niet in zicht. De eerwaarde Gomer Davies begon vaderlandslievende preken te houden en op een vrijdag stuurde hij iemand bij The Vision langs om hen uit te nodigen voor een lezing met lichtbeelden, om vijf uur in het parochiehuis.

De lucht verdonkerde van karmozijnrood tot geschutsgrijs. Er ston-den twee limousines geparkeerd langs de weg; en een groep boeren-ongens, allemaal in zondagse kleren, stond te kletsen met de chauf-feurs of door de ramen te kijken naar de pelsdekens en de leren bekleding. De jongens hadden zulke auto's nog nooit van dichtbij ge-zien. In een schuurtje naast het parochiehuis stond een elektrische ge-nerator te brommen.

De eerwaarde Gomer Davies stond in de vestibule om iedereen te verwelkomen met een handdruk en een troebele glimlach. De oorlog, zei hij, was een Kruistocht voor Christus.

In het parochiehuis brandde een cokeskachel en de ramen waren be-slagen. Een rij gloeilampen verspreidde een waas van geel licht over de betimmerde en geverniste wanden. Er hingen een heleboel Engelse vlaggen en een portret van Lord Kitchener.

De toverlantaarn stond in het midden van het gangpad. Tegen de wand was een wit laken gespijkerd bij wijze van projectiescherm; en een majoor in kaki uniform, met een arm in draagverband, vertrouw-de zijn doos met glazen plaatjes toe aan de vrouwelijke operateur.

De voornaamste spreker, kolonel Bickerton, had al plaatsgenomen op het podium en zat in een wolk van sigarenrook te babbelen met een veteraan uit de Boerenoorlog. Hij strekte zijn kreupele been in de richting van de zaal. Er lag een hoge zijden hoed op het groen of lakense tafelkleed, naast een waterkaraf en een bekerglas.

Verscheidene dienaren Gods – die in het vuur van patriottisme alle-maal hun geschillen opzij hadden gezet – maakten hun opwachting bij de dorpsheer en informeerden bezorgd naar zijn welzijn.

'Nee, ik zit hier uitstekend, dank u.' De kolonel sprak elke letter-greep tot in de perfectie uit. 'Dank u voor uw goede zorgen. Behoor-lijke opkomst, zie ik. Uiterst bemoedigend, niet?'

De zaal zat vol. Jongemannen met frisse, ruige koppen persten zich in de banken of drongen naar voren om beter zicht te krijgen op de dochter van Bickerton. Juffrouw Isobel – een brunette met vochtige rode lippen en vochtige hazelnootbruine ogen, die beheerst en glim-lachend op de eerste rij zat in een cape van zilvervos. Aan haar sierlijke hoedje ontsproot een grijsroze, met glycerine bewerkte, struisvogel-veer. Naast haar zat op zijn hurken een jongeman met peenkleurig haar en open mond.

Het was Jim van The Rock.

De familie Jones nam plaats in een bank achteraan. Mary voelde de spanning en woede van haar man naast haar. Ze was bang dat hij een scène zou maken.

De dominee van Rhulen opende de bijeenkomst door namens alle aanwezigen zijn dank uit te spreken aan het adres van eerwaarde Gomer Davies voor het gebruik van het parochiehuis en de elektriciteit

Er ging een instemmend gebrom door de zaal. Vervolgens schetste hij de oorzaken van de oorlog.

Maar weinigen van de heuvelboeren begrepen waarom de moord op een aartshertog in de Balkan aanleiding was geweest tot de invasie in België, maar toen de dominee begon over het gevaar voor 'ons geliefd koninkrijk', spitsten de mensen hun oren.

'We mogen niet rusten,' zei hij met stemverheffing, 'voor dit kankergezwel is weggesneden uit de Europese samenleving. De Duitsers zullen gillen als een varken dat naar de slacht gaat. Maar er is geen middenweg, we mogen de duivel niet de hand reiken. Het heeft geen zin om een kaaiman fatsoen bij te brengen. Maak hem af!'

De toehoorders klapten en de dominee ging zitten.

Toen was het de beurt aan de majoor, die zei dat hij gewond was geraakt bij Mons. Hij begon met een grapje over 'de Rijn veranderen in een tranendal', waarop de kolonel opveerde en zei: 'Ik zal geen traan laten om die rijnwijn, te fruitig, niet?'

Toen stak de majoor zijn rottinkje omhoog.

'Licht!' riep hij en de lampen gingen uit.

Het ene wazige plaatje na het andere flitste over het doek – van Tommies in hun kampement, Tommies op appel, Tommies op de veerboot over het Kanaal, Tommies in een Frans café, Tommies in loopgraven, Tommies die bajonetten opzetten en Tommies die 'erop losgingen'. Sommige plaatjes waren zo wazig dat er nauwelijks verschil was te zien tussen de schaduw van juffrouw Isobels veer en de granaatexplosies.

Het laatste lichtbeeld toonde een absurde kop met uitpuilende ogen en kraaienvleugeltjes op zijn bovenlip, en een complete adelaar op zijn helm.

'Dat,' zei de majoor, 'is jullie vijand – keizer Wilhelm II van Duitsland.'

Er klonken kreten als 'Knoop hem op!' en 'Afschieten, die rotkop!' – en de majoor ging ook zitten.

Toen hees kolonel Bickerton zich behoedzaam overeind en verontschuldigde zich voor de indispositie van zijn vrouw.

Zijn eigen zoon, zei hij, vocht in Vlaanderen. En na de aangrijpende taferelen die ze zojuist hadden aanschouwd, hoopte hij dat maar weinig jongelui in het district hun plicht zouden verzaken.

'Wanneer deze oorlog voorbij is,' zei hij, 'zijn er twee soorten mensen in dit land. Zij die geschikt waren om dienst te nemen en zich eraan onttrokken...'

'Schande!' snerpte een vrouw met een blauwe hoed.

'Ik ben Nummer Eén!' riep een jongeman, terwijl hij zijn hand opstak.

Maar de kolonel keerde zijn manchetknopen naar de zaal en de zaal verstomde.

'... en zij die geschikt waren en naar voren traden om hun plicht te doen voor hun koning, hun vaderland... en hun vrouw...'

'Ja! Ja!' Weer vlogen de handen met vloeiende bewegingen de lucht in en weer verstomde de zaal.

'De laatstgenoemde groep – dat behoeft geen betoog – wordt de aristocratie van dit land, ja zelfs de enige ware aristocratie van dit land; en zij zullen in hun levensavond troost vinden in de wetenschap dat ze hebben gedaan wat Engeland verwacht van elke man: zijn plicht...'

'En Wales dan?' klonk een zeurderige stem naast juffrouw Bickerton, maar Jim werd overstemd door het algehele rumoer.

Vrijwilligers stormden naar voren om hun naam op te geven aan de majoor. Hier en daar klonk 'Hoezee! Hoezee! Hoezee!' Andere stemmen barstten uit in gezang: 'En dat we toffe jongens zijn...' De vrouw met de blauwe hoed gaf haar zoon een draai om zijn oren en gilde: 'Je gaat wél!' en over het gezicht van de kolonel was een uitdrukking van kinderlijke sereniteit gekomen.

Hij vervolgde op gedreven toon: 'Als Lord Kitchener zegt dat hij je nodig heeft, dan bedoelt hij JOU. Want ieder van jullie dappere jongelui is uniek en onmisbaar. Zo-even hoorde ik iemand links van mij roepen: "En Wales dan?"'

Plotseling kon je een speld horen vallen.

'Geloof me, die kreet "En Wales dan?" is een kreet die mij recht uit het hart is gegrepen. Want door mijn aderen vloeit evenveel Welsh als Engels bloed. En dat is... dat is dan ook de reden dat mijn dochter en ik vanavond met twee auto's zijn gekomen. Diegenen van jullie die dienst willen nemen in ons dierbare Herefordshire Regiment kunnen met mij meerijden... Maar diegenen van jullie, trouwe Welshmen, die de voorkeur geven aan dat andere onversaagde regiment, de South Wales Borderers, kunnen met mijn dochter en majoor Llewellyn-Smythe mee naar Brecon...'

En zo kwam het dat Jim van The Rock ten strijde trok – om van huis weg te komen en om een dame met vochtige rode lippen en vochtige hazelnootbruine ogen.

20

In India had Mary ooit de lansiers naar de grens zien rijden, en een hoornsignaal klonk haar als muziek in de oren. Ze geloofde in de Geallieerde Zaak. Ze geloofde in de Overwinning en, gehoor gevend aan mevrouw Bickertons inzamelingsactie voor 'gebreide kledij', besteedden zij en Rebecca hun vrije tijd aan het breien van handschoenen en bivakmutsen voor de jongens aan het Front.

Amos verfoeide de oorlog en wilde er niets mee te maken hebben. Hij verstopte zijn paarden voor de rekwisitieofficieren. Hij legde een bevel van het ministerie om een helling op het noorden met tarwe te beplanten naast zich neer. Het was een erezaak, als man en als Welshman, om te zorgen dat zijn zoons niet voor Engelsen zouden vechten.

Hij vond zijn opvattingen bevestigd in de Bijbel. De oorlog was toch zeker Gods bezoeking van de Steden der Vlakte? Al die dingen waarover je in de krant las – granaatvuur, bommen, U-boten en mosterdgas – waren toch zeker de instrumenten van Zijn Wraak? Misschien was de Kaiser wel een nieuwe Nebukadnezar. Misschien zou er een Zeventigjarige Gevangenschap voor Engelsen volgen. En misschien zou een aantal uitverkorenen gespaard blijven – uitverkorenen als de Rechabieten, die geen wijn dronken, niet in steden woonden en ook niet bogen voor valse afgodsbeelden, maar de Levende God dienden.

Hij zette deze opvattingen uiteen aan de eerwaarde Gomer Davies, die hem aanstaarde alsof hij krankzinnig was en hem uitmaakte voor verrader. Amos beschuldigde de predikant er op zijn beurt van dat hij de hand lichtte met het Zesde Gebod en staakte zijn kerkbezoek.

In januari 1916 – nadat de dienstplichtwet van kracht was geworden – hoorde hij dat een Vereniging tot Steun aan Rechabieten regelmatig bijeenkomsten hield in Rhulen en zo kwam hij in contact met Gewetensbezwaarden.

Hij nam de tweeling mee naar hun vergaderingen op een tochtige zolder boven een schoenlapperswinkel in South Street.

De meeste leden waren ambachtslui of gewone arbeiders, maar er was één heer bij – een slungelige jonge kerel met een grote adamsappel, die gekleed was in een sjofel tweedpak en de notulen omwerkte tot verheven proza.

De Rechabieten vonden thee een zondig opwekkend middel: de verversingen waren dan ook beperkt tot zwartebessenlimonade en een bord dunne pijlwortelbiscuitjes. De ene spreker na de andere beleed zijn geloof in een vreedzame wereld en legde verklaringen af over het lot van zijn kameraden. Velen moesten voor de krijgsraad verschijnen of zaten al gevangen. Een van hen, een arbeider in een steengroeve, had in de strafkazerne van Hereford een hongerstaking geleid, toen de sergeants hem het beheer over de rumvoorraad van het regiment probeerden op te dringen. Hij was na gedwongen voeding gestorven aan longontsteking. Een mengsel van melk en cacao, dat door een buisje via zijn neusgaten werd toegediend, was doorgesijpeld naar zijn longen.

'Arme Tom!' zei de schoenlapper en verzocht om drie minuten stilte.

Het gezelschap stond op: een halve cirkel van kale gebogen hoofden in een kring van licht. Vervolgens pakten ze elkaars handen vast en zongen een lied waarvan ze de woorden kenden, maar de wijs niet:

Natie naast natie, land naast land
zal geweldloos leven als vrije kameraden.
Elk hoofd en hart zal de vrede belijden,
niet enkel in woorden maar ook in daden

Aanvankelijk kon Mary het gewelddadige temperament van haar man nauwelijks rijmen met zijn pacifisme; maar na het nieuws over de Somme gaf zij toe dat hij wel eens gelijk kon hebben.

Twee keer per week liep ze naar Lurkenhope om eten te koken voor Betty Palmer, een arme weduwe die met het verlies van haar enige zoon in de veldslag de lust om te eten had verloren. En in mei 1917 legde ze haar ruzie met Aggie Watkins bij.

Ze zag tussen de marktkramen een eenzame figuur in het zwart sloffen, die haar tranen afveegde aan haar mouw.

'Nee toch, niet Jim,' riep Mary uit.

Aggies gezicht was vlekkerig van het huilen en haar kapothoedje zat scheef op haar hoofd. Het motregende en de straatverkopers legden zeilen over hun waren en gingen schuilen onder de bogen van het gemeentehuis.

'Het is Jim,' snikte Aggie. 'Hij zat in Frankrijk en hij werkte met muilezels. En nou komt die kaart en daar staat in dat ie er geweest is.'

Ze rommelde met haar jichtige vingers in haar mand, viste er een verkreukelde kaart uit en gaf hem aan Mary.

Het was een van die standaard ansichtkaarten van de Velddienst die soldaten aan het front naar huis mochten sturen na een veldslag.

Mary fronste haar wenkbrauwen terwijl ze er wijs uit probeerde te worden, en toen ontspanden haar trekken zich in een glimlach.

'Maar hij is helemaal niet dood, Aggie. Hij maakt het goed. Kijk! Dat betekent het kruisje. Er staat: "Het gaat uitstekend met me."'

Er ging een schok door het gezicht van de oude vrouw. Met een felle blik van ongeloof griste ze de kaart weg. Maar toen ze Mary's open armen en de tranen in haar ogen zag, liet ze haar mand vallen en de twee vrouwen vielen elkaar in de armen.

'Kijk nou wat je doet,' zei Mary, wijzend op de eierdooiers die over de glimmend natte kinderhoofdjes glibberden...

'Eieren!' zei vrouw Watkins minachtend.

'En kijk!' zei Mary, terwijl ze de kaart opraapte. 'Er staat een adres op voor pakjes. Laten we hem een cake sturen!'

Die middag bakte ze een grote vruchtencake, vol rozijnen en noten en geglaceerde kersen. Ze schreef de naam 'JIM van THE ROCK' in gepelde amandelen op de korst en liet hem op de tafel staan zodat Amos hem kon bewonderen.

Hij trok zijn schouders op en zei: 'Zo'n cake zou ik ook wel lusten.'

Een paar dagen later passeerde hij Tom Watkins op de weg. Ze knikten – en daarmee was stilzwijgend een wapenstilstand beklonken.

Maar het nieuws over de oorlog werd alleen maar slechter.

In arbeiderskeukens zaten moeders machteloos te wachten of de postbode aanklopte. Als de brief van de koning kwam, verscheen er een zwartgerande kaart achter een van de ramen. In een huisje langs de weg naar Rhulen zag Mary twee kaarten voor de vitrage. Na Passchendaele kwam er een derde kaart bij.

'Wat verschrikkelijk,' zei ze met verstikte stem en greep Amos bij zijn mouw, toen ze langsreden. 'Niet alle drie!' De tweeling zou in augustus achttien worden en dus dienstplichtig. De hele winter had ze steeds weer dezelfde droom: dat Benjamin onder een appelboom stond, met een rood gat in zijn voorhoofd en een verwijtende glimlach.

Op 21 februari – een dag waaraan Mary huiverend zou terugdenken – kwam meneer Arkwright, de notaris van Rhulen, in zijn auto bij The Vision langs. Hij was een van de vijf leden van de plaatselijke dienstplichtcommissie. Hij was een kwiek mannetje met ijzige ogen en een zandkleurige met was opgestreken knevel, en hij droeg een grijze deukhoed en een grijze serge overjas. Naast hem op de voorbank zat zijn rode setter, een teef.

Het eerste dat hij vroeg was waarom de tweeling zich in 's hemels naam niet had laten registreren voor hun Nationale Identiteitskaart. Wisten ze eigenlijk wel dat ze de wet hadden overtreden? Vervolgens noteerde hij, angstvallig zorgend dat hij geen modder op zijn slobkousen of schoenen kreeg, allerlei bijzonderheden over het land, de grootte van de veestapel en de gebouwen, en verklaarde ten slotte, met de plechtstatigheid van een rechter die vonnis wijst, dat The Vision een te kleine boerderij was om vrijstelling voor meer dan één zoon te rechtvaardigen.

'Uiteraard,' voegde hij eraan toe, 'haalt niemand van ons graag jongens van het land af. Voedseltekorten en zo meer! Maar wet is wet!'

'Het is een tweeling,' stamelde Amos.

'Dat weet ik. Mijn beste man, we kunnen geen uitzonderingen gaan maken...'

'Zonder elkaar gaan ze dood.'

'Kom, kom! Gezonde knapen als die twee! Zoiets mals heb ik nog nooit gehoord!... Maudie!... Maudie!' De rode setter stond te blaffen bij een konijnenhol in de heg. Ze sukkelde terug naar haar baas en ging weer op de voorbank zitten. Meneer Arkwright gaf gas en zette de handrem los. De banden vergruizelden de ijsplassen toen de auto het erf afdraaide.

'Tiran van de kouwe grond!' Amos schudde zijn vuist, verloren in een wolk blauw uitlaatgas.

21

De eerstvolgende marktdag benaderde Amos de rentmeester van een grote boerderij in de buurt van Rhydspence, die volgens zeggen wel personeel kon gebruiken. De man stemde toe Lewis aan te nemen als ploeger en hem te steunen zodra zijn zaak voor de commissie zou dienen.

Benjamin viel bijna flauw van het nieuws.

'Kalm nou maar,' probeerde Mary hem te troosten. 'Hij komt terug zodra de oorlog voorbij is. Trouwens, het is maar vijftien kilometer hiervandaan, dus hij komt ons 's zondags vast opzoeken.'

'U snapt er niks van,' zei hij.

Lewis hield zich kranig toen het moment van vertrek was aangebroken. Hij bond wat kleren in een bundeltje, kuste zijn moeder en broer en sprong op de bok naast Amos. De wind rukte aan de mouwen van Benjamins jas terwijl hij hen nakeek tot ze uit het zicht waren.

Hij begon te kwijnen.

Hij werkte zijn eten wel naar binnen, maar de gedachte dat Lewis ander eten at, van andere borden, aan een andere tafel, maakte hem steeds triester en algauw werd hij mager en zwak. 's Nachts wilde hij zijn broer aanraken, maar zijn hand vond een koud ongekreukt kussen. Hij waste zich niet meer om er niet aan te hoeven denken dat Lewis – op datzelfde moment – de handdoek van iemand anders gebruikte.

'Kijk eens wat vrolijker,' zei Mary. Ze zag dat hij de scheiding niet kon verdragen.

Hij ging terug naar de plekjes waar ze als kind hadden gespeeld. Soms riep hij de schapenhond: 'Mott! Mott! Kom, we gaan het baasje zoeken! Waar is-ie? Waar is-ie?' En dan sprong de hond kwispelend overeind en klauterden ze de steenhelling van de Zwarte Heuvel op tot de Wye te zien was – een glinsterend lint in het winterzonnetje – en de verse bruine ploegvelden rond Rhydspence waar Lewis misschien aan het werk was.

Andere keren ging hij in zijn eentje naar de dalgeul en keek hoe het veenachtige water door hun oude zwembadje spoelde. Overal zag hij het gezicht van Lewis: in een trog, in de melkemmer, zelfs in verse koeienvlaaien.

Hij haatte Lewis omdat hij weg was gegaan en verdacht hem ervan dat hij zijn ziel had gestolen. Op een dag, toen hij in de scheerspiegel stond te staren, zag hij zijn gezicht geleidelijk aan vervagen, alsof het glas zijn spiegelbeeld opzoog totdat hij helemaal verdween in een kristallen mist.

Dat was de eerste keer dat hij aan zelfmoord dacht.

Lewis arriveerde 's zondags meestal tegen lunchtijd met rode wangen na vijftien kilometer stappen door de velden, zijn beenkappen onder de modder en zijn broek onder de dode klissen.

Hij vertelde hun grappige verhalen over het leven op een grote boerderij. Zijn werk beviel hem. Hij mocht graag knutselen aan de nieuwerwetse machinerie en had op een tractor gereden. Hij mocht graag zorgen voor de stamboek-Herefords. Hij mocht de rentmeester, die hem wegwijs maakte in de raadselen van het stamboek, en hij was bevriend geraakt met een van de melkmeisjes. Hij had een gruwelijke hekel aan een Ierse veeknecht, die een 'woeste zuiplap' was.

Op een woensdag, tegen het einde van april, stuurde de rentmeester hem per trein naar Hereford, met een paar koppels mestvee die geveild zouden worden. Omdat de koeien al om elf uur verhandeld werden, had hij de rest van de dag vrij.

Het was een uiterst sombere dag en de wolken joegen langs de toren van de kathedraal. Strepen grijze hagel kletterden op de trottoirs en ratelden op de zeildoekhuiven van de huurrijtuigen. De scharminkelige koetspaarden stonden in een rij langs de overstromende goot, en onder een groengeschilderd afdak zaten een stel koetsiers hun handen te warmen bij een komfoor.

'Kom erbij, joh!' wenkte een van hen en Lewis ging tussen hen zitten.

Er reed een militair voertuig voorbij en een paar sergeants paradeerden langs in regencapes.

'Beroerde dag voor een begrafenis,' zei een man met een wasachtig gezicht.

'Beroerd,' beaamde een ander.

'En hoe oud ben jij, zeun?' zei de eerste man weer, terwijl hij met een pook de kooltjes oprakelde.

'Zeventien,' zei Lewis.

'En wanneer geboren?'

'Augustus.'

'Pas dan maar op, zeun. Pas maar op, ze hebben je zo te grazen, wat ik je brom.'

Lewis schoof onrustig heen en weer op de bank. Toen de hagel ophield, slenterde hij door de doolhof van straatjes achter de Watkins Brouwerij. Hij bleef staan in de deur van een kuiperij en zag de gloednieuwe vaten tussen bergen gele houtkrullen, Hij hoorde een muziekkapel spelen in een andere straat en ging eropaf.

Voor hotel The Green Dragon stond een groepje mensen langs de straat om de begrafenisstoet voorbij te zien komen.

De overledene was een kolonel van het Herefordshire Regiment, die was bezweken aan oorlogsverwondingen. De erewacht marcheerde met de ogen strak gericht op de punt van hun blanke sabel. De tamboer droeg een luipaardvel. De mars was de 'Dodenmars' uit *Saul*.

De wielen van de affuit knarsten over het asfalt en de doodkist, gedrapeerd met de Engelse vlag, trok voorbij aan de roerloos starende ogen van de dames. Vier zwarte auto's volgden de weduwe, de burgemeester en de overige begrafenisgangers. Kauwen zwermden de klokkentoren uit toen de klokken begonnen te luiden. Een vrouw met een vossenbontje greep Lewis bij de arm en snerpte:

'En jij, jongeman, schaam je je niet dat je nog in burger rondloopt?'

Hij schoot een steegje in naar de markt.

De geur van koffiebonen deed hem stilstaan voor een halfronde erkeretalage. Op de planken stonden kleine gevlochten manden met kegelvormige bergjes thee: de namen op de kaartjes – Darjeeling, Keemoen, Lapsang Souchong, Oelong – voerden hem mee naar een mysterieuze Oriënt. De koffie stond op de lagere planken en in elke warmbruine boon zag hij de warme bruine lippen van een negerin.

Hij stond te dagdromen van rotan hutten en lome zeeën, toen er een slagerskar voorbijrolde; de sleper riep: 'Pas op, joh!' en waaiers modderwater spatten op en bevuilden zijn broek.

In Eign Street bleef hij staan om een pet van ruitjestweed in de etalage van een herenmodezaak, Parberry en Williams, te bewonderen

De heer Parberry zelf stond in de deuropening, een kwabbige man met slierten oliezwart haar in ringen over zijn schedel geschikt.

'Kom binnen, m'n jongen,' zei hij met lokkende stem. 'Rondkijken kost niets. En wat valt er op deze prachtige lentemorgen bij je in de smaak?'

'De pet,' zei Lewis.

De winkel rook naar wasdoek en petroleum. Meneer Parberry pakte de pet uit de etalage, liet zijn vingers over het etiket glijden, zei dat hij vijf shilling en zes pence kostte, maar voegde eraan toe: 'Die zes pence geef ik je cadeau!'

Lewis streek met zijn duimnagel over de geribbelde munten in zijn zak. Hij had net zijn loon uitbetaald gekregen. Hij had een pond aan zilvergeld.

Meneer Parberry zette Lewis de pet schuins op en draaide hem met zijn gezicht naar de penantspiegel. Het was de goede maat, het was een heel chique pet.

'Ik neem er twee,' zei Lewis. 'Eén voor mijn broer.'

'Heel goed!' zei meneer Parberry en liet zijn assistent een ovale hoedendoos van de plank pakken. Hij legde de petten naast elkaar op de toonbank, maar er waren er geen twee hetzelfde; en toen Lewis voet bij stuk hield: 'Nee, ik moet twee dezelfde hebben,' verloor de man zijn geduld en stotterde: 'Mijn winkel uit, snotneus dat je bent! Eruit en verknoei mijn tijd niet langer!'

Om één uur liep Lewis binnen bij de volksgaarkeuken om een hapje te eten. De kelnerin zei dat ze in een wip een tafeltje vrij had als hij vijf minuutjes geduld had. Van het menubord koos hij een nierpasteitje en als toetje jampudding.

Boeren met stoppelige wangen verslonden grote hoeveelheden ketelkoek en bloedworst; en een heer plaagde de kelnerin omdat ze hem maar niet bediende. Af en toe werd het rumoer onderbroken door kletterende borden en klonk er een regen van vloeken door het keukenluik. Een cyperse kat gleed tussen de benen van de klanten door en op de vloer lagen donkere bierplekken in het zaagsel.

De slonzige kelnerin kwam terug, grijnsde, zette haar handen in haar zij, zei: 'Kom maar mee, mooie jongen!' en Lewis nam de benen.

Hij kocht een pasteitje van een straatverkoper en schuilde in het portiek van een damesmodewinkel. Hij voelde zich niet lekker.

Poppen in middagjaponnen staarden met blauwe glazen ogen naar de beregende straat en naast de koning en de koningin hing een portret van Clemenceau.

Hij wilde net zijn tanden in het pasteitje zetten toen hij begon te rillen. Hij zag zijn vingertoppen wit worden. Hij wist dat er iets mis was met zijn broer en rende naar het station.

De trein naar Rhulen stond klaar aan het eerste perron.

Het was warm en bedompt in de coupé en de ramen waren beslagen. Zijn tanden klapperden nog steeds. Hij voelde het kippenvel tegen zijn overhemd.

Een meisje met appelwangen stapte in, zette haar mand neer en ging schuin tegenover hem zitten. Ze deed haar eigengeweven omslagdoek en haar hoed af en legde ze op de bank. Het was heel donker geworden. De lampen werden ontstoken. De trein vertrok met een fluitsignaal en een schok.

Hij veegde met zijn mouw over het beslagen raam en keek naar de telegraafpalen die een voor een door het rozige spiegelbeeld van het meisje flitsten.

'Je hebt koorts,' zei ze.

'Nee,' zei hij. Hij draaide zich niet om. 'Mijn broer barst van de kou.'

Hij veegde weer over het raam. De voren van een geploegd veld suisden voorbij, als de spaken van een wiel. Hij zag de boomaanplant op Cefn Hill en de besneeuwde Zwarte Heuvel. Toen de trein Rhulen binnenreed, stond hij met de deur open, klaar om te springen.

'Kan ik helpen?' riep het meisje hem achterna.

'Nee,' riep hij terug en holde het perron af.

Het was na vieren toen hij bij The Vision aankwam, Rebecca zat alleen in de keuken en stopte afwezig een sok.

'Ze zijn Benjamin gaan zoeken,' zei ze.

'En ik weet waar hij zit,' zei Lewis.

Hij liep naar het portaal en verwisselde zijn natte cape voor een droge. Hij trok een zuidwester over zijn gezicht en liep de sneeuw in.

Rond elf uur die ochtend had Amos naar het westen gekeken en ge
zegd: 'Ik vertrouw het niks met die wolken. Ik zal de ooien maar van de
heuvel halen.'

Het liep tegen het einde van de lammertijd en de ooien graasden op
de heuvel met hun jonge lammetjes. Tien dagen lang was het prach
tig weer geweest. De lijsters bouwden druk aan hun nest en de ber
ken in de dalgeul waren groengespikkeld. Niemand had nog sneeuw
verwacht.

'Nee,' herhaalde Amos. 'Ik vertrouw het niks.'

Hij had kou op zijn borst en zijn benen en rug waren stijf. Mary
pakte zijn werkschoenen en beenkappen en besefte ineens dat hij
oud was. Hij boog voorover om zijn veters vast te maken. Er kraakte
iets in zijn ruggengraat en hij zakte terug in de stoel.

'Ik ga wel,' zei Benjamin.

'Maar vlug dan!' riep zijn vader. 'Straks begint het te sneeuwen.'

Benjamin floot de hond en liep over de velden naar Cock-a-Loftie
Vandaar nam hij het steilere pad de rotswand op. Hij kwam bij de top
en een raaf vloog krassend op uit een doornstruik.

De wolk kwam naar beneden en toen hij de schapen in het oog
kreeg, waren het net kleine stoomwolkjes – en toen begon het te
sneeuwen.

De sneeuw viel in dikke wollige vlokken. De wind stak op en stoof de
sneeuw in hoopjes over het pad. Hij zag iets donkers dichtbij: het was
de hond die de sneeuw van zijn rug schudde. Er rolden ijskoude drup
pels langs zijn nek naar beneden en hij merkte dat zijn zuidwester weg
was. Zijn handen zaten in zijn zakken maar hij voelde ze niet. Zijn
voeten leken zo zwaar dat het nauwelijks de moeite loonde om de vol
gende stap te zetten – en op dat moment veranderde de sneeuw van
kleur.

De sneeuw was niet wit meer, maar romig goudroze. Het was niet
koud meer. De rietpollen waren niet scherp meer, maar zacht en don
zig. En het enige dat hij wilde was in die heerlijke, warme, zachte
sneeuw gaan liggen en slapen.

Zijn knieën begonnen te knikken en hij hoorde zijn broer in zijn oor
brullen:

'Je moet verdergaan. Je mag niet stoppen. Ik ga dood als je gaat sla
pen.'

Dus sleepte hij zich verder, stap voor stap, terug naar de keien langs de rotswand. En daar, uit de wind, was de goede plek om in elkaar te kruipen met de hond en te gaan slapen.

Het was wit toen hij wakker werd en het duurde even voor hij besefte dat het wit geen sneeuw was, maar beddengoed. Lewis zat aan het bed en het felle lentezonnetje stroomde door het raam.

'Hoe voel je je?' zei hij.

'Je hebt me in de steek gelaten,' zei Benjamin.

22

Benjamins rechterhand was bevroren. Een tijdlang leek het erop dat hij een paar vingers moest missen; en tot hij erbovenop was, bleef Lewis aan zijn zijde. Hij ging een week niet naar zijn werk. En toen hij terugging naar Rhydspence viel de rentmeester woedend uit dat zijn boerderij geen tehuis voor dienstweigeraars was en stuurde hem de laan uit.

Beschaamd en met rauwe voeten kwam Lewis tegen het avondeten thuis, nam zijn plaats aan tafel in en liet zijn hoofd op zijn handen zakken.

'Het spijt me, vader,' zei hij, nadat hij zijn verhaal had verteld.

'Hm!' Amos zette de stolp van de kaasschaal terug.

Twintig minuten gingen in stilte voorbij, op het gerinkel van eetgerei en het tikken van de staande klok na.

'Het is niet jouw schuld,' zei hij en pakte zijn tabakszak. Hij stond op van tafel, legde zijn hand op de schouder van de jongen en ging bij de haard zitten.

De hele volgende week piekerde hij over de commissie: hij gaf zichzelf de schuld, hij gaf Lewis de schuld en vroeg zich af wat hij nu moest doen. Ten slotte besloot hij meneer Arkwright in vertrouwen te nemen.

De notaris was uiterst onmededeelzaam over zijn herkomst maar het was wel bekend dat hij in Chester had gewoond voor hij in 1912 de praktijk in Rhulen had overgenomen. Hij gedroeg zich stijfjes tegen de 'lagere standen', maar liet zich in gezelschap van een landjonker van zijn beste zijde zien. Hij woonde met zijn bedlegerige vrouw in een imitatie-Tudor villa, die De Ceders heette en ging prat op een gazon zonder paardenbloemen. Er waren mensen die beweerden dat hij 'niet zuiver op de graat' was.

Een koperen plaatje met zijn naam in blokletters gegraveerd blonk aan de deur van zijn kantoor op Broad Street nummer 14.

De notarisklerk ging Amos voor de trap op naar een vertrek met bobbelig beige behang, waar stapels zwarte blikken aktetrommels en een boekenkast vol annalen van het notarieel genootschap stonden. Het tapijt had een dessin van blauwe bloemen en op de schoorsteenmantel van grijze lei stond een reisklok.

Zonder de moeite te nemen achter zijn bureau vandaan te komen leunde de notaris puffend aan zijn pijp achterover in zijn leren stoel, terwijl Amos, nerveus en met een kop als vuur, uitlegde dat zijn zoons geen twee personen waren, maar één.

'Juist, ja!' Meneer Arkwright streek over zijn kin. Na het verhaal van de sneeuwstorm stond hij op en klopte zijn bezoeker op de rug.

'Zit er maar niet over in!' zei hij. 'Een duidelijke zaak! Ik regel het wel met mijn collega's.'

'We zijn geen onmensen, weet u,' vervolgde hij, terwijl hij Amos een koude droge hand toestak, en bracht hem naar de voordeur.

Het was prachtig zomerweer op de dag dat ze voor de commissie moesten verschijnen; en vier van de vijf leden waren in een uitgelaten stemming. De ochtendkranten hadden de 'doorbraak' in Frankrijk gemeld. Majoor Gattie, de militaire afgevaardigde, opperde 'een deksels goede lunch om het te vieren'. Meneer Evenjobb, een handelaar in landbouwbenodigdheden, viel hem bij. De dominee viel hem bij, en meneer Arkwright bekende dat 'een hapje' er bij hem ook wel in zou gaan.

Aldus trakteerden de leden van de commissie zichzelf op een puike lunch in de Red Dragon, maakten drie flessen bordeaux soldaat, zakten in de vergaderzaal van het gemeentehuis loom in hun stoelen en wachtten op hun voorzitter, kolonel Bickerton.

Het vertrek rook naar creoline en het was zo warm dat zelfs de vliegen niet langer rond het bovenlicht zoemden. Meneer Evenjobb dommelde in. Dominee Pile gaf zich over aan blijmoedige bespiegelingen over jeugd en opoffering, terwijl de dienstplichtigen die op vrijstelling hoopten in een sombere groene gang op banken zaten te wachten, onder toezicht van een politieagent.

De kolonel kwam enigszins te laat van zijn eigen lunchgezelschap op Lurkenhope. Zijn gezicht was verhit en er zat een rozenknop in zijn knoopsgat. Hij was niet in de stemming om nog meer vrijstellingen te verlenen, nadat hij op de vorige zitting twee van zijn jagersknechten en zijn bediende ontheffing had gegeven.

'De commissie moet billijk zijn,' opende hij de zitting. 'De landbouwbelangen moeten in aanmerking worden genomen. Maar er is een geduchte en barbaarse vijand die moet worden vernietigd. En om hem te vernietigen heeft het leger mankracht nodig!'

'Volkomen mee eens,' zei majoor Gattie, zijn vingernagels inspecterend.

De eerste die werd binnengeroepen was Tom Philips, een herdersjongen uit Mousecastle, die iets mompelde over zijn zieke moeder en niemand om voor de schapen te zorgen.

'Praat eens wat harder, kerel,' onderbrak de kolonel hem. 'Ik versta niets van wat je zegt.'

Maar Tom bleef onverstaanbaar en de kolonel verloor zijn geduld. 'Binnen vijf dagen melden bij de kazerne in Hereford.'

'Ja, meneer!' zei hij.

Het tribunaal behandelde vervolgens de zaak van een jongeman met een ongezonde kleur die luidkeels verklaarde dat hij socialist en quaker was. Niets, zei hij, kon hem dwingen om de krijgstucht te verenigen met zijn geweten.

'In dat geval,' zei de kolonel, 'raad ik je ten sterkste aan om vroeg naar bed te gaan en vroeg op te staan, dan heb je binnen de kortste keren geen last meer van je geweten. Verzoek afgewezen. Binnen vijf dagen melden bij de kazerne in Hereford.'

De tweeling had gehoopt dat de kolonel zou glimlachen: hij kende hen immers vanaf hun derde. Zijn gezicht vertoonde geen enkele uitdrukking toen ze in de deuropening verschenen.

'Eén tegelijk, heren! Eén tegelijk! Jij, daar links, kom maar naar voren alsjeblieft. Die andere heer moet buiten wachten!'

De planken kraakten terwijl Lewis naar de tafel liep. Hij had zijn mond nauwelijks opengedaan of meneer Arkwright kwam omhoog en fluisterde de kolonel iets in het oor. De kolonel knikte: 'Ah!' en zei alsof hij een zegening uitsprak: 'Vrijstelling toegewezen! Volgende alstublieft!'

Maar toen Benjamin het vertrek binnenschuifelde, monsterde majoor Gattie hem van top tot teen en zei op lijzige toon: 'Die kerel kunnen we gebruiken!'

Naderhand herinnerde Benjamin zich slechts vaag wat er volgde. Wel herinnerde hij zich dat de dominee zich vooroverboog om te vragen of hij geloofde in de heiligheid van de geallieerde zaak. En hij herinnerde zich dat hij zijn eigen stem hoorde antwoorden: 'Gelooft u in God?'

Het hoofd van de dominee schoot omhoog als een verschrikte kip.

'Wat een grove onbeschaamdheid! Besef je wel dat ik predikant ben?'

'Gelooft u dan in het Zesde Gebod?'

'Het Zesde Gebod?'

'Gij zult niet doden!'

'Verdraaid brutaal, niet?' Majoor Gattie trok een wenkbrauw op.

'Deksels brutaal!' echode meneer Arkwright. En zelfs meneer Evenjobb ontwaakte uit zijn versuffing toen de kolonel de standaardformulering uitsprak:

'Deze commissie ziet na zorgvuldige overweging van uw zaak geen termen aanwezig om vrijstelling van dienst in de strijdkrachten van Zijne Majesteit te verlenen. Binnen vijf dagen melden bij de kazerne in Hereford!'

Mary was bijenwas aan het smelten om een paar potten zwartebessenjam af te dichten. De hele keuken rook naar kokend fruit. Ze hoorde het klepperen van hoeven op het erf. Ze schrok toen ze het betraande gezicht van Lewis zag en begreep wat er met zijn broer was gebeurd.

'Ik ga wel, mama,' zei Benjamin kalm. 'De oorlog is toch bijna voorbij.'

'Dat geloof ik niet,' zei ze.

De avond was zwoel en drukkend. Wolken muggen dansten om een stel vaarzen heen. Ze hoorden het neerploffen van koeienvlaaien en het gegak van ganzen in de boomgaard. De schapenhond sloop het pad af met zijn staart tussen zijn poten. Alle bloemen in de tuin – de gaillardia's, de fuchsia's, de rozen – waren paars of geel of rood. Mary dacht niet aan de mogelijkheid dat Benjamin levend terug kon komen.

Ze was ervan overtuigd dat Amos haar zwakste zoon, haar lievelingszoon, had opgeofferd. Ze was ervan overtuigd dat meneer Arkwright hem had laten kiezen. Hij had Lewis gekozen, de tweelingbroer die het in zijn eentje wel zou redden.

Amos hing zijn pet op in het portaal. Hij probeerde verontschuldigingen te stamelen, maar zij draaide zich met een ruk om en
schreeuwde: 'Lieg niet tegen me, bruut die je bent!'

Ze wilde hem slaan, in zijn gezicht spugen. Hij staarde door de schemerige kamer, uit het lood geslagen door haar razernij.

Ze pakte een waspit om de lamp aan te steken. De pit vlamde op; op
het moment dat de groene stolp terugschoof, viel er een streep licht
over de lijst van haar trouwfoto. Ze rukte hem van het haakje, smeet
hem op de grond en verdween naar boven.

Amos zakte op zijn hurken.

De lijst was gebarsten, het glas versplinterd en het karton geknakt,
maar de foto zelf was ongeschonden. Hij pakte stoffer en blik en veegde de glasscherven op. Toen raapte hij de lijst op en begon de stukken
in elkaar te passen.

Zonder zich uit te kleden bracht Mary een slapeloze nacht door op
de strozak van Ouwe Sam en de wolken gleden langs de maan. Toen
het tijd voor ontbijt was had ze zich opgesloten in het melkhok – als
ze maar een tweede confrontatie kon vermijden. Benjamin vond
haar, terwijl ze doelloos aan de boterkarn stond te zwengelen.

'Wees niet boos op papa,' zei hij, haar mouw aanrakend. 'Het was
niet zijn schuld, het was mijn eigen schuld. Echt waar!'

Ze bleef draaien en zei: 'Wat weet jij er nou van?'

Lewis bood aan om in zijn plaats te gaan. Niemand, zei hij, zou het
verschil merken.

'Nee,' zei Benjamin. 'Ik ga zelf.'

Hij hield zich groot en pakte zijn spullen in een canvas tas. Op de
morgen dat hij moest vertrekken knipperde hij in de opkomende zon
en zei: 'Ik blijf tot ze me komen halen.'

Amos zon op plannen om zijn beide zoons te verstoppen op een
geheime plek in de bossen van Radnor, maar Mary zei spottend: 'Jij
hebt zeker nog nooit van bloedhonden gehoord.'

Op 2 september kwamen de agenten Crimp en Bannister het erf
van The Vision oprijden en begonnen met veel poeha de schuur te
doorzoeken. Ze konden hun teleurstelling ternauwernood verbergen toen Benjamin het huis kwam uitlopen, bleek maar met een

zweem van een glimlach, en zijn polsen ontblootte voor de hand-
boeien.

Na een nacht in de cel werd hij voor de magistraat van Rhulen geleid,
die 'oordeelde' dat hij soldaat was en hem een boete van twee pond
oplegde omdat hij niet was opgekomen. Een onderofficier nam hem
per trein mee naar Hereford.

Op The Vision wachtten ze op nieuws en er kwam niets. Een maand
later wist Lewis door bepaalde signalen dat het leger zijn pogingen
had opgegeven om zijn broer te drillen en zijn toevlucht nam tot geweld.

Aan de pijn in zijn stuitbeentje voelde Lewis wanneer de sergeants
Benjamin over het exercitieterrein schopten; aan de pijn in zijn polsen, wanneer ze hem aan het bed vastbonden; en aan een eczeemplek
op zijn borst, wanneer ze zijn tepels inwreven met een bijtend middel. Op een morgen kreeg Lewis neusbloedingen, die pas ophielden
tegen zonsondergang; dat was de dag dat ze Benjamin in een boksring
zetten en zijn gezicht bewerkten met linkse directen.

Maar op een druilerige novembermorgen was de oorlog voorbij. De
Kaiser en zijn trawanten waren 'omgeknikkerd als kegels'. De Wereld
was gered voor de Democratie.

In de straten van Hereford speelden Schotten op doedelzakken, de
jamfabriek liet haar sirene janken, locomotieven floten en Welshmen
liepen mondharmonica spelend of 'Land Onzer Vaderen' zingend
door de stad. Een soldaat die doofstom was sinds de Dardanellen zag
de Engelse vlag wapperen op het kantoor van de krant en kreeg zijn
spraak terug, maar niet zijn gehoor.

In de kathedraal las de bisschop, met een goudlakense koorkap om,
de eerste schriftlezing vanaf het altaar: 'Ik zal den Here zingen, want
Hij is hogelijk verheven, het paard en zijn berijder heeft Hij in zee
geworpen...'

In het verre Londen verscheen de koning op het balkon van Buc-
kingham Palace, met aan zijn zijde koningin Mary in een mantel van
sabelbont.

Intussen lag Benjamin Jones in de ziekenzaal van de strafkazerne in
Hereford naar adem te snakken. Hij had Spaanse griep.

Voor de poort stond Lewis Jones te schreeuwen om binnengelaten
te worden. Een schildwacht met een bajonet hield hem tegen.

23

De eerste drie maanden na zijn 'oneervolle ontslag' weigerde Benjamin de boerderij te verlaten. Hij sliep een gat in de dag, bleef binnen en deed wat klusjes rond het huis. Er zaten scherpe dwarse lijnen in zijn voorhoofd en donkere kringen onder zijn ogen. Zijn gezicht werd vertrokken door een tic. Hij leek teruggezonken in zijn kindertijd en wilde alleen nog maar cakes bakken voor zijn broer – of lezen.

Mary slaakte een zucht toen ze hem op de bank zag hangen, futloos, ongeschoren: 'Waarom ga je niet eens naar buiten om ze te helpen vandaag? Het is mooi weer en ze zijn bezig met lammeren, weet je.'

'Dat weet ik, moeder.'

'Vroeger vond je het lammeren prachtig.'

'Ja.'

'Toe, alsjeblieft, blijf daar niet zitten niksen.'

'Toe, moeder, ik zit te lezen,' – maar het enige dat hij las waren de advertenties in de *Hereford Times*.

Mary gaf zichzelf de schuld van zijn neerslachtigheid. Ze voelde zich schuldig omdat ze hem had laten meenemen, en nog schuldiger om de dag dat hij terugkwam.

Het was een mistige morgen geweest en de trein uit Hereford had vertraging. IJspegels hingen als een daklijst aan de perronkap en de gesmolten druppels kletsten op de tegels. Ze had naast de stationschef staan wachten, dik ingepakt in een winterjas, haar handen in een bontmof. Toen de trein binnenreed waren door de mist de laatste twee rijtuigen niet te zien. Deuren zwaaiden open en sloegen dicht. De passagiers – grijze gestalten die opdoemden op het perron – gaven hun kaartje af en kwamen een voor een door het hek. Verlangend en met een glimlach haalde ze haar rechterhand uit de mof, klaar om Benjamin te omhelzen. Toen sprong Lewis af op een hologige, bijna kaalgeknipte man, die een plunjezak aan een touw achter zich aansleepte.

Ze riep: 'Dat is niet Benj–' Maar het was Benjamin wel. Hij had haar gehoord. Ze vloog hem om de hals: 'O, mijn arme jongen!'

Hij wilde vergeten: hij dwong zich de strafkazerne te vergeten. Maar zelfs het gepiep van de bedspiralen herinnerde hem aan de plaatijzeren slaapbarak; en de schoenspijkers van Amos aan de korporaal die hem met reveille kwam 'pakken'.

Om zijn gezicht niet in het openbaar te hoeven vertonen bleef hij thuis wanneer de anderen naar de kerk gingen. Alleen op Goede Vrijdag wist Mary hem over te halen om mee te gaan: hij zat tussen haar en Lewis in, zong geen noot en keek niet op van de bank voor zich.

Gelukkig was Gomer Davies teruggegaan naar Bala; en de nieuwe predikant, de eerwaarde Owen Nantlys Williams, was een veel aardiger man, die uit de Rhymney Valley kwam en er pacifistische denkbeelden op na hield. Na afloop van de dienst nam hij Benjamin bij de arm en liep met hem naar de achterkant van het gebouw.

'Ik heb gehoord,' zei hij, 'dat jij een heel dappere jongeman bent. Een voorbeeld voor ons allen! Maar nu moet je ze vergeven. Ze weten niet wat ze doen.'

De lente kwam. De appelbomen waren omfloerst met bloesems. Benjamin ging uit wandelen en begon op te knappen. Maar op een avond wipte Mary de deur uit om een takje peterselie te plukken en vond hem met zijn armen en benen gestrekt op de grond naast een bosje brandnetels, terwijl hij met zijn hoofd tegen de muur bonkte.

Eerst dacht ze dat hij een aanval van epilepsie had. Ze hurkte naast hem en zag dat er niets bijzonders was met zijn ogen en tong. Zachtjes murmelend legde ze zijn hoofd in haar schoot:

'Zeg het maar! Zeg maar wat er is! Je kunt je moeder alles vertellen.'

Hij krabbelde overeind, sloeg het vuil van zijn kleren en zei: 'Er is niets.'

'Niets?' vroeg ze smekend, maar hij draaide zich om en liep weg.

Ze had al een tijdje in de gaten hoe wrokkig hij keek wanneer zijn broer terugkwam van het veld. Na het avondeten liet ze Lewis een vleesschotel naar de bijkeuken brengen en daar beet ze hem plotseling toe: 'En nu vertel je me wat er met Benjamin is.'

'Ik weet het niet,' hakkelde hij.
Dus dat is het, dacht ze. Een meisje!

Amos had twee aangrenzende weilanden gepacht en nadat hij had besloten om zijn slachtveestapel uit te breiden, had hij Lewis naar een boerderij in de buurt van Glan Ithon gestuurd om een Hereford-stier te inspecteren die daar ter dekking stond.

Op weg naar huis sneed Lewis een stuk af door Lurkenhope Park. Hij liep langs het meer en toen door de geul die naar de molen leidde. Het was heiig en de beuken kwamen in blad. Boven het pad was de grot waar het stonk naar vleermuizen. Het verhaal ging dat een voorvader van de Bickertons een kluizenaar in dienst had om daar naar een schedel te staren.

Beneden spatte de rivier tegen de keien in het midden van de stroom en grote forellen sloegen loom met hun vinnen in het diepgroene water. Duiven koerden en hij hoorde het tok-tok van een specht.

Op sommige plekken had de wintervloed het pad weggeslagen; hij moest oppassen dat hij niet uitgleed. Twijgen en dode takken waren verstrikt geraakt in de struiken langs het water. Hij beklom een steile wand. Op de helling naar beneden kwamen al lelietjes-van-dalen op door het mostapijt. Hij ging zitten en tuurde langs de takken naar de rivier.

Stroomopwaarts stond een dicht bosje jonge essen, nog bladerloos, met daaronder een dek van grasklokjes, wilde knoflook en wolfsmelk met lancetvormige groene bloemen.

Plotseling hoorde hij boven het ruisende water uit een vrouwenstem die zong. Het was een jonge stem en het lied was traag en droevig. Een meisje in het grijs liep stroomafwaarts door de wilde hyacinten. Hij verstarde tot ze de helling begon op te klimmen. Haar hoofd was bijna ter hoogte van zijn voeten toen hij riep: 'Rosie!'

'Hemeltje, wat laat jij me schrikken!' Buiten adem ging ze naast hem zitten. Hij spreidde zijn jas uit op het vochtige mos. Hij droeg zwarte bretels en een gestreept sajetten overhemd.

'Ik was op weg naar mijn werk,' zei ze, terwijl haar gezicht vertrok van verdriet; hij had al gehoord van haar twee tragische jaren.

Haar moeder was in de winter van 1917 aan tuberculose gestorven. Haar broer was in Egypte aan de koorts overleden. En toen de oorlog bijna was afgelopen was Bobbie Fifield bezweken aan de Spaanse griep. Toen mevrouw Bickerton hoorde dat ze alleen op de wereld stond, nam ze haar in dienst als kamermeisje. Maar ze was bang in het grote huis: er lag een leeuw op de overloop. De overige bedienden maakten haar het leven zuur en de butler had haar bijna aangerand in de provisiekamer.

Mevrouw B. ging wel, zei ze. Een echte dame. Maar de kolonel was een keiharde... en die juffrouw Nancy! Zo vreselijk overstuur door het verlies van haar man. Altijd had ze wel iets te vitten. Vitten, vitten en nog eens vitten! En die honden van haar! Afschuwelijk! Kef, kef, kef!

Ze babbelde maar door en in haar ogen fonkelde de vroegere ondeugendheid, terwijl de zon onderging en de essen hun schaduwen over de rivier hingen.

En meneer Reginald! Ze wist gewoon niet wat ze met meneer Reggie aan moest. Ze wist niet welke kant ze op moest kijken! Had zijn been verloren in de oorlog... maar dat hield hem niet tegen! Zelfs niet bij het ontbijt! Wanneer ze zijn ontbijtblad binnenbracht, probeerde hij haar op bed te trekken.

'Sstt!' Lewis legde zijn vinger op zijn lippen. Een koppel wilde eenden was beneden neergestreken. De woerd besprong het wijfje in een kolk onder een rots. Hij had een prachtig glanzende groene kop.

'Oo-ooh! Wat is-ie mooi!' Ze klapte in haar handen en van schrik vlogen de eenden op en verdwenen stroomopwaarts.

Ze herinnerde hem aan de spelletjes die ze hier als kind hadden gespeeld.

Hij grinnikte: 'Weet je nog die keer dat je ons betrapte bij ons zwembadje?'

Ze gooide haar hoofd in haar nek met een hese lach: 'Weet je nog van die teunisbloem?'

'We kunnen een nieuwe gaan zoeken, Rosie!'

Ze staarde even in zijn strakke, vragende gezicht: 'Nee, dat kan niet.' Ze gaf een kneepje in zijn hand. 'Nog niet.'

Ze stond op en veegde een dood blad van de zoom van haar rok. Ze spraken af voor vrijdag. Toen streek ze met haar wang langs de zijne en liep weg.

Daarna ontmoetten ze elkaar eens per week voor de grot en maakten lange wandelingen in de bossen.

Benjamin hield zijn broers komen en gaan in het oog, zei niets en wist alles.

Rond half juli spraken Lewis en Rosie af elkaar in Rhulen te treffen bij de Nationale Vredesviering. Op het programma stonden een dankdienst in de kerk en sportwedstrijden in Lurkenhope Park.

'Je hoeft niet mee,' zei Lewis, terwijl hij zijn stropdas rechttrok voor de spiegel.

'Ik ga mee,' zei Benjamin.

24

De morgen van het feest begon met stralend weer. Al vanaf de vroege ochtend waren de mensen van het stadje in de weer. Ze schrobden hun stoep, poetsten hun deurkloppers en versierden hun ramen met vlaggetjes. Rond negenen draafde meneer Arkwright, de drijvende kracht achter de feestelijkheden, al druk heen en weer, met zijn vogelnek in een dubbel gesteven kraag, om te controleren of alles naar wens verliep. Hij begroette elke vreemde met een tikje tegen de rand van zijn deukhoed en wenste hem een prettige feestdag.

Onder zijn 'alziend' oog was de gevel van het gemeentehuis smaakvol verfraaid met trofeeën en vaantjes. Pas een week eerder was hij op het idee gekomen om rond de voet van de gemeentelijke klokkentoren een perk in de nationale driekleur aan te leggen van salie, lobelia's en sneeuwkleed, en hoewel het resultaat wat pover was uitgevallen, verklaarde zijn collega Evenlobb dat het een 'geniale vondst' was.

Aan het einde van Broad Street – op de plek die was bestemd voor het oorlogsmonument – stond een eenvoudig houten kruis waarvan de voet half schuilging onder een bergje papieren papavers. In een glazen kist lag een perkamentrol, verlucht met de namen van de 'dappere tweeëndertig' die het 'Hoogste Offer' hadden gebracht.

De dienst was afgelopen voor de tweeling bij de kerk arriveerde. Een kapel van oud-strijders speelde een selectie uit 'Het Meisje uit de Bergen' en de zegetocht naar Lurkenhope begon zich geleidelijk aan te formeren.

De Bickertons en hun entourage waren al per auto vertrokken. In een 'gebaar van spontane edelmoedigheid' – om met meneer Arkwright te spreken – hadden ze 'hun poorten en harten geopend voor het publiek' en zouden ze een lunch verzorgen voor de teruggekeerde helden, hun vrouwen en meisjes en voor bejaarden boven de zeventig.

Alle feestvierders waren echter welkom bij de soepkeuken; het Grote Openluchtspel zou volgens het programma beginnen om drie uur.

De hele morgen waren boeren met hun gezin het stadje binnengestroomd. Gedemobiliseerde soldaten liepen als pauwen te pronken met meisjes aan hun arm en medailles op hun borst. Sommige vrouwen 'van het lossere soort' – om weer met meneer Arkwright te spreken – waren 'uitgedost in onbetamelijke kledij'. De boerenvrouwen droegen bloemetjeshoeden, kleine meisjes kapothoeden en hun broertjes matrozenpakken en baretten.

De mannen waren minder kleurrijk, maar hier en daar verbrak een panamahoed of een gestreepte blazer de eentonigheid van zwarte pakken en dophoeden.

De tweeling had een identiek blauw serge pak aan.

Voor de drogist bestookte een stel kwajongens met blaaspijpen een Belgische vluchteling: 'Merci Boo Koep, Me Zeur! Bon Apetiet, Me Zeur!'

'Nu denken ze nok dat ze kunnen laachen.' De man schudde zijn vuist. 'Maar binnenkort zullen ze nok uilen!'

Benjamin had betwijfeld of het wel verstandig was om zich in het openbaar te vertonen en probeerde uit het gezicht te blijven – tevergeefs, want Lewis drong zich, links en rechts speurend naar Rosie Fifield, door de menigte. Beide broers probeerden zich te verstoppen toen agent Crimp zich uit de menigte losmaakte en op hen afstevende.

'Ha! Ha! De tweeling Jones!' bralde hij, terwijl hij het zweet van zijn voorhoofd wiste en Lewis bij de schouder greep: 'Wie van jullie is nou Benjamin?'

'Ik,' zei Lewis.

'Als je maar niet denkt dat je zomaar van me af bent, beste jongen!' ging de agent schaterend verder, terwijl hij Lewis tegen zijn zilveren knopen drukte. 'Blij dat je er zo gezond en flink uitziet! Even goede vrienden, hè? Stelletje boeven daar in Hereford!'

Even verderop was meneer Arkwright in geanimeerd gesprek met een Milva-officier, een imposante vrouw in kaki die een klacht had over de volgorde van de optocht: 'Nee, meneer Arkwright! Ik probeer de Rode Kruis-verpleegsters niet naar benéden te halen. Ik pleit alleen voor de eenheid van de strijdkrachten...'

'Ziet u die twee?' onderbrak de notaris haar. 'Dienstweigeraars! Dat die hier hun gezicht durven te vertonen! Sommige mensen hebben wel lef...!'

'Nee,' negeerde ze hem. 'Mijn meisjes lopen achter de legerjongens of voor ze... Maar ze moeten samen marcheren!'

'Juist ja!' knikte hij onzeker. 'Maar onze voorzitster, mevrouw Bickerton, heeft als hoofd van het Rode Kruis van Rhulen –'

'Meneer Arkwright, u begrijpt het niet. Ik –'

'Pardon!' Zijn oog was gevallen op een oude soldaat die op krukken tegen de kerkhofmuur hing. 'De Overlevende van Rorke's Drift!' mompelde hij. 'Wilt u me even excuseren? Ere wie ere toekomt...'

De overlevende, sergeant-majoor Gosling, onderscheiden met het Victoria Kruis, was een plaatselijke beroemdheid die bij zulke gelegenheden altijd zijn gezicht liet zien, in het scharlaken galatenue van de South Wales Borderers.

Meneer Arkwright baande zich een weg naar de veteraan, bracht zijn snor naar diens oor en debiteerde een of andere gemeenplaats over 'Het Slagveld van Vlaanderen'.

'Hè?'

'"Het Slagveld van Vlaanderen", zei ik.'

'Ja, en dan te bedenken dat ze een veld kregen voor die slag!'

'Ouwe gek,' mompelde meneer Arkwright binnensmonds en glipte achter de Milva-officier om.

Intussen vroeg Lewis Jones aan Jan en alleman: 'Hebt u Rosie Fifield gezien?' Ze was nergens te vinden. Op een gegeven moment dacht hij haar te zien aan de arm van een matroos, maar het meisje dat zich omdraaide was Cissie Pantall van The Beeches.

'Maar meneer Jones!' zei ze op geschokte toon, terwijl zijn ogen bleven rusten op de buldogkaken van haar metgezel.

Om tien voor halfeen blies meneer Arkwright driemaal op zijn fluit, de menigte juichte en de stoet zette zich in beweging, richting Lurkenhope.

Voorop liepen de koorknapen, de padvinders en gidsen en de bewoners van het Tehuis voor Werkende Jongens, daarachter kwamen de brandweerlieden, de spoorwegarbeiders, plattelandsmeisjes met schoffels over hun schouder en munitiemeisjes met de Engelse vlag in piratenstijl om hun hoofd gebonden. Er was een kleine delegatie gestuurd door de Vereniging ter Verbroedering van de Mensheid, terwijl de voorloopster van het Rode Kruis een geborduurd vaandel van zuster Edith Cavell meedroeg, plus haar hond. Achter hen liepen de Milva's, die na een knetterende ruzie hun rechtmatige plaats in de optocht hadden veroverd. Dan volgden de fanfare en de Glorieuze Strijders.

Hekkensluiter was een janplezier vol gepensioneerden en een stuk of twaalf oorlogsinvaliden, gestoken in hemelsblauwe pakken en vuurrode stropdassen, die met hun krukken naar de menigte zwaaiden. Sommigen droegen een lapje voor hun oog. Anderen misten wenkbrauwen of oogleden, weer anderen armen en benen. De toeschouwers verdrongen zich achter het rijtuig terwijl het door Broad Street sukkelde.

Ze waren ter hoogte van het Bickerton Gedenkteken toen iemand in meneer Arkwrights oor riep: 'Waar is de Artillerist?'

'O, mijn God, ook dat nog!' viel hij uit. 'Ze zijn de Artillerist vergeten!'

Nauwelijks waren de woorden over zijn lippen of twee schooljongens met kwastjesbaretten holden naar de kerk. Twee minuten later kwamen ze terughollen, met halsbrekende vaart een rieten rolstoel voortduwend met daarin een in elkaar gedoken geüniformeerde figuur.

'Ruim baan voor de Artillerist!' schreeuwde een van hen.

'Ruim baan voor de Artillerist!' – en de menigte week uiteen voor de held van Rhulen, die bij Passchendaele zijn gasmasker had afgestaan aan een officier. Het Militaire Kruis zat op de borst van zijn gevechtstenue gespeld.

'Lang leve de Artillerist!'

Zijn lippen waren paars en zijn asgrauwe gezicht stond strak als een trommelvel. Een stel kinderen gooide confetti over hem heen en zijn ogen rolden in hun kassen van paniek.

'Hrrh! Hrrh!' Een sponzig gereutel klonk op uit zijn keel, terwijl hij uit zijn rieten stoel probeerde te glijden.

'Arme ouwe!' hoorde Benjamin iemand zeggen. 'Denkt nog steeds dat die zenuwenoorlog aan de gang is.'

Kort na enen kreeg de voorhoede van de optocht de stenen leeuw boven de poort van het kasteel in zicht.

Mevrouw Bickterton had de lunch in de eetzaal willen houden. Omdat de butler in opstand dreigde te komen, was ze uitgeweken naar de oude overdekte dressuurschool: als oorlogsbezuiniging had de kolonel het fokken van Arabische volbloeds eraan gegeven.

Ze had ook zelf aanwezig willen zijn, met haar gezin en logés, maar de eregast, brigadegeneraal Vernon-Murray, moest die avond nog terug naar Umberslade; en hij was zeker niet van plan zijn hele dag te verdoen met het gepeupel.

Desondanks was het een vorstelijk maal.

Twee schragentafels strekten zich, glimmend van wit damast, uit over de volle lengte van het gebouw; en bij elk couvert stond niet alleen een boeket lathyrus maar ook een schaal chocolade en suikerpruimen voor de zoetekauwen. Uit glazen bierpullen staken selderijstengels; er stonden kommen mayonaise, potjes zuur, flessen ketchup en om de meter een piramide sinaasappelen en appels. Een derde tafel boog door onder het gewicht van het buffet – waaromheen een twintigtal gedienstige helpers klaarstond om voor te snijden of te serveren. Een paar hammen hadden keurige papieren kraagjes om hun poot. Er waren broodjes gekruid vlees, koude geroosterde kalkoen, saucisse de Boulogne, zure zult, varkenspasteitjes en drie zalmen uit de Wye, stuk voor stuk neergevlijd op een bed van sla, met een glissando van komkommerschijfjes langs hun zij.

Er was een potje kalfspootgelei apart gezet voor de Artillerist.

Tegen de achterwand hingen portretten van Arabische hengsten – Hassan, Mochtar, Mahmoed en Omar – eens de trots van de Lurkenhope Stoeterij. Erboven hing een spandoek met in rood 'BEDANKT JONGENS'.

Meisjes met kannen bier en cider hielden de glazen van de helden tot de rand gevuld; en het gelach was tot bij het meer te horen.

Lewis en Benjamin haalden een kom pittige kerriesoep bij de gaarkeuken en slenterden door het struikgewas, af en toe stilstaand voor een praatje met picknickende feestvierders. Het begon frisjes te worden. Vrouwen rilden onder hun omslagdoek en keken somber naar de inktzwarte wolken die zich opstapelden boven de Zwarte Heuvel.

Lewis kreeg een van de tuinknechten in het oog en vroeg of hij Rosie Fifield had gezien.

'Rosie?' De man krabde achter zijn oor. 'Die zal wel bedienen bij de lunch.'

Lewis liep met Benjamin achter zich aan terug naar de dressuurschool en wrong zich door de mensenmenigte die samendromde bij de dubbele deuren. Het moment van de toespraken was aangebroken. De portkaraffen raakten in hoog tempo leeg.

Vanaf zijn plaats aan het midden van de tafel had meneer Arkwright al een dronk uitgebracht op de familie Bickerton *in absentia* en hij stond op het punt te beginnen aan zijn redevoering. 'Nu het zwaard weer in de schede is gestoken,' begon hij, 'vraag ik mij af hoevelen van ons zich nog die zonnige zomerdagen van 1914 herinneren, toen een wolk niet groter dan een hand aan het politieke firmament van Europa verscheen –'

Bij het woord 'wolk' gingen een paar gezichten omhoog naar het dakraam, waar de zon nog geen minuut eerder door had geschenen.

'Een wolk die uiteindelijk dood en verderf zou regenen op welhaast het gehele Europese continent, nee, in alle hoeken van de wereldbol...'

'Ik ga naar huis.' Benjamin stootte zijn broer aan.

Een onderofficier – een van zijn folteraars uit de kazerne in Hereford – zat hem vuil aan te staren door een wolk van sigarenrook.

Lewis fluisterde: 'Nog niet!' en meneer Arkwright schroefde zijn stem op tot een trillende bariton.

'Een immense krijgsmacht verhief zich met al zijn geweld en sloeg, met verzaking van zijn erewoord om de grenzen van zwakkere landen te eerbiedigen, zijn klauwen uit naar België...'

'Waar is de ouwe Bels?' riep iemand.

'...brandde haar steden, dorpen, gehuchten plat, joeg haar dappere inwoners de marteldood in...'

'Maar hem niet!' – en iemand duwde de Vluchteling naar voren, die bleef staan en wazig voor zich uit staarde van onder zijn alpinopet.

'Die goeie oude Bels!'

'Maar de Moffen hadden gerekend buiten het recht- en eergevoel die het Britse volk eigen zijn... en de kracht van de Britse gerechtigheid deed hen het onderspit delven...'

De ogen van de onderofficier hadden zich vernauwd tot vervaarlijke spleetjes.

'Ik ga weg,' zei Benjamin en schuifelde terug naar de deur.

126

De spreker schraapte zijn keel en vervolgde: 'Het is nu niet aan een gewone burger om de loop der gebeurtenissen te schetsen. Ik hoef niet te spreken over die roemrijke gideonsbende, het Expeditieleger, dat de wapens opnam tegen deze vuige vijand, voor wie de zin van het leven het zaaien van dood en verderf was...'

Meneer Arkwright keek over zijn bril om zich ervan te overtuigen of zijn toehoorders zijn bon mot ten volle hadden gewaardeerd. De rijen effen gezichten overtuigden hem ervan dat dat niet het geval was. Hij raadpleegde zijn aantekeningen:

'Ik hoef niet te spreken over de oproep van Lord Kitchener om meer en meer strijdbare mannen...'

Een dienster in het grijs stond vlak naast Lewis met een kan cider in haar hand. Hij vroeg of ze Rosie Fifield had gezien.

'De hele morgen al niet,' fluisterde ze terug. 'Ze is waarschijnlijk de hort op met meneer Reggie.'

'O!'

'Ik hoef niet te spreken over de teleurstellingen, de maanden die uitgroeiden tot jaren, zonder dat er een zwakke plek in het harnas van de vijand werd gevonden...'

'Een waar woord!' zei de onderofficier.

'Iedereen in dit vertrek herinnert zich hoe de oorlogsduivel de bloem van onze natie verslond, en hoe het monster maar bleef groeien...'

De laatste opmerking bleek de onderofficier bijzonder te amuseren. Schuddebuikend lachte hij zijn tandvlees bloot en bleef Benjamin aanstaren. Een donderslag deed het gebouw trillen. Regendruppels spatten op het dakraam en de picknickgasten drongen door de deur naar voren, zodat de tweeling op nog geen meter van de spreker kwam te staan.

Onberoerd door de consternatie ging meneer Arkwright verder: 'Meer manschappen en nog meer manschappen, dat was het parool, en intussen dreigde door onderzeese piraterij de hongerdood voor hen die genoopt waren thuis te blijven...'

'Had hij geen last van,' mompelde een vrouw in zijn buurt, die uit de eerste hand wist van de pekelzonden van de notaris op de zwarte markt.

'Sstt' – en de vrouw hield haar mond; want hij scheen nu aan zijn slotzin gekomen: 'Maar uiteindelijk zegevierden recht en gerechtigheid en werd een verraderlijke en onmenselijke vijand neergeslagen met Gods hulp.'

De regen kletterde op het dak. Hij hief zijn handen op om het applaus in ontvangst te nemen; maar hij was nog niet klaar: 'In die glorieuze voleinding hebben alle aanwezigen hier een eervolle rol gespeeld. Of moet ik zeggen,' voegde hij eraan toe, terwijl hij zijn bril afzette en de tweeling ijzig aanstaarde, 'bijna alle aanwezigen?'

In een flits voorvoelde Benjamin wat er komen ging en, zijn broer bij de pols grijpend, begon hij zich naar de deur te wringen. Meneer Arkwright keek hen na en ging toen over tot de netelige kwestie van de donaties voor het oorlogsmonument.

De tweeling bleef onder de Libanese ceder staan, alleen, in de regen.

'We hadden niet moeten gaan,' zei Benjamin.

Ze schuilden tot de bui was overgedreven. Benjamin wilde nog steeds weg, maar Lewis weifelde en uiteindelijk bleven ze voor de praalwagenoptocht.

Vier dagen lang hadden meneer Arkwright en zijn feestcomité 'hemel en aarde bewogen' om het terrein voor de middagfestiviteiten in gereedheid te brengen. Er waren horden opgesteld, witte lijnen over het gras getrokken en voor de finishpaal hing boven het podium een canvas zeil om de notabelen te beschutten tegen zon of regen. Er waren tuinstoelen gereserveerd voor de helden en de gepensioneerden; de anderen moesten zitten waar ze plaats konden vinden.

De zon scheen bij vlagen door een warrig wolkendek. In de verste hoek van het terrein, naast een bosje mammoetbomen, legden de deelnemers aan de optocht de laatste hand aan hun wagens. Meneer Arkwright keek bezorgd van zijn horloge naar de wolken en naar de poort van de Italiaanse tuin.

'Ik wou dat ze kwamen,' zei hij kregel, zich afvragend waarom de Bickertons zo laat waren.

Om de tijd te vullen vloog hij heen en weer, blies op zijn fluit, begeleidde de gepensioneerden naar hun stoelen en duwde met veel vertoon de rolstoel van de Artillerist naar de ereplaats.

Eindelijk zwaaide de poort open en verscheen het lunchgezelschap door een opening in de kunstig gesnoeide heg als een stoet prijsdieren op een tentoonstelling.

De menigte week uiteen voor mevrouw Bickerton, die voor de anderen uitliep in haar Rode Kruis-uniform. Toen ze de tweeling Jones in het oog kreeg, bleef ze staan: 'Doe de groeten aan jullie moeder. Ik zou het leuk vinden als ze eens langskwam.'

Haar echtgenoot hinkte mee aan de arm van Lady Vernon-Murray, een omvangrijke vrouw met een paradijsvogelveer op haar hoed, die naar beneden krulde en haar mondhoek kietelde. Een japon van rookblauwe voile omzoomde haar enkels en ze keek zuur. De brigadegeneraal, een kolossale verschijning met een paars gezicht, leek verstrikt in een web van glimmend gepoetste bruinleren riemen. Ze werden gevolgd door leden van de plaatselijke landadel; en als laatste, geheel in het magenta, kwam de oorlogsweduwe van de Bickertons, mevrouw Nancy. Een jongeman uit Londen begeleidde haar.

Ze was halverwege het podium toen ze bleef staan en haar wenkbrauwen fronste: 'Re-eggie! Re-eggie!' riep ze stotterend. 'Wa-waar is hij n-nou? Hij wa-was er n-net nog.'

'Ik kom eraan!' riep een stem achter de tot pauwen gesnoeide heg vandaan, en een jeugdige man, in blazer en witte pantalon, kwam tevoorschijn op krukken. Zijn linkerbeen hield op bij de knie.

Naast hem liep, onopvallend als een ekster tussen groene bomen, een meisje in kameniersuniform, met witte stroken op haar schouders.

Het was Rosie Fifield.

'Zei ik het niet?' zei Benjamin en Lewis begon te beven.

De tweeling liep naar het podium, waar meneer Arkwright als ceremoniemeester het voorrecht had om de eregasten naar hun plaats te geleiden.

'Ik hoop dat we ons zullen amuseren,' zei Lady Vernon-Murray, terwijl hij een stoel met een rotan zitting onder haar derrière schoof.

'Vast en zeker, mevrouw!' antwoordde hij. 'We hebben een potpourri van amusement op het programma staan.'

'Het is wel verdraaid koud,' zei ze knorrig.

Reggie had een stoel helemaal links op het podium gekozen en Rosie stond op de grond voor hem. Hij kietelde haar wervels met de neus van zijn schoen.

Met een 'Dames en heren' bracht meneer Arkwright de menigte tot zwijgen. 'Sta mij toe dat ik onze illustere gasten voorstel: de Leeuw van Vimy en zijn echtgenote...'

'Ik verga verdorie van de kou,' zei de Lady terwijl de brigadegeneraal de toejuichingen in ontvangst nam.

Hij wilde net zijn mond opendoen toen twee stalknechten naar voren schoven met poppen van de Kaiser en kroonprins Ruprecht, vastgebonden op keukenstoelen en met een prop in hun mond. Boven op de helm van de Kaiser zat een opgezette kanarie, besmeurd met goudverf.

De brigadegeneraal keek met gespeelde bloeddorstigheid naar de vijand.

'Dames en heren,' begon hij, 'soldaten des konings en jullie twee misewabele exemplawen van het menselijk ras daar, die wij dadelijk met genoegen zullen pwijsgeven aan de vlammen...'

Er klonk weer gejuich op.

'Maar nu sewieus sewieus...' De brigadegeneraal hief zijn hand alsof hij wilde overgaan tot serieuze zaken. 'Dit is een memowabele dag. Een dag die de annalen van onze geschiedenis zal ingaan als...'

'Ik dacht dat we hadden afgesproken toespraken achterwege te laten.' Mevrouw Bickerton wendde zich koeltjes tot de notaris.

'Helaas zijn hier vandaag misschien mensen die menen dat ze niet met ons kunnen feestviewen omdat ze een diewbare hebben verloren. Tot die mensen zou ik willen zeggen: vewblijdt u met ons allen nu het allemaal voorbij is. En bedenkt dat uw echtgenoten of vaders, bwoeders of geliefden zijn gesneuveld voor een goede zaak...'

Ditmaal was het applaus flauwer. Mevrouw Bickerton beet op haar lip en staarde naar de heuvel. Haar gezicht was even wit als haar verpleegsterskapje.

'Ik... Ik...' De brigadegeneraal begon warm te lopen voor zijn onderwerp. 'Ik kan mezelf gelukkig pwijzen. Ik was bij Vimmy. Ik was bij Ieperen. En ik was bij Passiedale. Ik was getuige van afgwijselijke gasbombardementen...'

Aller ogen richtten zich op de vijf gasslachtoffers, die naast elkaar op een bank zaten te hoesten en te hijgen als levend bewijs van de oorlogsgruwelen.

'We zaten in de meest smewige omstandigheden. Je kwam dagenlang niet uit de klewen, er gingen weken voorbij zonder zelfs maar een bad. Onze vewliezen, vooral onder de kanonniers waren verschwikkelijk...'

'Ik kan het niet aanhoren,' mompelde mevrouw Bickerton en verborg haar gezicht achter haar hand.

'Ik denk dikwijls tewug aan de tijd dat ik gewond in het hospitaal lag. We hadden een waar bloedbad doowgemaakt in de buurt van Wijms. Maar toevallig hadden we een knaap in het wegiment... bleek een soort dichter te zijn. Die kwabbelde een paar regeltjes op papier en die zou ik graag willen voowdwagen. Voor mij waren ze indertijd althans een grote twoost:

Mocht ik stewven, bezie mij dan enkel aldus:
Dat er een plekje vreemde gwond bestaat
dat voor altijd Engeland blijft.

'Arme Rupert,' fluisterde mevrouw Bickerton haar man in het oor. 'Hij zou zich in zijn graf omdraaien.'
'God-nog-an-toe! Wat een zeur!'
'Hoe krijgen we hem stil?'
'En wat te zeggen van de toekomst van ons geliefde vadewland?' De brigadegeneraal gooide het over een andere boeg. 'Of moet ik zeggen: ons geliefde platteland? Er is niet alleen een schweeuwende behoefte aan voedsel voor de mensen op deze eilanden, maar ook aan rasvee om naar onze bondgenoten overzee te stuwen. Ik heb Heweford-vee in elke uithoek van de aarde gezien. Sterker nog, overal waar je blanken aantweft, zul je het witkopwas tegenkomen. Ik weet dat u allen ontzaglijk twots bent op de Luwkenhope Hewefords...'
'Het zal ze een rotzorg zijn,' zei de kolonel, die rood begon aan te lopen.
'Maar het is voor mij altijd een mystewie geweest waawom je, als je zo rondkijkt op het platteland, zoveel infewieuwe diewen ziet... bastaawds... ziek... misvowmd...'
De oorlogsinvaliden, die het toch al zwaar hadden op de harde banken, begonnen geërriteerd en ongedurig te raken.
'De enige weg die openligt is tweedewangs diewen eens en voor altijd uitwoeien. Want in Awgentinië en Austwalië...'
Mevrouw Bickerton keek hulpeloos om zich heen; en ten slotte was het meneer Arkwright die de situatie redde. Het was tijd voor de praalwagenoptocht. Achter de berg broeide weer een storm, in de kleur van zwarte druiven.
Al zijn moed bijeenrapend fluisterde hij iets in het oor van Lady Vernon-Murray. Ze knikte, trok haar man aan zijn jaspanden en zei: 'Henry! Je tijd is om!'

'Wat, lieverd?'
'Je tijd is om!'

Waarna hij haastig afscheid nam van zijn toehoorders, hen allen 'eerlang op de jachtvelden' hoopte terug te zien en ging zitten.

Het volgende punt op het programma was het uitdelen, door Lady Vernon-Murray, van een zilveren sigarettenkoker aan 'eenieder die was teruggekeerd uit deze oorlog'. Luide toejuichingen begroetten haar terwijl ze de trap afdaalde. Ze bood de Artillerist zijn koker aan en een klauwachtige hand schoot uit de rieten stoel omhoog en griste hem weg.

'Hrrh! Hrrh!' klonk hetzelfde sponzige gereutel.

'O, dit is te erg,' fluisterde mevrouw Bickerton.

'Dames en heren,' riep meneer Arkwright door de megafoon. 'We zijn nu gekomen aan de hoofdattractie van deze middag: de jurering van de praalwagens. Hier komt nummer één...' Hij raadpleegde zijn programma. 'De Lurkenhope Staljongens, die als thema hebben gekozen... "De Slag bij Omdoerman"!'

Er verscheen een span boerenpaarden die een hooiwagen voorttrokken, waarop zich een tableau vivant afspeelde met Lord Kitchener omringd door potpalmen en een zestal jongelui – sommige met een luipaardvel om hun middel, andere in onderbroek, en allemaal van top tot teen ingesmeerd met roet – die zwaaiden met speren of assegaaien, schreeuwden of op een tamtam sloegen.

De toeschouwers schreeuwden terug, gooiden papieren pijltjes en de Overlevende van Rorke's Drift zwaaide met zijn kruk: 'Laat mij die bosjesmannen maar eens onder handen nemen,' krijste hij, terwijl de wagen wegreed.

Wagen nummer twee kwam langs met 'Robin Hood en zijn Vrolijke Vrijbuiters'. Daarna volgden 'De Rijksdelen' met juffrouw Bessel van Frogend als Brittannia, en als vierde de Pierrot Troupe van Werkende Jongens.

De jongens zongen met begeleiding van een tingel-tangelpiano, en toen ze de woorden 'Duitse natie' lieten rijmen op 'constipatie' viel er een doodse gechoqueerde stilte – op het gehinnik na van Reggie Bickerton, die maar lachte en lachte en niet van ophouden leek te weten. Rosie verborg haar eigen geproest in haar schort.

Intussen schoof Lewis Jones naar haar toe. Hij floot om haar aandacht te trekken en ze keek met een glimlach dwars door hem heen.

De een na laatste praalwagen, waarop 'De Dood van Prins Llewel-yn' werd uitgebeeld, deed een groepje Welshe Nationalisten uitbar-ten in gezang.

'Zo is het welletjes, heren,' riep meneer Arkwright. 'Genoeg is ge-noeg. Dank u!' Toen deed een stormachtig hoezee-geroep iedereen overeind komen.

De mannen floten. Vrouwen rekten hun nek en leverden vertederd commentaar: 'Is ze niet snoezig?... Snoezig!... Oh! En kijk die engel-tjes eens! Wat een dotjes!... Zijn ze niet lief?... Oh, daar heb je Cis... Kijk nou! Daar heb je ons Cissie... Oh! Oh! Is het geen plaatje?'

'Cissie Pantall van The Beeches,' vervolgde meneer Arkwright op extatische toon, 'die zich heeft verwaardigd ons te vereren met haar aanwezigheid – als "Vrede". Dames en heren! Hier is... "Vrede"!'

Golvende plooien wit katoen bedekten de vloer en de zijkanten van de wagen. Lauriersslingers hingen over de wielassen en op alle vier de hoeken stonden potten witte aronskelken.

Een engelenkoor stond in een kring om de troon en daarop zat een groot blond meisje in een sneeuwwitte tunica. Ze hield een rotan kooi vast met een witte pauwstaartduif erin. Haar haar hing als een vacht op haar schouders en haar tanden klapperden van de kou.

De vrouwen keken omhoog naar de slagregens die al op de Zwarte Heuvel neerplensden en zochten rond naar de dichtstbijzijnde para-plu.

'Laten we weggaan,' zei Benjamin.

Na een korte beraadslaging met Lady Vernon-Murray maakte me-neer Arkwright haastig de weinig verrassende uitslag bekend: juf-frouw Pantall van The Beeches was de winnares. Haar trotse vader liet zijn span paarden een draai maken, zodat Cissie op het podium kon stappen om haar trofee in ontvangst te nemen.

Geschrokken van het applaus en het naderende onweer raakte de Vredesduif in paniek en klapperde zijn vleugels tegen de tralies van de kooi aan flarden. De veren vlogen in het rond, dwarrelden in de wind en vielen vlak bij Rosie Fifield op de grond. Ze bukte zich en raapte er twee op. Met een hoogrode kleur en een glimlach om haar mond posteerde ze zich uitdagend voor Lewis Jones.

'Zo, ben jij er ook?' zei ze. 'Ik heb een cadeautje voor je.' En ze gaf hem een van de veren.

'Dankjewel,' zei hij met een bevreemde glimlach. Hij pakte de veer aan voordat zijn broer hem kon tegenhouden: hij had nog nooit gehoord van 'iemand een veer op zijn hoed steken voor lafheid'.

'Papbroeken!' jouwde ze. En Reggie Bickerton lachte en de groep soldaten om haar heen barstte ook in lachen uit. De onderofficier stond er ook bij. Lewis liet de veer vallen en het begon te regenen.

'De sportwedstrijden worden uitgesteld,' riep de notaris door zijn toeter, terwijl de menigte zich verspreidde en beschutting zocht onder de bomen.

Lewis en Benjamin kropen onder een stel rododendrons en het water liep in straaltjes over hun nek. Toen de regen ophield slopen ze naar de rand van het struikgewas en vandaar de rijlaan op. Vier of vijf bullebakken van soldaten versperden hun de weg. Ze waren allemaal doornat en aangeschoten.

'Jij had zeker een luizenleventje in Hereford, hè broer?' De onderofficier haalde uit naar Lewis, maar die dook weg.

'Rennen!' schreeuwde hij en de tweeling rende terug naar de struiken. Maar het pad was glibberig; Lewis struikelde over een boomwortel en viel languit in de modder. De onderofficier viel boven op hem en draaide zijn arm op zijn rug.

Een andere soldaat riep: 'Douw ze met hun bek in de prut!' En Benjamin schopte hem in zijn knieholte en vloerde hem. Daarna begon zijn hele wereld te tollen en het eerste dat hij weer hoorde was een snierende stem: 'Ach, laat ze ook barsten!'

Toen waren ze weer alleen, met dikke ogen en de smaak van bloed op hun lippen.

Die avond, toen ze over de top van Cefn Hill klommen, zagen ze een laaiend vreugdevuur op Croft Ambrey, nog een op de Clee en vaag in de verte een doffe gloed boven de Malverns – vreugdevuren als in de tijd van de Armada.

De Artillerist overleefde de festiviteiten niet. Bij het opruimen van de rotzooi in het park vond een knecht van het landgoed hem in zijn rieten rolstoel. Hij was volkomen vergeten toen iedereen hals over kop ging schuilen voor de regen. Hij ademde niet meer. De knecht verbaasde zich over de kracht van zijn greep toen hij zijn vingers los wrikte van de zilveren sigarettenkoker.

25

im van The Rock bracht de grote dag door in een hospitaal aan South-
mpton Water.

Als muilezeldrijver bij de South Wales Borderers had hij de Eerste
n Tweede Slag bij Ieperen en daarna de Somme overleefd. Hij kwam
le oorlog zonder een schrammetje door, tot hij in de laatste week
werd getroffen door twee granaatscherven in zijn knieholten. Er trad
loedvergiftiging op en een tijdlang overwogen de doktoren amputa-
ie.

Toen hij na maandenlange therapie ten slotte thuiskwam, stond hij
nog uiterst onvast op zijn benen, zijn gezicht was bezaaid met zwarte
spikkels en hij was geneigd tot snauwen en grauwen.

Jim was gehecht geraakt aan zijn muilezels; hij had ze behandeld
voor oogontsteking en schurft en ze uit de modder getrokken waar
ze tot hun vetlokken in zakten. Hij had nooit een gewonde muilezel
fgeschoten tenzij er geen hoop meer was om hem te redden.

Het zien van dode muilezels had hem veel meer van streek gemaakt
lan het zien van dode mannen. 'Ik zag ze vaak,' vertelde hij keer op
keer in de kroeg. 'Overal langs de weg, en ze stonken een uur in de
wind. Arme donders. Hadden geen vlieg kwaad gedaan.'

Het ergste vond hij dat er muilezels vergast werden. Bij één gasaan-
val bleef hij in leven terwijl zijn hele muilezelkaravaan crepeerde – en
lat maakte hem woedend. Hij stapte naar zijn luitenant toe, salueerde
stuurs en flapte eruit: 'Als ik een gasmasker krijg, waarom me muil-
zels dan niet?'

Dit staaltje logica maakte zo'n indruk op de luitenant dat hij het rap-
porteerde aan de generaal, die in plaats van er geen acht op te slaan een
aanbevelingsbriefje terugschreef.

Tegen 1918 hadden de meeste Britse eenheden hun paarden en muilezels uitgerust met gasmaskers, terwijl de Duitsers dieren bleven verliezen; en hoewel geen militaire geschiedschrijver de uitvinding van het paardenmasker zou toeschrijven aan Jim van The Rock, hield hij vast aan de illusie dat de oorlog was gewonnen door hem.

En elke keer als het tijd was voor een nieuw rondje – in de Red Dragon in Rhulen, de Bannut Tree Inn in Lurkenhope of de Shepherd's Rest in Upper Brechfa – keek hij zijn mededrinkers uitdagend aan: 'Vooruit, trakteer me nog eens op een pint. Ik heb de oorlog gewonnen, toevallig!' En als ze dan smalend zeiden: 'Ach, ga toch weg, ouwe schooier,' viste hij de brief van de generaal uit zijn zak, of de foto van hemzelf met een span muilezels – alle drie met een gasmasker op.

Jims zuster Ethel was mateloos trots op hem en zijn blinkende medailles, en zei dat hij 'een flinke portie rust' nodig had.

Ze was een sterke, forse vrouw geworden die rondstapte in een oude legeroverjas en van onder haar mossige wenkbrauwen de wereld in staarde. 'Geeft niks,' zei ze als Jim een karwei half afgemaakt liet liggen. 'Ik doe het verder wel.' En wanneer hij op zijn paard naar de kroeg reed, kwam er een tevreden glimlach over haar gezicht. 'Die Jim!' zei ze dan. 'Wat is-ie toch dol op natuurschoon.'

Aggie dweepte ook met Jim en zag hem als iemand die was herrezen uit zijn graf. Maar Tom de Doodkist – nu een getekende oude man met een doffe baard en gloeiende priemogen – had het de knaap kwalijk genomen dat hij zich als vrijwilliger had gemeld en nam het hem dubbel kwalijk dat hij was teruggekomen. Als hij de oorlogsheld in de zon zag liggen schreeuwde hij met hese en angstaanjagende stem: 'Ik heb je gewaarschuwd. Ik heb je gewaarschuwd. Dit is de laatste keer. Aan het werk of je krijgt ervan langs. Ik geef je een pak op je donder, waardeloze niksnut! Ik sla je vette tronie tot moes...'

Op een avond betichtte hij Jim van het stelen van een paardenbit en bewerkte zijn wangen als een tamboerijn – waarop Aggie briesend van woede zei: 'En nou is het uit. Ik ben het beu!'

Tegen etenstijd kwam haar man voor een vergrendelde deur te staan. Hij beukte en beukte, maar de deur was van massief eikenhout en hij moest, zijn knokkels wrijvend, afdruipen. Rond middernacht hoorden ze een ijzingwekkend gehinnik uit de stal. 's Morgens was hij weg en lag Jims merrie dood op de grond met een spijker door haar schedel.

Later hoorden ze dat de oude baas in de Ithon Valley woonde bij een boerenweduwe, die hij met kind had geschopt. Er waren mensen die zeiden dat hij 'zijn duivelsoog' op haar had laten vallen toen hij de doodkist voor haar man kwam afleveren.

Zonder het geld van de doodkisten had Aggie niet genoeg meer om een 'fatsoenlijk huis' te houden en nadat ze overal had geprobeerd andere bronnen van inkomsten op te scharrelen, kwam ze op het idee om ongewenste kinderen in de kost te nemen.

De eerste van haar 'reddingen' was een baby die Sarah heette en wier moeder, de vrouw van de molenaar in Brynarian, was verleid door een rondtrekkende schaapscheerder. De molenaar had geweigerd het kind onder zijn eigen dak groot te brengen, maar bood twee pond per week voor haar onderhoud.

Deze regeling leverde Aggie een pure winst van één pond op en daardoor aangemoedigd nam ze nog twee onwettige kinderen – Brenda en Lizzie – in huis en handhaafde zodoende haar levensstandaard. De theebus was vol. Ze aten één keer per week ingemaakt lamsvlees. Ze kocht een nieuw wit tafellaken en 's zondags stond er op de thee-tafel trots een blikje ananasschijven.

En Jim speelde de baas over het vrouwvolk, deed geen slag werk en zat de hele dag op de heuvel voor de paapjes en tapuiten op zijn her-dersfluit te spelen.

Hij kon dieren geen pijn zien lijden; en als hij een konijn in een strik of een meeuw met een gebroken vleugel zag, dan droeg hij hem naar huis en verbond de wond of spalkte de vleugel met twijgen. Soms lagen er verscheidene vogels en dieren etterend in dozen bij de haard, en als er een doodging zei hij: 'Arme stakker! Ik graaf een gat en stop hem onder de grond.'

Nog jarenlang praatte hij over niets anders dan de oorlog en had hij de gewoonte om naar The Vision te sluipen om de tweeling Jones las-tig te vallen.

Op een middag stonden ze tegen zonsondergang in hemdsmouwen te maaien toen Jim kwam aangehinkt en zijn vaste tirade begon. 'En die tanks, dat was me wat! Baroem!... Baroem!' De tweeling maaide door, af en toe bukkend om hun blad te wetten, en toen er een vlieg in Benjamins mond vloog, spuugde hij hem uit: 'Aagh! Verdraaide vlie-gen!'

Van Jim namen ze geen notitie en ten slotte werd hij kwaad: 'En jullie? Jullie hadden het nog geen tel uitgehouwen in die oorlog. En jullie hadden nog een boerderij om voor te vechten! En ik... ik had alleen mijn eigen lijf te redden!'

Sinds de dag van het vredesfestijn was de wereld van de tweeling gekrompen tot een paar vierkante kilometer, aan een kant begrensd door de kerk van Maesyfelin en aan de andere door de Zwarte Heuvel: zowel Rhulen als Lurkenhope lag nu op vijandelijk gebied.

Alsof ze terug wilden grijpen naar de onschuld van hun kindertijd wendden ze zich bewust af van de moderne tijd; en hoewel de buren geld staken in nieuwe landbouwmachines, bepraatten ze hun vader om zijn geld niet te verspillen.

Ze verspreidden mest over de weilanden met de riek. Ze zaaiden met brede zwaaien uit een korf. Ze gebruikten de oude vlasbinder, de oude enkelvoors-ploeg en deden zelfs het dorsen met een vlegel. Maar Amos moest toegeven dat het gras nooit zo groen, de heggen nooit zo netjes bijgehouden en de dieren nooit zo gezond waren geweest. De boerderij bracht zelfs geld op. Hij hoefde maar een voet bij de bank binnen te zetten of de directeur wipte achter de balie vandaan om hem de hand te schudden.

Lewis hield er één luxe op na, een abonnement op de *News of the World*, en na de lunch op zondag bladerde hij die snel door om te zien of er een vliegtuigongeluk in stond voor zijn plakboek.

'Wat een morbide fantasie!' zei Mary in gespeeld protest. Hoewel ze pas tweeëntwintig waren, gedroegen de broers zich al als een stel norse oude vrijgezellen. Maar haar dochter baarde haar meer zorgen.

Jarenlang had Rebecca zich gekoesterd in haar vaders adoratie; nu spraken ze zelden meer met elkaar. Ze ging vaak stiekem naar Rhulen en kwam terug met de lucht van sigaretten in haar adem en vegen rouge rond haar lippen. Ze deed af en toe een greep in haar vaders geldkist. Hij noemde haar een 'slet' en Mary verloor alle hoop om hen te verzoenen.

Om Rebecca het huis uit te krijgen vond ze een baantje voor haar als verkoopster in de oude Albion manufacturenwinkel, die in een vlaag van naoorlogse francofilie zijn naam had veranderd in Paris House. Rebecca woonde op zolder boven de winkel en kwam in het weekend thuis. Op een zaterdagmiddag stond de tweeling melkbussen uit te wassen toen ze het gebrul en gekrijs van een daverende ruzie in de keuken hoorden.

Rebecca had opgebiecht dat ze zwanger was – erger nog, de man was een Ierse grondwerker, een katholiek, die aan de spoorbaan werkte. Ze verliet het huis met een bloedende lip en vijftien sovereigns in haar beurs, waarbij ze iedereen verbaasde met haar sluwe lachje en haar koele gedrag.

'En dat is alles wat ze van me krijgt,' tierde Amos.

Ze hoorden niets meer van haar. Van een adres in Cardiff stuurde ze haar vroegere werkgever een kaartje na de geboorte van haar dochtertje. Mary ondernam een treinreis om haar kleinkind te zien, maar de huisbazin zei dat het stel naar Amerika was geëmigreerd en sloeg de deur voor haar neus dicht.

En Amos kwam haar verdwijning niet meer te boven. Hij riep almaar 'Rebecca' in zijn slaap. Een aanval van gordelroos bracht hem bijna buiten zichzelf van razernij. En tot overmaat van ramp ging de pacht omhoog.

De Bickertons zaten in financiële moeilijkheden.

Hun beheerders hadden een fortuin verloren met Russische obligaties. Hun stoeterij-experimenten waren onrendabel gebleken. De verkoop van Oude Meesters was teleurstellend geweest en toen de advocaten van de kolonel het omzeilen van successierechten te berde brachten stoof hij op: 'Praat me niet van successierechten! Ik ben nog niet dood!'

In een circulaire van zijn nieuwe rentmeester werden alle pachters gewaarschuwd dat ze aanzienlijke verhogingen konden verwachten – een ongelukkig moment voor Amos, die hoopte wat land te kunnen kopen.

Zelfs in zijn slechtste buien ging Amos ervan uit dat beide tweelingbroers zouden trouwen en blijven boeren; en aangezien The Vision nooit twee gezinnen zou kunnen onderhouden, hadden ze meer grond nodig.

Hij had jarenlang gevlast op The Tump, een kleine boerderij van dertien bunder, die omringd door beuken op een heuveltje lag, een kleine kilometer van de weg naar Rhulen. De eigenaar was een oude kluizenaar – een uit het ambt ontzette priester, zei men – die alleen woonde in professorale vervuiling, tot Ethel van The Rock op een morgen dat het sneeuwde geen rook uit zijn schoorsteen zag komen en hem lang-

uit aantrof in zijn tuin, met zijn armen en benen wijd en een kerstroo
in zijn hand.

Bij navraag kreeg Amos te horen dat het boerderijtje geveild zo
worden. En op een donderdagavond nam hij Lewis apart en zei zuur
'Je ouwe vriendin Rosie Fifield is verhuisd naar The Tump.'

26

Toen ze nog op Lurkenhope werkte, was een van Rosies taken geweest om het badwater naar de slaapkamer van Reggie Bickerton te brengen. Dit vertrek, waarin slechts weinig mensen werden toegelaten, lag in de westelijke toren en was een ideaal vrijgezellenverblijf. De muren waren donkerblauw behangen. De tapisseriegordijnen en draperieën waren in het groen bewerkt met een patroon van heraldieke dieren. Er stonden met sits overtrokken stoelen en ottomanes; het tapijt was Perzisch en voor de open haard lag een ijsberenvacht. Op de schoorsteenmantel stond een goudbronzen klok, geflankeerd door beeldjes van Castor en Pollux. De meeste schilderijen hadden oosterse onderwerpen: bazaars, moskeeën, kamelenkaravanen en vrouwen in verrekken met tralievensters. Op zijn foto's van Eton stonden groepen jonge atleten met een onverstoorbare glimlach; en de avondzon, gefilterd door ronde glas-in-loodramen, wierp bloedrode lichtvlekjes over de lijsten.

Rosie spreidde de badmat uit, drapeerde een handdoek over een stoel en legde de zeep en spons klaar. Nadat ze een thermometer in het water had laten zakken – om te voorkomen dat de stomp van jongeheer Reginald brandblaren kreeg – probeerde ze weg te glippen zonder dat hij haar terugriep.

De meeste avonden lag hij met een gele zijden kamerjas losjes om zich heen op de ottomane, terwijl hij soms deed alsof hij las of notities neerkrabbelde met zijn gezonde hand. Vanuit zijn ooghoek hield hij al haar bewegingen in de gaten.

'Dank je, Rosie,' zei hij als haar hand op de deurkruk lag. 'Uh... Uh... Rosie!'

'Ja, meneer!' Ze stond bijna in de houding bij de halfopen deur.

'Nee! Laat maar! Het was niet belangrijk!' – en zodra de deur achte haar dichtviel, pakte hij zijn kruk.

Op een avond vroeg hij, tot zijn middel ontbloot, of ze hem het wa ter in wilde helpen.

'Dat kan ik niet,' bracht ze hijgend uit en zocht een veilig heenko men op de gang.

In 1914 was Reggie ten strijde getrokken met een hoofd vol ridder lijke ideeën over verplichtingen jegens kaste en koninkrijk. Hij wa kreupel teruggekomen, met een terugwijkende haarlijn, een rech terhand waar drie vingers aan ontbraken en de waterige ogen van een stiekeme drinker. Aanvankelijk had hij zijn verwondingen me standsbewust stoïcisme gebagatelliseerd. Tegen 1919 was de eerste golf van medeleven weggeëbd en was hij 'een geval' geworden.

Zijn verloofde was getrouwd met zijn beste vriend. Andere vrien den vonden de grens met Wales te ver van Londen voor geregeld be zoek. Zijn lievelingszuster, Isobel, was getrouwd en naar India ver trokken. En hij bleef achter in dit kolossale sombere huis, alleen me zijn kibbelende ouders en de bedroefde, stotterende Nancy, die hen overstelpte met ongewenste genegenheid.

Hij probeerde een roman te schrijven over zijn oorlogservaringen Het verzinnen van een intrige was te inspannend voor hem: na twin tig minuten krabbelen met zijn linkerhand begon hij uit het raam t staren – naar het gazon, de regen en de heuvel. Hij verlangde naar eer tropisch land en hij verlangde naar een glas whisky.

Tijdens een weekend in mei was het huis vol gasten en Rosie zat haa avondeten in de bediendenzaal te verorberen toen de bel van Slaap kamer Drie klingelde: ze had al gezorgd voor zijn badwater.

Ze klopte.

'Binnen.'

Hij lag half aangekleed voor het diner op de ottomane en probeerd met zijn gewonde hand een gouden knoop van zijn overhemd doo een knoopsgat te drukken.

'Kom eens hier. Rosie. Zou je deze even voor me vast willen ma ken?'

Haar duim zocht de achterkant van de knoop, maar op het momen dat die door het dichtgesteven knoopsgat schoot, bracht hij haar u balans en trok haar boven op zich.

Ze worstelde, duwde hem weg en deinsde achteruit. Een vuurrode blos kroop over haar hals en ze hakkelde: 'Dat had ik niet zo bedoeld.'

'Maar ik wel, Rosie,' en hij betuigde haar zijn liefde.

Hij had haar wel eens eerder geplaagd. Ze zei dat het gemeen van hem was om haar voor de gek te houden.

'Maar ik houd je niet voor de gek,' zei hij in oprechte wanhoop.

Ze zag dat hij het meende en vertrok, de deur met een klap achter zich dichtslaand.

De hele zondag hield ze zich ziek. Maandag, toen de gasten weg waren, trok hij alle registers van zijn charme open om zich tegen haar te verontschuldigen.

Hij maakte haar aan het lachen door het privéleven van alle gasten te beschrijven. Hij praatte over reizen naar de Middellandse Zee en de Griekse eilanden. Hij gaf haar romans, die ze bij kaarslicht las. Ze bewonderde de klok op de schoorsteenmantel:

'Dat is de Hemelse Tweeling,' zei hij. 'Neem maar mee. Een cadeautje. Alles wat hier staat kan van jou worden.'

Ze hield hem zich nog een week van het lijf. Hij vermoedde dat er een rivaal in het spel was. Gestoken door haar verzet deed hij haar een aanzoek.

'O!'

Kalm en langzaam liep ze naar het glas-in-loodraam en keek uit over de gesnoeide heg en de bossen daarachter. Een pauw schreeuwde. In haar verbeelding zag ze de butler binnenkomen met haar ontbijtblad, en in de avondschemering gleed ze tussen de lakens.

Daarna ontwikkelden ze een vast patroon van misleiding. Ze voelde zich vernederd omdat ze om vijf uur bij hem weg moest, voordat het huis wakker werd. Toen het gefluister begon moesten ze nog voorzichtiger zijn. Op een avond moest ze zich verstoppen in de klerenkast terwijl Nancy hem vermaande uit haar buurt te blijven.

'Echt, Re-reggie!' protesteerde ze, 'het hele d-dorp spreekt er -schande van!'

Rosie drong erop aan dat hij het zijn ouders vertelde. Hij beloofde dat hij het zou doen zodra de vredesfestiviteiten achter de rug waren. Er verstreek een maand. Hij kwam tot bezinning toen haar menstruatie uitbleef.

'Ik zal het ze vertellen,' zei hij. 'Morgen, na het ontbijt.'

Drie dagen later was zijn moeder naar Zuid-Frankrijk vertrokken, en hij zei: 'Toe, alsjeblieft, alsjeblieft, geef me nog een beetje mee tijd.'

De bladeren in het park begonnen te vergelen en er kwamen jacht vrienden uit Londen logeren. Op de tweede zaterdag van de fazan tenjacht liet de butler haar een picknickmaal naar het gezelschap van de kolonel bij Tanhouse Wood brengen. Een knecht reed haar met de manden terug door het park. Ze zag een blauwe auto met grote vaart wegrijden in de richting van de westpoort.

Reggie had zijn biezen gepakt en vertrok naar het buitenland.

Ze huilde niet. Ze was niet overstuur. Ze was niet eens bijzonder verrast. Door als een dief in de nacht te verdwijnen had hij haar me ning over mannen bevestigd. Op haar bed vond ze een brief, die ze verachtelijk aan snippers scheurde. Een tweede brief gaf haar de raad om een bezoek te brengen aan meneer Arkwright, notaris te Rhulen

Ze ging. Het aanbod was vijfhonderd pond.

'Maak er zes van,' zei ze met een nog ijziger blik dan die van Ark wright.

'Akkoord, zes,' zei hij. 'Maar dan ook geen cent meer!' Ze vertrok met de cheque.

Die winter vond ze onderdak op een zuivelboerderij en verdiende de kost met kaasmaken. Toen haar zoon werd geboren, bracht ze hem naar een min en ging uit werken.

Ze had altijd last gehad van bronchitis en hield van de schone berg lucht. Op een zomeravond, terwijl de gierzwaluwen laag over haar hoofd scheerden, dwaalde ze van de Adelaarssteen terug langs de heu velkam en raakte aan de praat met een oude man die zat uit te rusten tegen een roodbruin rotsblok.

Hij vertelde haar de namen van de omringende rotswanden; zij vroeg hem hoe de rotsen heetten waar ze op zaten.

'Bickertons Bult,' zei hij, stomverwonderd van het spottende ge schater waarop ze zijn antwoord onthaalde.

De oude kluizenaar was kreupel en stram. Hij wees naar zijn huisje in de verte beneden, omringd door beukenbomen. Ze liep met hem mee de helling af en bleef tot het donker bij hem terwijl hij gedichten voorlas. Ze begon boodschappen voor hem te doen. Hij stierf twee winters later en zij kon zijn bezit kopen.

Ze kocht een kleine kudde schapen en een pony, haalde haar zoon terug en sloot zich af van de wereld. Ze verbrandde de rotzooi van de lichter, maar bewaarde zijn papieren en zijn boeken. Haar enige bescherming waren een piepende deur en een hond.

Op een dag ging Lewis Jones op zoek naar een weggelopen ram. Hij kwam bij een beekje tussen een bosje hazelaars, waar het water over een rots kamde en hoopjes verbleekte botten lagen die waren meegevoerd door de wintervloed. Turend door de bladeren zag hij aan de andere kant van de beek Rosie Fifield, in een blauwe jurk. Haar wasgoed lag te drogen over de gaspeldoornstruiken en ze was verdiept in een boek. Een klein jongetje holde naar haar toe en hield een boterbloem onder haar kin.

'Alsjeblieft, Billy!' zei ze, over zijn haar aaiend. 'Nu niet meer!' – en het kind ging zitten en begon een ketting van boterbloemen te vlechten.

Lewis sloeg hen tien minuten gade, verstard zoals je een wijfjesvos zou gadeslaan met haar jongen. Toen ging hij terug naar huis.

27

Op tweede kerstdag 1924 kwam de meute bijeen bij Fiddler's Elbow en begon het wild op te jagen in Cefn Wood. Rond halftwaalf werd kolonel Bickerton door zijn jachtpaard afgeworpen en in de ruggengraat getrapt door een achteropkomend paard. De schoolkinderen kregen een dag vrij voor de begrafenis. In de kroeg dronken de gasten op de nagedachtenis van de oude dorpsheer en zeiden: 'Zo had hij willen gaan.'

Zijn nieuwe weduwe kwam voor drie dagen terug en vertrok toen weer naar Grasse.

Na een ruzie met de rest van de familie had ze besloten in Frankrijk te gaan wonen en een huisje in de Provence gevonden waar ze schilderde en tuinierde. Mevrouw Nancy bleef op Lurkenhope, om 'de honneurs waar te nemen' voor Reggie, die op zijn koffieplantage in Kenia zat. De meeste bedienden kregen hun congé. In juli hoorde Amos Jones het gerucht dat de heuvelboerderijen zouden worden verkocht om de successierechten te betalen.

Dit was het ogenblik waarop hij zijn hele leven had gewacht.

Hij ging langs bij de rentmeester, die in vertrouwen bevestigde dat alle pachters die er tien jaar of langer zaten hun boerderij konden kopen 'tegen een redelijke taxatieprijs'.

'En wat zou die redelijke prijs dan wel wezen?'

'Voor The Vision? Moeilijk precies te zeggen! Ergens tussen de twee- en drieduizend, zou ik denken.'

Amos ging direct door naar de bankdirecteur, die geen bezwaren zag tegen een lening.

Het vooruitzicht dat hij eigenaar kon worden van zijn eigen boer-

erij had een verjongende uitwerking op hem. Hij scheen zijn dochter te vergeten. Hij keek over het land uit met andere, verliefde ogen,
droomde van moderne machines kopen en stak zedenpreken af over
het verval van de adel.

De Hand van God, zei hij, had het land geschonken aan hem en zijn
zaad, en toen hij het over 'zaad' had, bloosden de broers en keken naar
de grond. Op een dag tijdens het korhoenderseizoen dook hij weg
tussen de lariksen en zag mevrouw Nancy over het weiland paraderen
met een gevolg van jagers en drijvers.

'En volgend jaar,' schreeuwde hij 's avond aan tafel, 'als ze volgend
jaar ook maar één poot op mijn grond zetten, dan jaag ik ze eraf... Dan
stuur ik de honden op ze af...'

'Nou, zeg!' zei Mary, terwijl ze de jachtschotel op tafel zette. 'Wat
hebben ze jou ooit misdaan?'

De herfst ging ongemerkt voorbij. Tot eind oktober twee taxateurs
uit Hereford langskwamen en vroegen of ze de boerderij met opstallen mochten bekijken.

'En wat denken de heren dat de boel waard is?' vroeg Amos, eerbiedig het portier van hun sedan openhoudend.

De oudste van de twee wreef over zijn kin: 'Ongeveer drieduizend
op de open markt. Maar dat zou ik wel geheim houden als ik u was.'

'Open markt? Maar het wordt niet verkocht op de open markt!'

'U zult wel gelijk hebben.' De taxateur haalde zijn schouders op en
trok de zelfstarter uit.

Amos vermoedde dat er iets loos was. Maar zelfs in zijn ergste angst-
dromen was hij niet voorbereid op de aankondiging in de *Hereford
Times*: dat de boerderijen zes weken later geveild zouden worden in
de Red Dragon in Rhulen. Uit angst voor de nieuwe Labour-regering
en met het oog op eventuele nieuwe wetten ten nadele van landeige-
naars, hadden de beheerders van Lurkenhope besloten het onderste
uit de kan te halen en dwongen ze hun pachters om op te bieden tegen
kopers van buiten.

Haines van Red Daren belegde een bijeenkomst in het dorpshuis
van Maesyfelin, waar de ene pachter na de andere protesteerde tegen
de 'schandalig achterbakse gang van zaken' en beloofde de veiling
tegen te werken.

De verkoop ging door zoals aangekondigd.

Op de grote dag viel er natte sneeuw. Mary trok een warme grijze wollen jurk en haar winterjas aan en zette de hoed op die ze droeg bij begrafenissen. Toen ze haar paraplu pakte wendde ze zich tot de tweeling en zei: 'Toe, kom toch mee. Jullie vader heeft jullie nodig. Vandaag heeft hij jullie harder nodig dan ooit.'

Ze schudden hun hoofd en zeiden: 'Nee, moeder! We gaan niet naar de stad.'

In de feestzaal van de Red Dragon waren de tafels weggehaald en de baas, die bang was voor zijn parketvloer, waakte bij de ingang met argusogen tegen laarzen met dikke spijkers. De veilingklerk legde strookjes papier op de stoelen die waren gereserveerd voor bieders. Knikkend naar vrienden en bekenden ging Mary op de derde rij zitten, terwijl Amos zich bij de andere pachters voegde, die – als recht geaarde Welshmen – met regenjassen over hun arm in een kring stonden en het zacht brommend eens probeerden te worden over de strategie.

De voorman was Haines van Red Daren, nu een broodmagere, pezige man van in de vijftig, met een boksersneus, een warrige bos grijze krullen en scheve tanden. Hij had kort daarvoor zijn vrouw verloren.

'Dus,' zei hij, 'als iemand tegen een pachter opbiedt, trap ik hem hoogstpersoonlijk de zaal uit!'

De zaal begon vol te lopen met zowel bieders als belangstellenden. Toen kwam er een vrij jonge, slonzig uitgevallen vrouw binnen met een verregende hoed waar groene veren op prijkten. Aan haar arm hing de oude Tom Watkins de Doodkist.

Amos stapte uit de kring om zijn vroegere vijand te begroeten, maar Watkins draaide hem de rug toe en staarde strak naar een jachtprent.

Om tien voor halfdrie verscheen meneer Arkwright, de notaris namens de verkopers, gekleed als voor een jachtpartij, in een plusfour van geruite tweed. Ook hij had kort daarvoor zijn vrouw verloren, maar toen David Powell-Davies naar hem toestapte om hem namens alle leden van de Boerenbond te condoleren, reageerde de notaris met een vernietigende glimlach:

'Een trieste zaak, inderdaad! Maar wel een zegen! Geloof me, meneer Powell-Davies! Een grote zegen!'

Mevrouw Arkwright was gedurende haar laatste jaar om de haverklap opgenomen in het krankzinnigengesticht van Midden-Wales.

De weduwnaar liep weg om een praatje te maken met de veilingmeester.

De veilingmeester was ene heer Whitaker, een rijzige, minzame man met zandkleurig haar, een blozend gezicht en oesterkleurige ogen. Hij was in het tenue van de rechtsgeleerde stand – een zwart colbert met een gestreepte pantalon – en zijn adamsappel wipte op en neer in de v van zijn boord met omgeslagen punten.

Om halfdrie precies besteeg hij het spreekgestoelte en kondigde aan: 'In opdracht van de beheerders van de Lurkenhope Landerijen, de verkoop van vijftien boerderijen, vijf percelen pachtgrond en tachtig hectare volwassen bos.'

'Zal ik niet sterven op de boerderij waar ik ben geboren?' baste een diepe stem, zwaar van ironie, achter in de zaal.

'Jazeker wel!' zei meneer Whitaker opgewekt. 'Door het juiste bod te doen! Ik verzeker u, meneer, dat de limieten laag zijn. Willen we beginnen? Kavel één... Lower Pen-Lan Court...'

'Niks daarvan, meneer!' Het was Haines van Red Daren. 'We willen niet beginnen. We willen een einde maken aan deze flauwekul. Is het rechtvaardig om dit soort onroerend goed te veilen zonder de pachters een kans te geven om te kopen?'

Meneer Whitaker keek van de roezemoezende zaal naar meneer Arkwright: ze waren al gewaarschuwd dat er strubbelingen te verwachten waren. Hij legde zijn ivoren hamer neer en richtte zich tot de kroonluchter:

'Dit komt wel wat laat, heren. Maar ik wil wel dit zeggen: als boeren pleit u voor een open markt om uw vee te verkopen. Maar hier verwacht u een gesloten markt ten nadele van uw pachtheer.'

'Is er regeringstoezicht op de grondprijzen?' Het was weer Haines, zijn zangerige stem overslaand van woede. 'Er is wel regeringstoezicht op de veeprijzen.'

'Zo is het maar net!' – en de Welshmen zetten een langzaam handgeklap in.

'Meneer!' Whitakers lippen trilden en wezen bij de hoeken naar beneden. 'Dit is een openbare veiling, geen politieke bijeenkomst.'

'Dat wordt het dan gauw genoeg.' Haines schudde een vuist in de lucht. 'Jullie Engelsen! Jullie denken dat de Ieren lastig zijn geweest. Maar laat me jullie vertellen dat hier een zaal vol Welshmen zit die het jullie nog lastiger kunnen maken.'

'Meneer!' De hamer klonk, *bam-bam-bam!* 'Dit is niet de plaats of de tijd om rijkskwesties te bespreken. Er is maar één kwestie aan de orde, heren! Willen we dat deze verkoop doorgang vindt, ja of nee?'

Van alle kanten klonken kreten: 'Nee!'... 'Ja!'... 'Gooi die vent eruit!'... 'Vuile bolsjewiek!'... 'Leve de koning!' – terwijl de harde kern van Welshmen de handen ineensloeg en in koor *Hen Wlad Fu Nhadau,* 'O Land Mijner Vaderen' aanhief.

Bam-bam-bam-bam-bam-bam-bam!

'Tot mijn spijt kan ik u niet complimenteren met uw zangprestaties, heren!' De veilingmeester werd bleek. 'Ik wil nog één ding kwijt: als deze verstoringen doorgaan, worden de kavels teruggetrokken en onderhands te koop aangeboden, in één pakket.'

'Bluffer!... Gooi hem eruit!...' Maar de kreten misten overtuiging en verstomden algauw.

Meneer Whitaker sloeg zijn armen over elkaar en genoot van het succes van zijn dreigement. In het halfduister stond David Powell-Davies te delibereren met Haines van Red Daren.

'Goed! Goed!' Haines schraapte met zijn nagels langs zijn pokdalige wangen. 'Maar als ik hier een man, vrouw of hond zie bieden tegen een pachter, dan trap ik hem.'

'Uitstekend.' De veilingmeester overzag de rijen gespannen, in zichzelf gekeerde gezichten. 'Meneer heeft ons toestemming gegeven om verder te gaan. Kavel één, dus... Lower Pen-Lan Court... Vijfhonderd pond. Wie biedt meer?' – en binnen vijfentwintig minuten had hij het land, de bossen en veertien boerderijen verkocht, stuk voor stuk aan de pachters.

Dai Morgan betaalde 2500 pond voor The Bailey. Gillifaenog ging naar Evan Bevan voor maar 2000 pond, maar het was dan ook arme grond. De Griffiths moesten 3050 pond neertellen voor Cwm Cringlyn; en Haines kocht Red Daren zelfs voor 400 pond onder de taxatieprijs.

Daar vrolijkte hij danig van op. Handenschuddend ging hij zijn kameraden langs en beloofde hun een rondje zodra de kroeg los zou gaan.

'Kavel vijftien...'

'Het is zover,' fluisterde Mary. Amos zat te trillen en ze legde haar gehandschoende hand op de zijne.

'Kavel vijftien, The Vision. Huis en opstallen, met achtenveertig

hectare grond en weiderechten op de Zwarte Heuvel... Op hoeveel zet
ik in? Vijfhonderd pond?... Vijfhonderd pond! Wie biedt?... Vijfhonderd pond...!'

Amos bood op tegen de limiet: het was alsof hij een kruiwagen de
heuvel opduwde. Hij balde zijn vuisten. Zijn ademhaling kwam met
scherpe stoten.

Bij 2750 keek hij op en zag de hamer in de lucht hangen.

'Niemand meer?' vroeg meneer Whitaker, en Amos had het gevoel
dat hij een zonnige bergtop had bereikt waar alle wolken naar de horizon waren verdwenen. Mary's hand lag op zijn ontspannende vuisten
en zijn gedachten flitsten terug naar die eerste avond, samen op het
overwoekerde erf.

'Eenmaal, andermaal...' wikkelde meneer Whitaker af. 'Verkocht
aan de pachter voor tweeduizend zevenhon –'

'Drieduizend!'

De stem trof Amos als een bijl in zijn achterhoofd.

Stoelen kraakten terwijl de toeschouwers zich omdraaiden om de
onverwachte bieder aan te gapen. Amos wist wie het was, maar vertikte het om zich om te draaien.

'Drieduizend,' zei meneer Whitaker, glimmend van plezier. 'Achteraan is drieduizend geboden.'

'Drieduizend éénhonderd,' zei Amos gesmoord.

'Vijfhonderd!'

De bieder was Watkins de Doodkist.

'En zeshonderd hier vooraan!'

En waar was Haines nu? vroeg Amos zich af. Wanneer begon hij
nu te trappen? Bij elk bod had hij het gevoel dat hij zou stikken. Hij
had het gevoel dat hij worstelde om lucht te krijgen, dat elke honderd
zijn laatste ademtocht zou zijn, maar de kille stem achter hem bleef
roepen.

Nu deed hij zijn ogen open en zag de zelfvoldane, aanmoedigende
glimlach op het gezicht van de veilingmeester.

'U daarachter,' zei de stem. 'Verkocht aan de bieder achteraan voor
vijfduizend tweehonderd pond. Niemand meer? Eenmaal, andermaal...'

Meneer Whitaker verkneukelde zich. Je kon zien dat hij zich verkneukelde aan de manier waarop hij zijn onderlip bevochtigde met
het puntje van zijn tong.

'Vijfduizend driehonderd!' zei Amos, zijn ogen opengespalkt in een tranceachtig gestaar.

De veilingmeester ving de geboden bedragen op met zijn mond, als vliegende bloesem.

'Deze heer hier, vijfduizend driehonderd!'

'Stop!' Mary's vingers klauwden in de manchet van haar mans overhemd. 'Hij is krankzinnig,' siste ze, 'je moet ophouden.'

'Dank u, meneer! Vijfduizend vierhonderd achteraan!'

'En vijf,' blafte Amos.

'Hier vooraan, vijfduizend vijfhonderd!'

Weer richtte Whitaker zijn ogen voorbij de kroonluchter – en knipperde. Er gleed een blik van verbijstering over zijn gezicht. De tweede bieder was de deur uitgehold. Mensen stonden op en trokken hun jas aan.

'Eenmaal, andermaal...' Hij verhief zijn stem boven het gekreukel van oliejassen. 'Verkocht aan de pachter voor vijfduizend vijfhonderd pond!' – en de hamer kwam neer met een onanistische klap.

28

De volgende middag viel er weer natte sneeuw toen Mary met de dogkar onderweg was naar de notaris. De weilanden stonden vol doorweekte schapen en er lagen plassen modderwater op de weg. Amos was in bed gebleven.

De klerk ging haar voor naar het kantoor, waar een kolenvuur brandde.

'Dank u, ik sta liever even hier,' zei ze terwijl ze haar handen warmde en haar gedachten op een rijtje probeerde te zetten.

Meneer Arkwright kwam binnen en verlegde wat papieren op zijn bureau: 'Beste mevrouw, wat vriendelijk van u om al zo snel langs te komen!' zei hij en ging meteen door over de aanbetaling en de overdracht van contracten: 'De zaak kan binnen de kortste keren beklonken zijn.'

'Ik ben niet gekomen om over het contract te praten,' zei ze, 'maar over de onbillijke prijs op de veiling.'

'Onbillijk, mevrouw?' De monocle sprong uit zijn oogkas en zwaaide heen en weer aan het zwartzijden lint. 'Hoezo onbillijk? Het was een openbare veiling.'

'Het was een persoonlijke vete.'

De damp kringelde van haar rok, terwijl ze hem vertelde over de vete tussen haar man en Watkins de Doodkist.

De notaris speelde met zijn briefopener, verschoof zijn dasklem, bladerde een tijdschrift door; toen schelde hij zijn assistent en vroeg heel nadrukkelijk om 'één kop thee'.

'Ja, mevrouw Jones, ik luister,' zei hij toen ze aan het eind van haar verhaal kwam. 'Is er verder nog iets dat u me wilt vertellen?'

'Ik hoopte... Ik vroeg me af... of de beheerders misschien bereid zouden zijn om de prijs te verlagen...'

'De prijs verlagen? Hoe komt u erbij?'

'Is er dan geen manier –?'

'Geen enkele!'

'Geen hoop op –?'

'Hoop, mevrouw? Ik noem het pure onbeschaamdheid!'

Ze rechtte haar rug en krulde haar lip: 'U krijgt die prijs van niemand anders, weet u!'

'Neem me niet kwalijk, mevrouw, maar het tegendeel is waar! Meneer Watkins is vanmorgen nog bij me langs geweest. En hij wil maar al te graag een aanbetaling doen als de koper in gebreke blijft!'

'Dat geloof ik niet,' zei ze.

'Dan maar niet,' zei hij en wees naar de deur. 'U hebt achtentwintig dagen om tot een besluit te komen.'

Toch jammer, dacht hij, terwijl hij naar haar voetstappen op het linoleum luisterde. Ze moest vroeger een knappe vrouw geweest zijn; en ze had hem betrapt op een leugen! Maar ja, ze had haar stand verraden – ja toch? Hij zat nerveus te knipperen toen de klerk de thee binnenbracht.

De avondwolken waren donkerder dan de heuvel. Grote zwermen spreeuwen vlogen laag over Cefn Wood, nu eens uitwaaierend en samentrekkend in bogen en ellipsen, dan weer uiteenstuivend en neerstrijkend op de takken. In de verte zag Mary de lichten van haar huis maar ze durfde haast niet dichterbij te komen.

De tweeling kwam naar buiten, spande de pony uit en rolde de wagen in de schuur.

'Hoe is het met vader?' zei ze rillend.

'Hij doet raar.'

De hele dag had hij God aangeroepen om hem te straffen voor zijn zondige hovaardij.

'En wat moet ik hem nu zeggen?' zei ze, ineengedoken op een voetenbankje bij de haard. Benjamin bracht haar een kroes chocolademelk. Ze kneep haar ogen dicht voor de gloed en verbeeldde zich dat ze de omtrekken van de rode bloedlichaampjes langs haar oogleden zag drijven.

'Wat kunnen we doen?' vroeg ze aan de vlammen, en de vlammen gaven tot haar verbijstering antwoord.

Ze stond op. Ze liep naar de piano en opende het marqueteriekistje waarin ze haar correspondentie bewaarde. Binnen een paar tellen had ze mevrouw Bickertons kerstkaart van het jaar ervoor opgediept. Onder de handtekening stond een adres, in de buurt van Grasse.

De tweelingbroers werkten hun avondmaal naar binnen en gingen naar bed. Een storm loeide over het dak en in de slaapkamer hoorde ze Amos kreunen. De vlammen knetterden, de ganzenveer kraste. Ze schreef brief na brief en verfrommelde ze allemaal tot ze de juiste toon had getroffen. Toen plakte ze een postzegel op de envelop en legde hem klaar voor de postbode.

Ze wachtte een week, twee weken, twintig dagen. De eenentwintigste dag was een heldere koude morgen en ze hield zichzelf voor dat ze de postbode niet tegemoet moest lopen, maar zou wachten tot hij aanklopte.

De brief was er.

Toen ze hem opensneed viel er iets geels, in de kleur van een kuikentje, op het haardkleed. Ze hield haar adem in terwijl haar ogen over mevrouw Bickertons resolute handschrift vlogen.

'Arme ziel! Wat een beproeving! Ik ben het ermee eens... sommige mensen zijn volslagen krankzinnig! Goddank heb ik nog énige invloed bij de beheerders! En terecht, zou ik denken!... Geweldige uitvinding, de telefoon... Had binnen tien minuten verbinding met Londen!... Sir Vivian vol begrip... Wist niet uit zijn hoofd wat de limiet voor The Vision was... Onder de drieduizend, dacht hij... Maar hoeveel het ook was, daar kunnen jullie het zeker voor krijgen!'

Mary sloeg haar ogen op naar Amos en er viel een traan op het briefpapier. Ze las hardop verder.

'Prachtige tuin!... Mimosatijd... en amandelbloesems... Zalig! Kom vooral eens langs als u er tussenuit kunt... Vraag die akelige Arkwright maar om voor u te boeken...'

Plotseling voelde ze zich vreselijk gegeneerd. Ze keek weer naar Amos.

'Grootmoedig, hoor!' grauwde hij. 'Ontzettend grootmoedig van ze!' – en hij verdween stampvoetend naar het portaal.

Ze raapte het ding op dat uit de envelop was gevallen. Het was een mimosabloemetje, gekneusd maar nog pluizig. Ze hield het bij haar neus en snoof de geur van het zuiden op.

Ergens aan het eind van de jaren tachtig waren zij en haar moeder de zendeling tegemoet gereisd toen zijn boot Napels aandeed. Samen waren ze in de lente langs de Middellandse Zee getrokken.

Ze herinnerde zich de zee, de witbestoven olijven en de geur van tijm en zonneroosjes na een regenbui. Ze herinnerde zich de lupine en de papavers in de velden boven Posilippo. Ze herinnerde zich de warmte en de rust in haar lichaam onder de zon. En wat zou ze nu niet geven voor een nieuw leven in de zon! Om te verschrompelen en dood te gaan in de zon! Maar was deze brief, de brief waar ze om gebeden had, eigenlijk tegelijk geen veroordeling om voor altijd, voor de rest van haar leven, vast te zitten in dit sombere huis aan de voet van de heuvel?

En Amos? Had er maar een glimlach afgekund! Een woord van dank of begrip! Maar nee, hij stampte door het huis, sloeg met deuren, smeet aardewerk aan diggelen en vervloekte die verdomde Engelsen, en de Bickertons in het bijzonder. Hij dreigde zelfs de boerderij plat te branden.

En toen ten slotte de brief van de beheerders kwam – waarin ze The Vision te koop aanboden voor 2700 pond – barstte alle opgekropte rancune van jaren los:

Dankzij háár connecties hadden ze het pachtcontract gekregen. Met háár geld was het bedrijf op poten gezet. Het huis was ingericht met háár meubeltjes. Door háár was zijn dochter weggelopen met die Ier. Het was háár schuld dat zijn zoons achterlijk waren. En toen alles naar de knoppen was gegaan, waren het háár afkomst en haar o zo pientere brief die alles hadden gered waar hij, Amos Jones – als man, boer en Welshman – voor had gewerkt, gespaard, zijn gezondheid verpest. En nu wilde hij daar niets meer van weten.

Hoorde ze goed wat hij zei? NIETS MEER! Nee! Niet voor die prijs! Voor geen enkele prijs! En wat hij dan wel wilde? Hij wist precies wat hij wilde! Zijn dochter! Rebecca! Die wilde hij terug! Weer thuis! En die man van haar! Verdomde Ier! Die kon niet erger zijn dan die twee halvegaren! En hij zou ze vinden ook! En dan haalde hij ze terug! Allebei! Terug! Terug! Terug! –

'Ik weet het... Ik weet het...' Mary stond achter hem en hield zijn hoofd in haar handen. Hij was neergezakt in de schommelstoel en schokte over zijn hele lijf van het snikken.

'We zullen haar vinden,' zei ze. 'Het geeft niet hoe. Al moeten we er voor naar Amerika, we krijgen haar terug.'

'Waarom heb ik haar de deur uitgestuurd?' jammerde hij.

Hij klampte zich aan Mary vast als een bang kind aan een pop, maar op zijn vraag moest ze het antwoord schuldig blijven.

29

De lente had de lariksen bestoven. De room begon dik en gelig te worden in de roomafscheider toen een kreet van Benjamin klonk. Mary liet de zwengel los en rende naar de keuken. Amos lag languit op het haardkleed, zijn mond open en met lege vissenogen starend naar de dakspanten.

Hij had een beroerte gehad. Hij was net vijfenvijftig geworden en hij had zich voorovergebukt om een veter vast te maken. Op de tafel stond een kroes met sleutelbloemen.

Dokter Galbraith, de joviale jonge Ier die de praktijk had overgenomen, feliciteerde zijn patiënt met het feit dat hij 'zo sterk als een os' was en zei dat hij hem binnen de kortste keren op de been zou helpen. Daarna nam hij Mary apart en waarschuwde haar dat ze een tweede beroerte kon verwachten.

Maar op een verlamde arm na herstelde Amos genoeg om over het erf te hobbelen, met zijn stok te zwaaien, de tweeling uit te schelden en de paarden in de weg te lopen. Er was geen land met hem te bezeilen wanneer zijn gedachten terugdwaalden naar Rebecca.

'En, heb je haar gevonden?' snauwde hij telkens als de postbode een brief bezorgde.

'Nog niet,' zei Mary dan, 'maar we blijven het proberen.'

Ze wist dat de Ier Moynihan heette en schreef brieven aan de politie, het ministerie van Binnenlandse Zaken en naar zijn vroegere werkgevers bij de spoorwegen. Ze zette annonces in de Dublinse kranten. Ze schreef zelfs, tevergeefs, naar de immigratiedienst in Amerika.

Het echtpaar was verdwenen.

Die herfst verklaarde ze op berustende toon: 'We kunnen niets meer doen.'

Omdat de tweeling nooit meer de boerderij afkwam en zelfs Benjamin niet meer gewend was met geld om te gaan, was zij vanaf dat moment degene die The Vision bestierde; die de boeken bijhield; die besliste wat er geplant zou worden. Ze had een fijne neus voor zaken en scherp inzicht in mannen en wist precies wanneer ze moest kopen of verkopen; wanneer ze de veehandelaars tegemoet moest komen en wanneer ze hen moest afpoeieren.

'Oef!' verzuchtte iemand nadat ze een zeer scherpe prijs uit het vuur had gesleept. 'Die moeder Jones is de krenterigste vrouw op de heuvel.'

De opmerking werd aan haar doorgegeven en ze was er zeer mee ingenomen.

Om eventuele problemen met successierechten te vermijden zette ze de koopakte van The Vision op naam van de tweeling. Haar triomfantelijke blik deed meneer Arkwright op straat afdruipen met de staart tussen zijn benen. Ze gilde van de lach toen ze hoorde dat de notaris was gearresteerd – wegens moord.

'Moord, moeder?'

'Moord!'

In eerste instantie was aangenomen dat mevrouw Arkwright was gestorven aan nierontsteking en de gevolgen van haar krankzinnigheid. Tot een concurrerende notaris, de heer Vasavour Hughes, de weduwnaar enige pijnlijke vragen stelde in verband met het testament van een cliënt. Meneer Arkwright noodde hem op de thee om aan zijn twijfels een einde te maken en bood hem een broodje gerookte haring aan, dat die nacht bijna zijn dood werd. Twee weken later ontving meneer Hughes een doos chocolaatjes 'van een bewonderaar' en weer ging hij bijna dood. Hij meldde zijn vermoedens bij de politie, die ontdekte dat elk chocolaatje was ingespoten met arsenicum. Ze trokken hun conclusies en lieten de dode vrouw opgraven op het kerkhof van Rhulen.

Dokter Galbraith bekende dat hij geschokt was door het resultaat van het gerechtelijk onderzoek: 'Ik wist dat ze leed aan indigestie,' zei hij, 'maar dit had ik nooit verwacht.'

Om zich meester te maken van haar kapitaal had meneer Arkwright de ziekenkost van zijn vrouw vermengd met arsenicum dat hij had gekocht voor de bestrijding van paardenbloemen. Hij werd in Hereford veroordeeld en in Gloucester opgehangen.

'Ze hebben de oude Arkwright opgehangen.' Lewis zwaaide met de *News of the World* voor zijn vaders neus.

'Hè?' Amos was nu stokdoof.

'Ik zei: ze hebben de ouwe Arkwright opgehangen,' brulde hij.

'Die hadden ze motten ophangen bij zijn geboorte,' zei hij verbeten terwijl er belletjes kwijl langs zijn kin druppelden.

Mary lette op voortekenen van de tweede beroerte, maar het was geen beroerte waar hij aan doodging.

Olwen en Daisy waren de twee zware fokmerries van The Vision, die elk om het jaar een veulen wierpen.

Lewis was aan ze verknocht, zag hele werelden in hun glanzende flanken en deed niets liever dan ze roskammen, hun koperwerk poetsen en de witte 'manchetten' om hun hoeven opkammen.

Een van de merries werd eind mei hengstig en keek uit naar het bezoek van de dekhengst – een prachtig beest dat Bink heette en een ronde langs de heuvelboerderijen maakte met zijn baas, Merlin Evans.

Deze Merlin was een pezige, vlasharige kerel met een pokdalig driehoekig gezicht en een gebit van bruine gebroken tanden. Om zijn hals droeg hij een stel chiffon sjaaltjes – tot ze er van ouderdom afvielen – en in een van zijn oorlelletjes zat een gouden ring. Hij verblufte de tweeling met de verhalen over zijn veroveringen. Ze hoefden maar een vrome, kerkse vrouw te noemen of hij begon te grinniken: 'Die heb ik gehad bij de beek bij Pentglas,' of 'Die heb ik staande gepakt in de stal.'

Sommige nachten sliep hij achter een hooiberg, andere tussen de lakens. De mensen zeiden dat hij heel wat meer nakomelingen had verwekt dan Bink; er waren zelfs boeren die met het oog op nieuw bloed in de familie zorgden dat hun vrouw alleen thuis was als hij langskwam.

Elk jaar, voor Kerstmis, ging hij een week op vakantie naar de hoofdstad; en op een keer toen Lewis hem vijfentwintig shilling voor de diensten van de hengst overhandigde, legde hij de munten naast elkaar op zijn handpalm: 'Daar krijg ik één vrouw voor in Londen,' zei hij, 'en vijf in Abergavenny!'

Wolkenflarden hingen roerloos in de lucht. De heuvels waren zilverig in het zonlicht, de heggen wit van de meidoorn en de boterbloemen spreidden een waas van goud over de velden. Het scheerhok puilde uit van de blatende schapen. Een koekoek riep zijn naam. Spreeuwen kwetterden en huiszwaluwen doorkliefden de lucht. De twee merries stonden in hun stal, stampend vanwege de vliegen, hun snuit in de haverzak.

Lewis en Benjamin verwachtten elk moment de scheerders.

De hele morgen waren ze druk bezig geweest: omheiningen timmeren, de teerpot opkoken, roestige scharen oliën en de vettige eikenhouten scheerbanken van de hooizolder halen.

In huis maakte Mary citroengerstewater om de dorst van de mannen te lessen. Amos deed een dutje toen er een scherpe stem bij het hek klonk: 'Vort, mannen! Hier komt de ouwe snoeper!'

Het geklepper van paardenhoeven maakte de zieke man wakker. Hij liep naar buiten om te zien wat er aan de hand was.

De zon scheen fel en verblindde hem. Hij scheen de merries niet te zien.

De tweeling zag hem evenmin toen hij naar de schaduwstrook tussen de stallen en de hengst hinkte. En hij hoorde evenmin dat Merlin Evans brulde: 'Kijk uit, ouwe gek!'

Het was te laat.

Olwen had achteruitgetrapt. De hoef had hem onder zijn kin geraakt, en de spreeuwen bleven kwetteren.

30

Vanaf het moment dat hij voet op de trap zette, keek meneer Vines, de begrafenisondernemer, alsof hij er een hard hoofd in had. Zijn twijfels werden versterkt toen hij de ruimte tussen de trapstijl en de muur van de overloop met een vakoog bekeek. Hij liep met een meetlint naar het lijk en kwam de trap weer af naar de keuken.

'Hij is groot,' zei hij. 'Ik denk dat we hem hier beneden zullen moeten kisten.'

'Dat moet dan maar,' zei Mary. Er zat een zwarte crèpe zakdoek in haar mouw, klaar voor de tranen die niet wilden komen.

Die middag schrobde ze de keukenvloer en bevestigde een paar met lavendelwater besprenkelde lakens aan de schilderijenroe, zodat ze in plooien over de prenten hingen. Ze haalde een paar lauriertakken uit de tuin en maakte een rand van de glimmende bladeren.

Het weer bleef warm en benauwd; de tweeling ging door met scheren. Vijf buren waren komen helpen en knipten de hele dag tegen elkaar op om de prijs, een kruik cider, te winnen.

'Ik wed dat Benjamin het wordt,' zei de oude Dai Morgan, terwijl Benjamin weer een ooi uit de omheining sleepte. Hij lag vijf stuks voor op Lewis. Hij had sterke, behendige handen en had het scheren in de vingers.

De schapen lagen rustig onder de scharen en lieten de kwelling gelaten over zich heen komen. Weer crèmig wit – zij het sommige met bloederige sneden rond hun uiers – sprongen ze daarna de wei in, met een grote boog, alsof ze over een denkbeeldig hek wipten of gewoon om hun vrijheid te vieren. Geen van de scheerders repte met een woord over de dode.

Twee jongetjes – kleinzoons van Reuben Jones – rolden de vachten op, draaiden de nekwol tot strengen en bonden ze daarmee vast. Af en toe verscheen Mary in de deur in een lange groene jurk, met een kan citroengerstewater.

'Jullie zullen wel ontzettende dorst hebben,' glimlachte ze, om hun pogingen tot medeleven af te kappen.

Toen meneer Vines om vier uur kwam voorrijden, legden de tweelingbroers hun scharen opzij en droegen de doodkist naar binnen door het portaal. Hun handen waren vettig en hun overalls glimmend zwart van de lanoline. Ze wikkelden hun vader in een laken en sjouwden hem de trap af. Ze legden hem op de keukentafel en lieten de begrafenisondernemer zijn werk doen.

Mary ging in haar eentje wandelen, over de velden naar Cock-a-Loftie. Ze zag een torenvalk trillen onder een schitterende lucht. Tegen zonsondergang kwamen, als kraaien in de lammertijd, vrouwen in het zwart naar het huis om de laatste eer te bewijzen en het lijk te kussen.

De doodkist lag open op tafel. Aan weerszijden stonden kaarsen en hun licht flakkerde op door het spekrek en vormde een schaduwraster met de dakspanten. Mary had zich ook in het zwart gehuld. Sommige van de vrouwen huilden:

'Hij was een best mens.'

'Hij was een goed mens.'

'De Heer zij hem genadig!'

'God zij met hem!'

'God hebbe zijn ziel!'

De kist was bekleed met gewatteerde katoenflanel. Om de kneuzingen op zijn kin te verhullen was er een witte sjaal om de onderste helft van zijn gezicht gebonden, maar de rouwgasten zagen wel de plukjes rood haar uit zijn neusgaten steken. De keuken rook naar lavendel en seringen. Mary kon niet huilen.

'Ja,' antwoordde ze. 'Hij was een goed mens.'

Ze liet haar gasten in de mooie kamer en serveerde iedereen een glas gekruid bier met citroenschil. Dat, herinnerde ze zich, was de gewoonte in de vallei.

'Ja,' knikte ze. 'Er gaat niets boven oude vrienden.'

De tweeling stond zwijgend tegen de keukenmuur en bekeek de mensen die hun vader bekeken.

Mary ging naar Rhulen en kocht voor de begrafenis een zwarte fluwelen rok, een zwarte strooien hoed en een zwarte blouse met een kraagje van geplisseerd chiffon. Ze stond zich in de slaapkamer nog aan te kleden, toen de lijkwagen voor het hek stopte. De keuken zat vol mensen. De dragers namen de kist op hun schouders; maar ze kon haar ogen niet losmaken van haar spiegelbeeld in de penantspiegel, ze draaide langzaam haar hoofd heen en weer en bestudeerde haar profiel. Onder de gespikkelde chenillen voile leken haar wangen verdorde rozenbladeren.

Ze hield zich goed tijdens de dienst en de teraardebestelling. Ze liep van het graf weg zonder een laatste blik – en binnen een week kon ze haar wanhoop niet meer de baas.

Eerst gaf ze zichzelf de schuld van de beroerte van Amos. Daarna nam ze die aspecten van zijn karakter over die haar vroeger het meest hadden geïrriteerd. Ze wilde niets meer weten van luxeartikelen. Ze kocht geen kleren. Ze verloor haar gevoel voor humor en lachte niet meer om de kleine absurditeiten die haar bestaan hadden verlicht, en zelfs aan zijn moeder, de oude Hannah, dacht ze met genegenheid terug.

Ze voerde haar devotie door tot in het excentrieke.

Ze verstelde zijn jas en stopte zijn sokken, zette een vierde bord klaar voor het avondeten en schepte voor hem op. Zijn pijp, zijn tabakszak, zijn bril, zijn bijbel – alles lag op zijn vertrouwde plek; ook zijn doos gutsen voor het geval hij een lijst wilde snijden.

Ze spraken drie keer per week met elkaar; niet via een dansende tafel of spiritistische technieken, maar vanuit het simpele geloof dat de doden leefden en antwoord gaven als je hun iets vroeg.

Ze nam geen beslissing zonder zijn goedvinden.

Op een novemberavond, toen een veld dat bij Lower Brechfa hoorde te koop zou worden aangeboden, schoof ze de gordijnen open en fluisterde het donker in. Toen draaide ze zich om naar haar zoons en zei: 'God mag weten waar we het geld vandaan halen, maar vader zegt dat we moeten kopen.'

Maar toen Lewis een nieuwe McCormack-binder wilde hebben – zijn afkeer voor machines had hij laten varen – klemde ze haar lippen op elkaar en zei: 'Geen sprake van!'

Toen zei ze aarzelend: 'Ja!'

Daarna zei ze: 'Vader zegt nee.'

En daarna zei ze weer 'Ja!' maar toen was Lewis al zo in de war dat hij le zaak liet rusten en pas na de Tweede Wereldoorlog kwam er een)inder.

Niets – zelfs geen theekopje – werd vervangen; en het huis begon op :en museum te lijken.

De tweeling waagde zich nooit buiten de grenzen van de boerderij, neer door de macht der gewoonte dan uit angst voor de buitenwereld. fot zich in de zomer van '27 een uiterst vervelend incident voordeed.

31

Twee jaar nadat Jim van The Rock was teruggekomen uit de oorlog bracht zijn zuster Ethel een jongetje ter wereld. Ze noemde hem Alfie en hij bleek zwakzinnig. Wie de vader was wilde Ethel niet zeggen; maar omdat het joch Jims peenkleurige haar en bloemkooloren had, beweerden boze tongen vaak: 'Broer en zus! Wat kun je anders verwachten? Geen wonder dat dat kind niet goed bij is!' – wat heel gemeen was, omdat Jim en Ethel geen bloedverwanten van elkaar waren.

Alfie was een lastig kind. Hij trok altijd zijn kleren uit en speelde bloot in de stal, en soms was hij dagenlang zoek. Ethel haalde haar schouders op over die verdwijningen en zei: 'Vroeg of laat komt hij wel weer boven water.' Op een zomeravond zag Benjamin hem over de heuvel dartelen en omdat hijzelf een kinderlijke inslag had speelde ze met zijn tweeën verder tot zonsondergang.

Maar het joch had maar één echte vriend en dat was een klok.

De klok – waarvan het glas altijd was beslagen met turfsmook – had een witte emaillen wijzerplaat met Romeinse cijfers en woonde in een houten kast aan de muur boven de haard.

Zodra hij groot genoeg was klom Alfie op een stoel, ging op zijn tenen staan, opende het luikje en tuurde naar de heen en weer zwaaiende slinger, *tik-tak... tik-tak...* Daarna kroop hij bij het haardvuur alsof zijn ijskoude ogen de kolen konden doven en klakte met zijn tong, *tik-tak... tik-tak...* terwijl hij met zijn hoofd op de maat heen en weer knikte.

Hij dacht dat de klok leefde. Hij kwam thuis met cadeautjes voor de klok – een mooie kiezelsteen, een plukje mos, een vogelei of een dode veldmuis. Hij wilde de klok heel graag iets anders laten zeggen dan *tik-tak...* Hij speelde met de wijzers en de slinger. Hij probeerde hem op te winden en draaide hem ten slotte kapot.

Jim liet de kast aan de muur hangen en bracht het uurwerk naar Rhulen. De klokkenmaker bekeek het – het was een fraai achttiende-eeuws model – en bood hem vijf pond. Jim stapte vrolijk fluitend van de winkel naar de kroeg, maar de kleine Alfie was ontroostbaar.

Hij miste zijn vriend, krijste het uit, doorzocht de schuur en alle hokken en beukte met zijn vlammendrode schedel tegen de witgepleisterde muur. Toen hij ervan was overtuigd dat de klok dood was, verdween hij.

Ethel deed geen bijzondere moeite om hem te vinden en bromde zelfs na drie dagen alleen maar: 'De duvel mag weten waar Alfie uithangt.'

Beneden Craig-y-Fedw lag een moerassig vennetje, verborgen tussen hazelaars, waar Benjamin waterkers ging plukken voor de thee. Er zoemden een paar bromvliegen rond een bosje dotterbloemen. Hij zag een paar benen uit de modder steken en rende terug naar huis om Lewis te halen.

Tegen de tijd dat de politie ten tonele verscheen, was Ethel van The Rock helemaal van de kook en stond te kreunen en te jammeren dat Benjamin de moordenaar was.

'Ik wist het wel,' gilde ze. 'Ik wist wel dat hij zo was!' – en begon te raaskallen dat Benjamin het joch mee uit wandelen nam naar stille plekken.

Benjamin kon geen woord uitbrengen: de aanwezigheid van politie voerde hem terug naar de verschrikkelijke dagen van 1918. Toen hij voor ondervraging werd meegenomen naar The Vision liet hij zijn hoofd hangen en was niet in staat tot een samenhangend antwoord.

Zoals gewoonlijk was Mary degene die de situatie redde: 'Agent, ziet u niet dat het volkomen uit de lucht is gegrepen? Die arme juffrouw Watkins is gewoon de kluts kwijt.'

Het eind van het liedje was dat de agenten hun helm oplichtten en excuses aanboden. Bij het onderzoek kwam de rechter tot de uitspraak 'dood door ongeval'; maar de betrekkingen tussen The Vision en The Rock waren weer vergald.

32

Als weduwe van Amos wilde Mary op zijn minst één schoondochter en een stel kleinkinderen. Als moeder van de tweeling wilde ze beide zoons voor zichzelf houden en in haar dagdromen stelde ze zich voor hoe het bij haar dood zou zijn.

Ze zag zichzelf liggen, een verschrompeld omhulsel met toefjes zilverwit haar op het kussen en haar handen gestrekt op een lappendeken. De kamer zou sprankelen van zonlicht en vogelenzang; een licht briesje zou de gordijnen beroeren en de tweeling zou in volmaakte symmetrie aan weerskanten van het bed staan. Een prachtig tafereel – maar, wist ze, wel zondig.

Soms berispte ze Benjamin: 'Wat is dat voor onzin om niet uit te gaan? Waarom zoek je niet eens een aardig meisje?' Maar Benjamins mond verstrakte dan, zijn onderste oogleden begonnen te trillen, en ze wist dat hij nooit zou trouwen. Op andere momenten toonde ze willens en wetens de perverse kant van haar karakter als ze Lewis bij de elleboog pakte en hem liet beloven dat hij nooit, maar dan ook nooit, zou trouwen tenzij Benjamin ook trouwde.

'Ik beloof het,' zei hij en hij liet zijn hoofd hangen als iemand die tot gevangenisstraf is veroordeeld; want hij hunkerde naar een vrouw.

Een hele winter lang was hij uiterst ongedurig en korzelig, snauwde zijn broer af en weigerde te eten. Mary was bang dat de grimmige buien van Amos zich zouden herhalen en in mei nam ze een gewichtig besluit: beide jongens zouden naar de kermis in Rhulen gaan.

'Nee.' Ze wierp Benjamin een doordringende blik toe. 'Ik wil van geen uitvluchten horen.'

'Ja, mama,' zei hij gelaten.

Ze smeerde boterhammen voor hen en zwaaide hen uit vanaf de stoep.

'Zoek wel de knapsten uit!' riep ze hun na. 'En kom niet voor donker thuis!'

Ze slenterde de boomgaard in en keek door het dal de twee pony's na, de ene rondgalopperend en de andere in kalme draf, tot ze aan de horizon verdwenen.

'Zo, die hebben we tenminste het huis uitgekregen.' Ze krabde de hond van Lewis achter zijn oor en het dier kwispelde met zijn staart en duwde zijn snuit tegen haar rok aan. Daarna ging ze binnen een boek lezen.

Ze had pas de romans van Thomas Hardy ontdekt en wilde ze allemaal lezen. Ze herkende zo goed het leven dat hij beschreef: de geur in het melkhok van Tess, haar kwellingen, in bed en in het bietenveld. Ook zij kon wilgentenen snijden, jonge sporkebomen planten of een hooiberg met riet afdekken – en misschien behoorde het oude niet-gemechaniseerde leven in Wessex tot het verleden, maar hier, in de Radnor Hills, was de tijd stil blijven staan.

'Neem The Rock bijvoorbeeld,' zei ze bij zichzelf. 'Daar is niets veranderd sinds de Middeleeuwen.'

Ze was bezig met *The Mayor of Casterbridge*. Ze vond het minder goed dan *The Woodlanders*, dat ze de week daarvoor had gelezen, en Hardy's toevalligheden begonnen haar op de zenuwen te werken. Ze las nog drie hoofdstukken: toen liet ze het boek op haar schoot zakken en verzonk in gemijmer over bepaalde avonden en ochtenden – in de slaapkamer met Amos. En plotseling was hij bij haar – met zijn vlammende haar en zijn schouders omkranst door licht. En ze wist dat ze in slaap gevallen moest zijn, want de zon was naar het westen gedraaid en zonnestralen vielen langs de geraniums tussen haar benen.

'Op mijn leeftijd!' glimlachte ze, terwijl ze zich wakker schudde – en hoorde het geluid van paarden op het erf.

De tweeling stond bij het hek, Benjamin opgeblazen van heilige verontwaardiging, terwijl Lewis over zijn schouder keek, alsof hij een plek zocht om zich te verstoppen.

'Wat is er aan de hand?' zei ze, in de lach schietend. 'Waren er geen jongedames op de kermis?'

'Het was verschrikkelijk,' zei Benjamin.

'Verschrikkelijk?'
'Verschrikkelijk!'
De rokken waren sinds het laatste bezoek van de tweeling aan Rhulen niet tot boven de enkel, maar tot boven de knie gestegen.

Om elf uur die morgen hadden ze ingehouden op de top van de heuvel en op het stadje neergekeken. De kermis was al in volle gang. Ze hoorden het geroezemoes van de menigte, het gejengel van Wurlitzerorgels en af en toe het grauwen of loeien van de dieren in de menagerie. Alleen al in Broad Street telde Lewis elf draaimolens. Er stond een reuzenrad op het marktplein en een kleine Toren van Babel, die een roetsjbaan bleek te zijn.

Voor de laatste keer smeekte Benjamin zijn broer om terug te gaan.

'Moeder hoeft het niet te weten,' zei hij.

'Ik zou het haar vertellen,' zei Lewis en gaf zijn pony de sporen. Twintig minuten later zwierf hij als een bezetene over het kermisterrein.

Boerenjongens slenterden over straat in groepen van zeven of acht, sigaretten paffend, naar de meisjes lonkend of elkaar uitdagend om te boksen met 'De Kampioen' – een negerbokser in een rood satijnen broekje. Zigeuner-waarzeggers boden lelietjes-van-dalen aan, of een blik in de toekomst. *Ping... ping* klonk het uit de schiettenten. Een tentoonstelling van gedrochten maakte reclame met de kleinste merrie met veulen en een van de dikste dames ter wereld.

Tegen het middaguur had Lewis al op een olifant gereden, in een zweefmolen gevlogen, kokosmelk gedronken, aan een lolly gelikt en was hij op zoek naar andere attracties.

Intussen zag Benjamin alleen maar benen – blote benen, benen in zijden kousen, benen in visnetkousen, benen die trappelden, dansten, zwierig stapten en hem deden denken aan zijn eerste en laatste bezoek aan een abattoir en het trekkebenen van de schapen in hun doodsstrijd.

Rond één uur stopte Lewis voor het 'Théâtre de Paris', waar vier cancandanseressen, gestoken in framboeskleurig fluweel, een loknummertje weggaven, terwijl achter beschilderde gordijnen ene Mamzelle Delilah de 'Dans van de Zeven Sluiers' uitvoerde voor een publiek van hijgende boeren.

Lewis voelde naar de sixpence in zijn zak en een hand omklemde

ijn pols. Hij draaide zich om en keek in zijn broers staalharde blik:
'Je gaat niet naar binnen!'
'Probeer me maar eens tegen te houden!'
'Als het moet...' Benjamin versperde zijn broer met een stap opzij de
weg en de sixpence gleed terug in zijn zak.

Een halfuur later was Lewis alle opgewektheid vergaan. Hij slofte
verloren langs de kraampjes. Benjamin volgde op de voet, een paar
stappen achter hem.

Er was een gelukzalig visioen voor het grijpen geweest – voor de
prijs van een drankje – en Lewis was weggelopen. Maar waarom?
Waarom? Waarom? Hij stelde de vraag wel honderd keer, tot het hem
daagde dat hij niet zomaar bang was om Benjamin te kwetsen: hij was
bang voor hem.

Bij het ringwerpen sprak hij bijna een meisje in flamingokleuren
aan dat elke vezel van haar bovenlijf spande om haar ring over een
biljet van vijf pond te gooien. Hij zag zijn broer tussen een stapel thee-
serviezen en goudviskommen door gluren; en de moed zonk hem in
de schoenen.

'Laten we naar huis gaan,' zei Benjamin.

'Loop naar de maan,' zei Lewis en stond op het punt zich te laten
vermurwen, toen twee meisjes hem aanspraken.

'Wil je een sigaret?' vroeg de oudste, terwijl ze met haar dikke vingers in haar handtas rommelde.

'Dank u beleefd,' zei Lewis.

De meisjes waren zusters. De ene droeg een groene jurk, de andere
een overgooier van mauve jersey met een oranje sjerp over haar achterwerk. Hun wangen waren opgemaakt met rouge, hun haar kortge-
knipt en hun neusgaten leken spelonken. Ze knipoogden tegen elkaar
met onbeschaamde bleekblauwe ogen, en zelfs Lewis zag dat een
krappe roklengte absurd stond bij hun gedrongen lijf en hun zware
boezem.

Hij probeerde hen af te schudden: ze bleven kleven.

Benjamin keek van een afstandje toe terwijl zijn broer hen trakteer-
de op limonade en kruidkoek. Tot hij besefte dat ze geen concurrentie
voor hem waren en zich bij hen aansloot. De meisjes lagen dubbel van
het lachen bij het idee dat ze met een tweeling op stap waren.

'Wat een mop!' zei het meisje in het mauve.

'Laten we in de Muur van de Dood gaan!' zei de groene.

Naast een stoommachine aan het hoogste eind van Castle Street stond een enorme cilindrische ton. Lewis betaalde het groezelige jong getje aan het kaartjesloket; en ze stapten alle vier naar binnen.

Er stonden verscheidene andere passagiers te wachten op de start. Het joch riep: 'Tegen de muur staan!' De deur klapte dicht en de ton begon steeds sneller om zijn as te draaien. De vloer kwam omhoog en duwde de passagiers naar boven tot hun hoofd bijna tot de rand kwam. Toen de vloer weer zakte, bleven ze door de middelpuntvlie dende kracht aan de wand plakken, in kruisigingshoudingen.

Benjamin voelde hoe zijn oogballen in zijn schedel werden geperst. Drie oneindige minuten lang hield de foltering aan. Toen de ton lang zamer ging draaien gleden de meisjes naar beneden en schoven hun rokken als harmonica's in elkaar tot boven hun heupen, zodat er stuk jes naakt vlees zichtbaar werden tussen hun kousen en jarretelgor dels.

Benjamin wankelde naar buiten en braakte in de goot.

'Ik ben het zat,' sputterde hij en veegde zijn kin af. 'Ik ga.'

'Spelbreker!' jende het meisje in het groen. 'Hij stelt zich gewoon aan.' De zusjes haakten hun arm door die van Lewis en probeerden hem mee te tronen. Hij schudde hen af, maakte rechtsomkeert en volgde de tweedpet door de menigte in de richting van de pony's.

Die avond, op de trap, streek Mary met haar wang langs die van Ben jamin en bedankte hem, met een heimelijke glimlach, voor het thuis brengen van zijn broer.

33

Ze kocht twee Herculesfietsen voor hun eenendertigste verjaardag en moedigde hen aan om oudheidkundige plekken in de omgeving te bekijken. Eerst maakten ze korte ritjes op zondag. Maar bezield door de geest van avontuur verlegden ze hun terrein algauw naar de kastelen van de Grensbaronnen.

Bij Snodhill trokken ze de klimop van een muur en ontdekten een schietgat. Bij Urishay zagen ze een roestige kroes aan voor 'iets middeleeuws'. Bij Clifford riepen ze het beeld op van de schone Rosamond, gekwetst in de liefde, met een kap op, en toen ze naar Painscastle gingen stak Benjamin zijn hand in een konijnenhol en haalde er een iriserende glasscherf uit.

'Een bokaal?' opperde Lewis.

'Een fles,' corrigeerde Benjamin.

Hij leende boeken uit de bibliotheek van Rhulen en las in beknopte versies de kronieken voor van Froissart, Giraldus Cambrensis en Adam van Usk. Ineens werd de wereld van de kruisridders reëler dan die van henzelf. Benjamin zwoer eeuwige kuisheid; Lewis eeuwige trouw aan de gedachtenis van een schone jonkvrouw.

Ze lachten – en na hun fietsen achter een heg te hebben gelegd, gingen ze liggen luieren bij een beekje.

Ze dagdroomden van stormrammen, valhekken, smeltkroezen met kokende pek en opgezwollen lijken in een slotgracht. Toen hij over de Welshe boogschutters bij Crécy hoorde, schilde Lewis een taxustak, hardde die in het vuur, bespande hem met een darm en voorzag een paar pijlen van ganzenveren.

De tweede pijl zoefde door de boomgaard en doorboorde de nek van een kip.

'Vergissing,' zei hij.

'Te gevaarlijk,' zei Benjamin, die inmiddels een uiterst interessant document had opgediept.

Een monnik uit de abdij van Cwmhir vermeldt dat het gebeente van bisschop Cadwallader in een gouden doodkist naast de Bron van Sint Cynog in Glascoed ligt.

'En waar is dat dan wel?' vroeg Lewis. Hij had over de tombe van Toetanchamon gelezen in de *News of the World*.

'Daar!' zei Benjamin en plantte zijn duimnagel onder een aantal gotische letters op de topografische kaart. De plek lag twaalf kilometer van Rhulen, niet ver van de weg naar Llandrindod.

Die zondag, na de kerk, zag de eerwaarde Nantlys Williams de fietsen van de tweeling tegen de omheining staan en een schop vastgebonden aan de stang van Lewis. Hij gaf hun een milde berisping wegens werken op de Dag des Heren en Lewis bloosde terwijl hij bukte om zijn broekklem vast te maken.

In Glascoed bleek het Heilige Water op te borrelen uit een bemoste spleet om vervolgens weg te sijpelen tussen een bosje klissen. Het was een schaduwrijke plek. Een jongen met bretels zag de twee vreemdelingen en maakte zich uit de voeten.

'Waar moeten we graven?' vroeg Lewis.

'Ginder!' zei Benjamin en wees naar een bult half zichtbaar tussen brandnetels.

De grond was zwart en vet en krioelde van de wormen. Lewis groef een halfuur en reikte zijn broer toen een stuk poreus bot aan.

'Koe!' zei Benjamin.

'Stier!' zei Lewis, maar werd onderbroken door een barse stem die over het weiland schreeuwde: 'Willen jullie wel eens wegwezen!'

De jongen met de bretels was teruggekomen met zijn vader, een boer die briesend van woede aan de andere kant van de bosjes stond. De tweeling zag een geweer. Denkend aan Watkins de Doodkist kropen ze schaapachtig tevoorschijn, het zonlicht in.

'En laat die schop maar hier,' zei de boer nog.

'Ja, meneer!' zei Lewis en liet hem vallen. 'Dank u, meneer!' – en ze sprongen op hun fiets en reden weg.

Ze zwoeren goud af als de wortel van alle kwaad en richtten hun aandacht op de vroeg-Keltische heiligen.

Benjamin las in een geleerde studie van de dominee van Cascob dat deze 'geestelijke atleten' zich hadden teruggetrokken op de heuvels om één te zijn met de natuur en de Heer. Sint David zelf had verblijf gekozen in de Honddhu Valley, in 'een nederig onderkomen met een dak van mos en bladeren' – en er lagen verscheidene andere plekken binnen fietsafstand.

Bij Moccas vonden ze de plaats waar Sint Dubricius een witte zeug haar jongen zag zogen. En toen ze naar Llanfrynach gingen, plaagde Benjamin zijn broer met de vrouw die de heilige probeerde te verleiden met 'wolfswortel en andere lustopwekkende ingrediënten'.

'Zo is het wel weer leuk geweest,' zei Lewis.

In de kerk van Llanveynoe zagen ze, uitgehouwen in een Saksische steenplaat, een forse jongeman aan het kruis hangen: de patroon van de kerk, Sint Beuno, had ooit een man vervloekt omdat hij had geweigerd een vos te bereiden.

'Ik zou ook geen vos door mijn keel krijgen,' zei Lewis, terwijl hij een gezicht trok.

Ze speelden met het idee om als kluizenaars te gaan leven – een dak van klimop, een murmelend beekje, een dieet van bessen en wilde prei en als muziek het gekwetter van merels. Of zouden ze Heilige Martelaren worden, die zich vastklampten aan de Hostie, terwijl horden plunderende Noormannen alles wat los en vast zat platbrandden en verkrachtten? Het was het jaar van de Krach. Misschien zou er revolutie komen?

Op een augustusmiddag fietsten ze zo hard ze konden langs de Wye toen er heel laag een vliegtuig overkwam.

Lewis remde en stopte midden op de weg.

De ramp met het Franse luchtschip R 101 had zijn plakboek fors uitgebreid, al ging zijn ware liefde nu uit naar de vrouwelijke vliegeniers. Lady Heath... Lady Baily... Amy Johnson... de hertogin van Bedford; hij kon hun namen opdreunen zoals hij zijn gebeden zei. Zijn idool was natuurlijk Amelia Earhart.

Het vliegtuig was een Tiger Moth, met een zilveren romp. Het cirkelde nog eens rond en de piloot dook en zwaaide.

Lewis zwaaide terug, hartstochtelijk, voor het geval het een van de dames was; en toen het vliegtuig voor de derde keer kwam overscheren, schoof de gestalte in de cockpit haar vliegbril omhoog en toonde

haar gebruinde en glimlachende gezicht. Het toestel was zo dichtbij
dat Lewis zwoer dat hij haar lippenstift zag. Toen trok ze haar machine scherp op terug naar het oog van de zon.

's Avonds aan tafel zei Lewis dat hij ook zou willen vliegen.

'Hm!' bromde Benjamin.

Hij zat veel meer in over hun buren dan over de kans dat Lewis ooit zou vliegen.

34

Het woonhuis van Lower Brechfa lag op een zeer winderige plek en de dennenbomen eromheen helden over. De eigenares, Gladys Musker, was een forse vlezige vrouw met glanzende wangen en tabakskleurige ogen. Ze was al tien jaar weduwe, maar slaagde er op een of andere manier in een fatsoenlijk huishouden te voeren en haar dochter, Lily Annie, en haar moeder, mevrouw Yapp, te onderhouden.

Vrouw Yapp was een kribbige oude scharrelaarster, min of meer kreupel van de reumatiek.

Op een dag, kort nadat Mary haar weiland had gekocht, was Lewis een heg aan het vlechten tussen de beide velden toen mevrouw Musker buiten kwam kijken hoe hij de palen de grond in hamerde. Haar uitdagende gestaar bracht hem van zijn stuk. Ze slaakte een zucht en zei: 'Het leven is niks dan zwoegen en sloven, hè?' en vroeg of hij een hek wilde rechthangen. Bij de thee werkte hij zes oliebollen naar binnen en zij zette hem op haar lijst van kandidaat-echtgenoten.

Tijdens het avondeten liet hij zich ontvallen dat mevrouw Musker uitstekend kon bakken en Benjamin wierp zijn moeder een benauwde blik toe.

Lewis raakte gecharmeerd van mevrouw Musker en zij was allervriendelijkst tegen hem. Hij zette haar stro aan bossen, slachtte haar mestvarken en op een dag kwam ze over het veld aanhollen, buiten adem:

'Om Godswil, Lewis Jones. Kom me helpen met de koe! Ze is in mekaar gezakt alsof ze een trap van de duvel kreeg!'

De koe had koliek, maar hij slaagde er met zachte aandrang in haar op de been te krijgen.

Soms probeerde mevrouw Musker hem mee te tronen naar d
slaapkamer boven, maar zover ging hij nooit; hij bleef liever in haa
keurige muffe keuken zitten luisteren naar haar verhalen.

Lily Annie had een vossenjong als huisdier dat naar de naam Ben
luisterde en in een kooi van kippengaas huisde. Ben at wat er overblee
van tafel en was zo tam dat hij met zich liet sollen als een pop. Op ee
keer, toen hij ontsnapt was, holde ze 'Bennie! Bennie!' roepend d
heuvel af – en hij sprong uit de braamstruiken tevoorschijn en rold
in een bal voor haar voeten.

Ben werd een plaatselijke beroemdheid en zelfs mevrouw Nanc
van het kasteel kwam hen bekijken.

'Maar hij is heel kieskeurig, hoor,' kraaide mevrouw Yapp. 'Hij i
niet zomaar op Jan en alleman gesteld! Mevrouw Nancy kwam ee
tijd terug langs met de bisschop van Hereford, en toen sprong on
Bennie op de schoorsteenmantel en deed zijn behoefte. En stinken
Vreselijk, als een volwassen vos, dat zal ik je vertellen!'

In tegenstelling tot haar moeder was mevrouw Musker een sim
pele ziel, die graag een man over de vloer had; en als een man haa
een dienst bewees, dan bewees zij hem een tegendienst. Tot haar be
zoekers behoorden ook Haines van Red Daren en Jim van The Roc
– Haines omdat hij haar paplammetjes gaf en Jim omdat ze met hen
kon lachen.

Lewis kon er slecht tegen dat ze die twee ontving en zij was duidelij
teleurgesteld in hem. Op sommige dagen was ze een en al glimlach
dan weer zei ze: 'O, ben jij het weer? Ga maar met moeder zitten klet
sen.' Maar Lewis had al genoeg van vrouw Yapp, die alleen maar ove
geld wilde praten.

Op een morgen was hij naar Lower Brechfa gekuierd en zag hij de
vossenhuid tegen een schuurtje gespijkerd en de grijze hit van Haines
vastgebonden aan het hek. Hij draaide zich om en zag mevrouw Mus
ker pas weer in februari, toen hij haar langs de weg tegenkwam. Om
haar nek lag een rood vosje gedrapeerd.

'Ja,' zei ze, klakkend met haar tong. 'Het is die stakker van een Ben
Hij beet Lily Annie in haar hand en meneer Haines zei dat je daar
mondklem van kon krijgen, dus hebben we hem laten doodschieten.
Ik heb hem zelf gelooid met salpeter. En kijk eens aan! Ik heb hem ne
donderdag van de bontwerker gehaald.'

Ze voegde er met een kokette glimlach aan toe dat ze alleen thuis
was.

Hij wachtte twee dagen en ploeterde toen door de sneeuwhopen naar Lower Brechfa. De dennen staken zwart af tegen de kristallijnen licht en de stralen van de ondergaande zon leken omhoog in plaats van omlaag te schijnen, als naar de top van een piramide. Hij blies in zijn handen om ze te warmen. Hij had zich in het hoofd gezet om haar te nemen.

Het huisje had aan de noordkant geen ramen. Er hingen ijspegels aan de dakgoot en een koude druppel rolde langs zijn nek. Zodra hij om de hoek van het huis kwam, zag hij het grijze paard en hoorde hij het liefdesgesteun in de slaapkamer. De hond sloeg aan en hij rende weg. Hij was halverwege het weiland toen de stem van Haines hem achterna bulderde.

Vier maanden later vertelde de postbode Benjamin in vertrouwen dat mevrouw Musker zwanger was van Haines.

Ze durfde zich niet in de kerk te vertonen, dus bleef ze thuis waar ze het lot van de vrouw vervloekte en afwachtte of meneer Haines zijn plicht zou doen.

Dat deed hij niet. Hij zei dat zijn twee zoons, Harry en Jack, fel tegen een huwelijk waren en bood haar geld aan.

Verontwaardigd weigerde ze. Maar in plaats van dat de buren schande van haar spraken, overstelpten ze haar met medeleven en vriendelijkheid. De oude Ruth Morgan bood aan om vroedvrouw te zijn. Juffrouw Parkinson, de harmoniumspeelster, bracht een prachtige gloxinia en de eerwaarde Nantlys Williams kwam persoonlijk bidden aan haar bed.

'Tob maar niet, mijn kind,' troostte hij haar. 'Het is de taak van de vrouw om vrucht te dragen.'

Ze reed met opgeheven hoofd naar Rhulen op de dag dat ze de geboorte van haar dochter ging aangeven.

'Margaret Beatrice Musker,' schreef ze in blokletters toen de klerk haar het formulier overhandigde, en toen Haines kwam aankloppen om zijn dochter te zien, joeg ze hem weg. Een week later streek ze met de hand over haar hart en mocht hij haar een halfuur vasthouden. Vanaf dat moment gedroeg hij zich als een bezetene.

Hij wilde haar Doris May laten dopen, naar zijn moeder, maar mevrouw Musker zei: 'Ze heet Margaret Beatrice.' Hij bood haar stapels pondbiljetten; ze smeet ze in zijn gezicht. Ze gaf hem een oplawaai toen hij haar in bed probeerde te krijgen. Hij smeekte haar, hij bezwoer haar op zijn knieën om met hem te trouwen.

'Te laat!' zei ze en sloot hem voorgoed buiten.

Hij bleef op het erf rondsluipen, dreigend en vloekend. Hij dreigde de baby te ontvoeren en zij dreigde met de politie. Hij was een ontzettende heethoofd. Jaren eerder hadden hij en zijn broer elkaar met de blote vuist afgetuigd, drie dagen lang, totdat de broer met de noorderzon vertrok. Ergens in zijn familie moest, volgens zeggen, negerbloed zitten.

Mevrouw Musker durfde het huis niet meer uit. Op een blaadje uit de almanak krabbelde ze een briefje voor Lewis Jones en gaf dat mee aan de postbode.

Lewis ging, maar toen hij bij het hek kwam, lag Haines op de loer bij de stal met een stropershond rukkend aan een riem.

Haines schreeuwde: 'Hou je bemoeizuchtige neus erbuiten!' De hond kwijlde en Lewis droop af naar huis. De hele middag dubde hij of hij de politie erbij moest halen, maar uiteindelijk zag hij daarvan af.

's Avonds begon het te stormen. De oude den kraakte; ramen klapperden en twijgen kletsten tegen hun slaapkamerraam. Rond twaalf ven hoorde Benjamin iemand aan de deur. Hij dacht dat het Haines was en maakte zijn broer wakker.

Het gebons hield aan en boven de gierende wind uit hoorden ze een vrouwenstem roepen: 'Moord! Er is iemand vermoord!'

'Grote God!' Lewis sprong het bed uit. 'Het is de ouwe vrouw Yapp.'

Ze loodsten haar de keuken in. De houtskool knisperde nog in de haard. Een poosje brabbelde ze niets anders dan: 'Moord!... Moord!' Toen vermande ze zich en zei verbeten: 'Hij heb zijn eigen ook afgemaakt.'

Lewis stak een stormlamp aan en laadde zijn geweer.

'Alsjeblieft,' zei Mary – ze stond op de trap in een peignoir – 'alsjeblieft, wees in Godsnaam voorzichtig!' De tweeling volgde vrouw Yapp de duisternis in.

Bij Lower Brechfa bleek het keukenraam kapot. In het flauwe lamplicht zagen ze het lichaam van mevrouw Musker, met haar bruine jurk van zelfgesponnen wol als een waaier rond haar uitgespreid, over de schommelwieg hangen, in het midden van een zwartige plas. Lily Annie zat in elkaar gedoken in een hoek met in haar armen een donker voorwerp: de baby, die nog leefde.

Om negen uur had Haines aangeklopt en ging mevrouw Yapp zoals gewoonlijk naar de deur; maar in plaats van op de stoep te wachten, was hij om het huis heen geglipt, had met de kolf van zijn geweer het raam verbrijzeld en beide lopen van vlakbij afgevuurd op zijn minnares.

In een laatste instinctieve reflex had ze zich over de wieg geworpen en zo het kind gered. De hagel bespetterde Lily Annies handen en ze verstopte zich met haar grootmoeder in een kast onder de trap. Een halfuur later hoorden ze nog twee schoten en daarna bleef het stil. Vrouw Yapp had nog twee uur gewacht voor ze hulp ging halen.

'Zwijn!' zei Lewis en liep naar buiten met de lamp.

Hij vond het lichaam van Haines tussen de met bloed bespatte spruitjes. Het geweer lag naast hem en zijn hoofd was eraf. Hij had een eind henneptouw rond de trekkers gebonden, om de kolf gespannen, de loop in zijn mond gestoken en getrokken.

'Zwijn!' Hij gaf het lijk een trap, één keer, twee keer, maar hield zich in voor hij de dode driemaal vervloekte.

Het gerechtelijk onderzoek werd in het parochiezaaltje van Maesyfelin gehouden. Bijna iedereen zat te snikken. Iedereen was in het zwart, behalve mevrouw Yapp, die met droge ogen binnenkwam, met een paarsfluwelen hoed, waarop een roze zeeanemoon van chiffon prijkte die met zijn tentakels zwaaide als ze knikte.

De rechter richtte zich tot haar met een sombere grafstem: 'Hebben haar kerkgenoten uw dochter in de steek gelaten in het uur van haar nood?'

'Nee,' zei mevrouw Yapp. 'Sommigen kwamen op bezoek en waren heel aardig voor haar.'

'Dan alle eer aan dit kleine Bethel, dat haar niet in de steek liet!'

Hij had als uitspraak 'moord met voorbedachten rade, gevolgd door zelfmoord' in gedachten gehad, maar nadat Jack Haines zijn vaders afscheidsbriefje had voorgelezen, veranderde hij dat in 'doodslag in een vlaag van hartstocht'.

Het onderzoek werd afgesloten en de rouwgasten stroomden naar buiten voor de begrafenis. Er stond een straffe wind. Na de dienst liep Lily Annie achter haar moeders doodkist aan naar het graf. Haar gewonde handen waren omwikkeld met een wapperende zwarte sjaal en ze droeg een krans van narcissen mee om op het bergje rode grond te leggen.

De eerwaarde Nantlys Williams verzocht alle aanwezigen te blijven voor de tweede teraardebestelling, die helemaal achter op het kerkhof plaatsvond. Op de doodkist van Haines lag één enkele krans – van laurierbladeren met een kaartje eraan: 'Voor onze lieve papa, van H & J'.

Vrouw Yapp haalde alles van waarde uit het huis en trok met Lily Annie in bij haar zuster in Leominster. Ze weigerde 'ook maar één rooie cent' te spenderen aan de nagedachtenis van haar dochter: en zo kwam het op Lewis Jones neer om het grafmonument te kopen. Hij koos een rustiek stenen kruis waarin een sneeuwklokje was uitgehakt en een inscriptie die luidde: 'Vrede! Volmaakte vrede!'

Om de paar maanden harkte hij het grint vrij van onkruid. Hij plantte een kluit narcissen, die elk jaar bloeiden in de maand van haar dood; en hoewel hij zichzelf nooit helemaal vergaf, kon hij er een zekere troost uit putten.

35

Voor ze uit de streek wegtrok liet vrouw Yapp weten dat ze niet van zins was om zich over het kind 'uit zo'n gemeenschap' te ontfermen en zonder zijn moeder of tweelingbroer te raadplegen, bood Lewis aan haar groot te brengen op The Vision.

'Ik zal erover denken,' zei de oude vrouw.

Hij hoorde verder niets tot de postbode hem vertelde dat de kleine Meg was ondergebracht op The Rock. Hij rende naar Lower Brechfa, waar vrouw Yapp en Lily Annie bezig waren hun spullen op een wagen te laden. The Rock, protesteerde hij, was geen plaats om een baby te laten opgroeien.

'Daar hoort ze thuis,' repliceerde de oude vrouw bits; waarmee ze te kennen gaf dat volgens haar Jim, niet Haines, de vader was geweest.

'Op die manier...' Lewis liet zijn hoofd hangen en liep diep bedrukt naar huis om thee te drinken.

Hij had gelijk: The Rock was geen plek voor een baby. Ouwe Aggie, haar gezicht een web van groezelige rimpels, was te zwak voor huishoudelijk werk behalve het vuur oprakelen. Jim was te lui om de schoorsteen te vegen en op winderige dagen sloeg de rook terug de kamer in en konden ze amper een hand voor ogen zien. De drie geadopteerde meisjes – Sarah, Brennie en Lizzie – scharrelden snotverkouden en met branderige ogen rond. Iedereen had jeuk van de luizen. Ethel was de enige die werkte.

Om de hongerige monden te vullen sloop ze na donker de deur uit en gapte wat ze kon van andere boerderijen – een jonge eend of een tam konijn. Haar diefstallen van The Vision bleven onopgemerkt tot de ochtend dat Benjamin de deur van het meelhok openmaakte en een hond langs zijn benen schoot en over de weilanden richting

Craig-y-Fedw spurtte. De hond was van Ethel. Ze had de graankist geplunderd: hij wilde de politie erbij halen.

'Nee,' weerhield Mary hem. 'We laten het zo.'

Vanwege zijn eerbied voor het dierlijke leven stuurde Jim nooit een beest naar de slacht en zijn kudde takelde steeds verder af. Het oudste dier, een schele ooi die Dolly heette, was meer dan twintig jaar oud. Andere dieren waren onvruchtbaar of misten hun kiezen en in de winter stierven ze door gebrek aan voer. Na de dooi verzamelde Jim de karkassen en groef een gemeenschappelijk graf – met als gevolg dat het erf in de loop der jaren één groot kerkhof werd.

Op een keer toen Ethel ten einde raad was, stuurde ze hem naar Rhulen om vijf ooien te verkopen – maar aan de rand van het stadje hoorde hij het geblaat van andere schapen, verloor de moed om verder te gaan en bracht zijn 'meiskes' terug naar huis.

Na afloop van een veiling hing hij rond bij de verkoopadministrateurs en als er een versleten knol was die niemand – zelfs de vilder niet – wilde, dan stapte hij erop af en aaide over haar snuit: 'Ach, ik zal wel voor haar zorgen. Ze heeft enkel wat voer nodig.'

Uitgedost als een vogelverschrikker reed hij met paard en wagen door de naburige dalen om stukken oud metaal en afgedankte machines op te snorren, maar in plaats van te proberen ze met winst te verkopen veranderde hij The Rock in een fort.

Bij het uitbreken van Hitlers oorlog waren het huis en de bijgebouwen omringd door een palissade van roestige hooivorken en ploegscharen; mangels, ledikanten en wagenwielen en eggen waarvan de tanden naar buiten wezen.

Zijn andere manier was het verzamelen van opgezette vogels en dieren en op den duur puilde de zolder zo uit van mottige taxidermische kunststukken dat de meisjes geen plaats meer hadden om te slapen.

Op een morgen toen Mary Jones zat te luisteren naar het nieuws van negen uur keek ze op en zag Lizzie Watkins met haar neus tegen het keukenraam gedrukt staan. Het haar van het meisje was schraal en vettig. Er hing een veel te korte bloemetjesjurk om haar uitgeteerde lijf en haar tanden klapperden van de kou.

'Ik kom voor kleine Meg,' flapte ze eruit, terwijl ze haar neus afveegde met haar wijsvinger. 'Ze gaat dood.'

Mary trok haar winterjas aan en zette zich schrap tegen de wind. De

aatste week had ze zich niet best gevoeld. Het was de tijd van de lente-
stormen en de hei lag paars op de heuvel. Toen ze vlak bij Craig-y-
Fedw waren, kwam Jim naar buiten en begon op de keffende schapenhonden te schelden: 'Kop dicht, krengen!' Ze bukte zich om haar
hoofd niet te stoten tegen de bovendorpel en stapte de schemerige
kamer binnen.

Aggie deed krachteloze pogingen om het vuur aan te wakkeren.
Ethel zat wijdbeens op het bed en kleine Meg lag, half bedekt met Jims
jasje, naar de dakspanten te staren met glanzende groenblauwe ogen.
Haar wangen gloeiden. Een blikkerig hoestje reutelde in haar keel. Ze
had koorts en hapte naar lucht.

'Ze heeft bronchitis,' zei Mary op deskundige toon. 'Jullie moeten
haar uit deze rook weghalen, anders wordt het zo longontsteking.'

'Neemt u haar dan mee,' ze Jim.

Ze keek hem recht in zijn ogen. Ze waren hetzelfde als de ogen van
het kind. Ze zag zijn smekende blik en wist dat hij de echte vader was.

'Maar natuurlijk,' glimlachte ze. 'Laat Lizzie maar met mij mee-
gaan, dan maken we haar zo weer beter.'

Ze maakte een eucalyptusstoombad klaar en al na een paar keer
snuiven kreeg Meg meer lucht. Ze lepelde wat lammetjespap tussen
haar lippen en kamille als kalmeringsmiddel. Ze deed Lizzie voor hoe
ze haar met water moest afsponzen om de koorts te drukken. De hele
nacht bleven ze op en hielden haar warm en rechtop bij het haardvuur. Af en toe naaide Mary een paar zwarte sterren op haar lappendekbed. Tegen de ochtend was het ergste voorbij.

Heel veel later stond één beeld Lewis telkens bij als hij terugdacht
aan de laatste jaren van zijn moeder: dat ze bezig was met het naaien
van de lappendeken.

Ze was ermee begonnen op de dag van het dorsen. Hij herinnerde
zich dat hij binnenliep om iets te drinken en het kaf uit zijn kleren en
haar schudde. Haar mooiste zwarte rok lag als een lijkwade over de
keukentafel. Hij herinnerde zich hoe verschrikt ze had gekeken omdat ze bang was dat het fluweel bedorven zou worden door het stof.

'Ik hoef nog maar naar één begrafenis,' had ze gezegd. 'En dat is die
van mezelf.'

Haar schaar knipte de rok in stroken. Vervolgens verknipte ze de
bonte katoenen jurken – die stonken naar kamfer na veertig jaar in

een kist. Daarna stikte ze de twee helften van haar leven aan elkaar – haar jonge jaren in India en haar jaren op de Zwarte Heuvel.

Ze had gezegd: 'Dan hebben jullie een aandenken van me.'

Het dekbed was klaar tegen Kerstmis. Maar al een tijdje daarvoor had Lewis staande achter haar stoel voor het eerst gemerkt hoe kortademig ze was en hoe dik de blauwe aderen op haar handen lagen. Ze had veel jonger dan tweeënzeventig geleken, deels dankzij haar ongerimpelde gezicht, deels vanwege haar haar, dat met de jaren zo mogelijk steeds bruiner werd. Hij had zich op dat moment gerealiseerd dat de driehoek – van zoon, moeder en zoon – niet lang meer zou bestaan.

'Ja,' had ze vermoeid gezegd. 'Ik heb het aan mijn hart.'

In het huishouden heerste al enige tijd onrust en verdeeldheid.

Lewis vermoedde dat zowel zijn moeder als zijn broer tegen hem samenspande: het feit dat hij geen vrouw kon krijgen maakte deel uit van hun complot. Hij kon niet zetten dat ze hem onkundig hielden van de financiën van de boerderij. Daar had hij toch ook iets over te zeggen? Hij wilde per se de boeken controleren, maar als hij wijs probeerde te worden uit de kolommen met credit en debet, aaide Mary met haar mouw langs zijn wang en mompelde zachtjes: 'Je hebt nu eenmaal geen rekenhoofd. Dat is niets om je voor te schamen. Laat het toch gewoon over aan Benjamin.'

Hij had ook een hekel aan hun zuinigheid, die hem onrechtvaardig voorkwam, en vond dat ze met twee maten maten. Als hij ooit om een nieuwe machine vroeg, wrong ze haar handen en zei: 'Ik zou het je dolgraag geven maar ik vrees dat we op zwart zaad zitten. Het zal moeten wachten tot volgend jaar.' Maar zíj hadden altijd genoeg geld om grond te kopen.

Zij en Benjamin kochten het ene stuk grond na het andere, alsof ze met elke nieuwe hectare de grens van de vijandige buitenwereld verder konden terugdringen. Maar extra grond betekende extra werk; en toen Lewis voorstelde om de paarden te vervangen door een tractor, viel hun mond open.

'Een tractor?' zei Benjamin. 'Je bent niet goed wijs.'

Hij was laaiend toen ze met zijn tweeën terugkwamen van de notaris in Rhulen en aankondigden dat ze Lower Brechfa hadden gekocht.

'Wat gekocht?'

'Lower Brechfa.'

Sinds de dood van mevrouw Musker was er drie jaar verstreken en was haar boerderijtje in verval geraakt. Zuring en distels hadden het weiland overwoekerd. Het erf was een zee van brandnetels. Er ontbraken leien op het dak en in de slaapkamer had zich een kerkuil genesteld.

'Bewerk het zelf maar,' snauwde Lewis. 'Het is een zonde om de grond van een dode vrouw over te nemen. Ik zet geen stap op dat land.'

Uiteindelijk gaf hij zich gewonnen – zoals hij zich altijd gewonnen gaf – maar niet dan nadat hij zelf had gezondigd. Hij sloeg aan het drinken in kroegen en deed zijn uiterste best om bevriend te raken met een stel nieuwe mensen dat in de buurt was komen wonen.

Op marktdag in Rhulen was hij oog in oog komen te staan met een vreemde, langbenige vrouw, met vuurrode lippen en nagels en een zonnebril met wigvormige glazen en een wit bakelieten montuur. Aan haar arm hing een grote rieten mand. Ze was in gezelschap van een jongere man en toen hij een paar eieren liet vallen, schoof ze de zonnebril op haar voorhoofd en zei lijzig, met doordronken stem: 'Schat, wat ben je toch hopeloos...'

36

Joy en Nigel Lambert waren kunstenaarsvrouw en kunstenaar, die een huisje hadden gehuurd bij Gillifaenog.

De kunstenaar had ooit een succesvolle expositie gehad in Londen en algauw zag men hem, gewapend met verfdoos en ezel, het effect van wolken en zonlicht op de heuvel schetsen. Zijn krans van blonde krullen moest ooit 'engelachtig' geweest zijn, en hij begon al dik te worden.

De Lamberts deelden een zwak voor gin, maar niet het bed. Ze hadden vijf jaar rond de Middellandse Zee gezworven en waren naar Engeland teruggekeerd in de overtuiging dat er oorlog zou komen. Allebei waren ze als de dood dat ze voor burgerlijk versleten zouden worden.

Omdat ze zich verbonden voelden met de boeren – de 'Autochtonen' noemden ze hen – dronken ze drie dagen per week in de Shepherd's Rest, waar Nigel de stamgasten imponeerde met zijn verhalen over de Spaanse burgeroorlog. Op regenachtige avonden zeilde hij de bar binnen in een dikke wollen cape met een bruine vlek aan de voorkant. Dit, zei hij, was het bloed van een republikeinse soldaat, die in zijn armen was gestorven. Maar Joy had genoeg van zijn verhalen, die ze allemaal al eerder had gehoord: 'Liefje, is het heus?' kwam ze er dan tussen. 'God! Dat moet afschuwelijk zijn geweest!'

Zolang ze bezig was haar huis in te richten had Joy het te druk om veel aandacht te schenken aan haar buren: als ze de tweeling Jones al kende, dan was het als 'die twee knapen die bij hun moe wonen'.

Ze was altijd beroemd geweest om haar smaak en haar gave om met weinig te improviseren. Ze voegde een tikkeltje blauw toe aan de witalk voor de ene muur en een vleugje oker voor de andere. Als eettafel gebruikte ze een oude behangtafel. De gordijnen waren van voeringkatoen, de sofa bedekt met paardendekens en de kussens overtrokken met zadelmakersplaid. Ze had een principiële afschuw van 'leuke' voorwerpen. Ze bezat één kunstwerk, een ets van Picasso, en ze verbande Nigels schilderijen naar de atelierschuur.

Op een dag zei ze, de kamer rondkijkend: 'Wat in deze kamer ontbreekt is één... goede... stoel!' En ze moest wel honderden biezen stoelen bekeken hebben voor ze dat ene prachtig gehavende exemplaar bij The Rock vond.

Nigel had daar de hele dag zitten schetsen en zij kwam hem afhalen. Ze had nauwelijks voet binnen gezet of ze fluisterde: 'God! Daar staat mijn stoel! Vraag dat oudje hoeveel ze ervoor hebben moet!'

Een andere keer kwam ze bij The Vision langs om wat van Mary's boerenboter te kopen, toen ze een oude zultpot uit de vuilnishoop zag steken: 'Goh! Wat een pot!' riep ze, terwijl ze het gebarsten grijze glazuur betastte.

'Nou, u mag hem hebben als u er wat aan hebt,' zei Lewis, bedenkelijk.

'Ik heb hem nodig voor bloemen.' Ze grinnikte. 'Veldbloemen! Ik haat tuinbloemen,' voegde ze eraan toe, met een minachtende armzwaai langs Benjamins driekleurige viooltjes en muurbloemen.

Een maand later kwam Lewis haar op de weg tegen met in elke hand een vingerhoedsplantje, waarvan er een onnatuurlijk bleek was:

'Meneer Jones, ik heb uw raad nodig. Welke van de twee zou u kiezen?'

'Dank u beleefd,' zei Lewis, volslagen overrompeld.

'Nee! Welke vindt u het mooiste?'

'Die.'

'Precies!' zei ze en gooide de donkere over de heg. 'Die andere was afschuwelijk!'

Ze vroeg hem eens langs te komen en toen hij ging, was ze tot zijn verbijstering gekleed in een roze matrozenbroek met een rode hoofddoek om, bezig met het omhakken van een seringenstruik en het wegslepen van de takken naar een vuurtje.

'Vindt u seringen ook niet walgelijk?' zei ze, terwijl de rook opwolkte rond haar benen.

'Ik heb er nooit over nagedacht.'

'Ik wel,' zei ze. 'Ik ben al de hele week kotsmisselijk van de stank.'

Toen Nigel later die middag een kop thee kwam halen, zei ze: 'Wee je wat? Ik heb een oogje op Lewis Jones.'

'O?' zei hij. 'Welke van de twee is dat?'

'Echt, schat! Je let wel erg slecht op!'

De volgende keer dat ze Lewis tegenkwam was in de bar van de Shepherd's Rest, op de dag dat de schapen werden bijeengedreven.

Vanaf zeven uur 's morgens hadden boeren te paard de heuvel schoongeveegd en de blatende witte massa stond nu veilig in Evan Bevans kooi, wachtend op uitsortering na de lunch.

Het was een warme dag, de heuvels waren heiig en de doornstruiken zagen eruit als vlokjes dons.

Nigel, in een uitgelaten stemming, stond erop om rondjes te geven. Lewis steunde op zijn ellebogen met zijn rug naar de vensterbank. De vitrage bolde rond zijn schouders. Zijn haar was glanzend zwart, met een scheiding in het midden en hier en daar wat grijs. Hij knipperde achter zijn ziekenfondsbril en glimlachte af en toe terwijl hij Nigels verhaal probeerde te volgen.

Joy keek op van haar gin. Ze was gecharmeerd van zijn sterke witte tanden. Ze was gecharmeerd van de manier waarop zijn riem zijn manchesterbroek deed plooien. Ze was gecharmeerd van zijn grote hand om de glazen bierpul. Ze had hem betrapt op het kijken naar de lippenstift aan de rand van haar glas.

'Oké, kuise Jozef!' dacht ze. Ze drukte een sigaret uit en kwam tot twee conclusies: (a) dat Lewis Jones nog maagd was; (b) dat dit een langdurige operatie zou worden.

Halverwege het schapenscheren kwam Nigel bij The Vision aanlopen om te vragen of hij wat tekeningen van de mannen onder het werk mocht maken.

'Ik hou u niet tegen,' zei Benjamin vriendelijk.

Het was koel en donker in het scheerhok. Vliegen wervelden rond de stoffige zonnestralen die door de reten in het dak vielen. De hele middag zat de kunstenaar met opgetrokken benen tegen een hooibaal, het schetsboek op zijn knieën. Bij zonsondergang, toen het vaatje cider werd aangeslagen, liep hij Benjamin achterna naar de kippenren en zei dat hij iets te bepraten had.

Hij wilde een serie van twaalf etsen maken als illustraties voor De Seizoenen van de Scheper'. Hij was bevriend met een dichter in Londen die, daar was hij zeker van, voor elke maand wel een sonnet wilde schrijven. Was hij, meneer Jones, bereid om als model te poseren?

Benjamin fronste zijn wenkbrauwen. Instinctief wantrouwde hij iedereen 'van buiten'. Hij wist wat een sonnet was, maar van een ets was hij niet zo zeker.

Hij schudde zijn hoofd: 'We hebben het nou te druk. Ik zou niet weten waar ik de tijd vandaan moest halen.'

'Het zou geen tijd kosten,' onderbrak Nigel hem. 'U gaat gewoon door met uw werk en ik kijk en maak mijn tekeningen.'

'Nou.' Benjamin streek onzeker over zijn kin. 'Dan zal het wel in orde wezen, hè?'

Tijdens de zomer en herfst van '38 schetste Nigel Benjamin Jones - met zijn honden, met zijn herdersstaf, met zijn castreermes, op de heuvel, in het dal, of met een schaap over zijn schouder als een Oud-grieks beeld.

Als er vocht in de lucht zat droeg hij zijn Spaanse cape en had hij een flacon brandewijn op zak. Hij begon altijd een beetje op te scheppen als hij dronk, en het was een verademing om als toehoorder iemand te hebben die niets van Spanje wist en de details van zijn verhalen niet kon controleren.

En er waren dingen in die verhalen die Benjamin herinnerden aan zijn weken in de strafkazerne – dingen die de bewakers Benjamin lieten doen; schunnige dingen, waarvoor hij zich schaamde; dingen die hij nooit aan Lewis had verteld, waarover hij nu zijn hart kon luchten.

'Ja, dat doen ze vaak,' zei Nigel, terwijl hij hem van top tot teen opnam, en sloeg toen zijn ogen neer.

Allebei de Lamberts werkten Mary op de zenuwen. Ze wist dat ze gevaarlijk waren en probeerde haar zoons te waarschuwen dat deze vreemdelingen alleen maar spelletjes speelden. Ze verachtte Nigel omdat hij zijn bekakte spraak doorspekte met werkmanstaal. Tegen Benjamin zei ze: 'Hij is zo'n zijig type,' tegen Lewis: 'Ik snap niet waarom jij die vrouw mag. Al die make-up! Ze ziet eruit als een papegaai!'

Om de paar weken betaalde mevrouw Lambert Lewis om met haar te gaan paardrijden. En op een mistige morgen, toen ze de heuvel op waren, kwam Nigel bij The Vision langs met het bericht dat hij de volgende dag naar Londen zou vertrekken.

'Hoe lang blijft u weg?' vroeg Benjamin.

'Geen idee,' antwoordde de kunstenaar. 'Dat hangt helemaal van Joy af, maar we zijn beslist terug voor de lammertijd.'

'Maar goed ook!' bromde Benjamin en zwengelde verder aan de bietensnijmolen.

Om twee uur die middag had Joy een haastig hapje naar binnen gewerkt en drie koppen sterke zwarte koffie achterovergeslagen, en liep ze voor haar huisje te ijsberen, wachtend op Lewis Jones.

'Hij is laat! Verdomme-nog-aan-toe!' Ze zwiepte met haar rijzweepje naar een dode distel.

Het dal was verzonken in mist. Spinnenwebben, witglinsterend van de dauw, lagen over het dode gras gespannen; en het enige dat ze langs de streep van de heg kon zien waren de grijze terugwijkende contouren van eiken. Nigel was in zijn atelier en draaide Berlioz op zijn grammofoon.

'Ik haat Berlioz!' riep ze luidkeels toen de plaat was afgelopen. 'Berlioz, lieverd, is stomvervelend.'

Ze bestudeerde haar spiegelbeeld in het keukenraam – een paar lange, slanke benen in een beige rijbroek. Ze boog door haar knieën zodat de broek wat strakker in het kruis kwam te zitten. Ze maakte de knoop van haar roodbruine ruitermantel los. Daaronder droeg zij een lichtgrijze jersey. Ze voelde zich prettig en energiek in deze kleren. Haar gezicht werd omlijst door een witte hoofddoek en daarop zat een slappe mannenhoed vastgespeld.

Ze werkte haar lippenstift bij met haar pink. 'God! Ik ben te oud voor dit soort fratsen,' mompelde ze en hoorde het gestamp van de pony's op het gras.

'Te laat!' grijnsde ze.

'Spijt me zeer, mevrouw!' zei Lewis met een verlegen glimlach van onder de klep van zijn pet. 'Ik had even een kwestie met mijn broer. Die vond het maar niks. Volgens hem zouden we verdwaald raken in de mist.'

'U bent toch niet bang om te verdwalen?'

'Nee, mevrouw!'

'Mooi zo! Trouwens, boven schijnt de zon. Let maar op!'

Hij reikte haar de leidsels van de grijze aan. Ze zwaaide haar been omhoog en wipte in het zadel. Zij reed voorop en hij volgde.

Ze gingen in draf het pad naar Upper Brechfa op.

De meidoorns vormden een tunnel boven hun hoofd, de takken sloegen tegen haar hoed en besproeiden haar met kristallen druppels.

'Ik hoop bij God dat de spelden het houden,' zei ze en zette het paard aan tot galop.

Ze passeerden de Shepherd's Rest en hielden halt bij het hek dat toegang geeft tot de heuvel. Ze lichtte de klink op met haar rijzweep. Toen ze het hek achter hem sloot, zei hij: 'Dank u beleefd.'

Het pad was modderig en de varens streken langs hun laarzen. Ze leunde naar voren en wreef zich tegen de zadelknop. De vochtige berglucht vulde haar tongen. Ze zagen een buizerd. Verderop leek het al lichter.

Toen ze bij een bosje lariksen kwamen riep ze: 'Kijk! Wat heb ik gezegd! De zon!' Het gouden haar van de lariksen straalde tegen een zachtblauwe lucht.

Toen galoppeerden ze boven de wolkendeken het zonlicht in, en maar verder, kilometers lang leek het, tot ze haar pony inhield bij de rand van een geul. In een holte, uit de wind, stonden drie bosdennen.

Ze steeg af en liep ernaartoe, een dennenappel voor zich uit schoppend over het kortgegraasde gras.

'Ik ben gek op bosdennen,' zei ze. 'En als ik heel erg oud ben, zou ik er graag zo uitzien. Snapt u wat ik bedoel?'

Hij stond naast haar te hijgen, zwetend onder zijn regenjas. Ze zette haar nagels in de bast en een schilfer liet los in haar hand. Een oorwurm bracht zich ijlings in veiligheid. Ze achtte de tijd rijp en bracht haar gelakte vingers van de boomstam naar zijn gezicht.

Het was donker toen ze de deur van het huis openduwde, waar Nigel zat te dommelen bij de haard. Ze liet haar rijzweep op tafel kletsen. Er zaten mosvlekken op haar rijbroek: 'Je hebt de weddenschap verloren, liefje. Ik krijg een fles Gordon's van je.'

'Heb je hem gepakt?'

'Onder een eeuwenoude den! Heel romantisch! Wel een beetje nat!'

Zodra Lewis de deur binnenstapte, wist Mary precies wat er gebeurd was.

Hij liep anders. Zijn ogen dwaalden door de keuken alsof hij een vreemde was. Hij staarde haar aan alsof zij ook een vreemde was. Met trillende handen schepte ze de ganzenpastei op. De zilveren lepel glinsterde. Een sliertje damp krulde omhoog. Hij bleef staren alsof hij nog nooit van zijn leven aan het avondeten had gezeten.

Ze speelde met haar mes en vork maar kon geen hap door haar keel krijgen. Ze zat te wachten tot Benjamin uit zijn vel zou springen.

Die deed alsof hij niets in de gaten had. Hij sneed een plakje brood af en begon de saus van zijn bord te deppen. Toen schoot hij opeens raspend uit: 'Wat heb je daar op je wang?'

'Niks,' haperde Lewis, rondtastend naar een servet om de lippenstift weg te vegen, maar Benjamin was al om de tafel heengewipt en priemde zijn neus bijna in zijn gezicht.

Lewis raakte in paniek. Zijn rechtervuist knalde tegen zijn broers tanden en hij rende de deur uit.

37

Hij ging weg, werken op een varkensboerderij bij Weobley in Herefordshire. Onweerstaanbaar in de richting van thuis getrokken nam hij twee maanden later een baantje in Rhulen, als sjouwer bij een firma in landbouwbenodigdheden. Hij sliep in de zaak en sprak met niemand. De boeren die het kantoor binnenliepen verbaasden zich over zijn wezenloze blik.

Omdat hij zijn moeder niets van zich liet horen, regelde ze op een middag dat ze met een buurman kon meerijden naar de stad.

Er floot een gure wind door Castle Street. Haar ogen traanden; en de winkels, de huizengevels en de voetgangers vervaagden tot een grijzig waas. Met haar hand op haar hoed dwong ze haar benen stap voor stap over het trottoir en sloeg toen linksaf, de luwte van Horseshoe Yard in. Voor de zaak werd een wagen geladen met meelbalen.

Weer kwam er een zak door de dubbele deuren naar buiten.

Ze verschoot van schrik toen ze de benige, hologige man in een gore overall zag. Zijn haar was grijs geworden. Over zijn ene pols liep een venijnig paars litteken.

'Hoe komt dat?' vroeg ze toen ze alleen waren.

'Als uw rechterhand u aanstoot geeft...' mompelde hij.

Haar adem stokte, ze sloeg haar hand voor haar mond – en bracht fluisterend uit: 'Goddank dat niet!'

Ze stak haar arm door de zijne en ze liepen naar de rivier en de brug op. De Wye was gezwollen. Een blauwe reiger stond op een zandbank en op de andere oever stond een man op zalm te vissen. Er lag sneeuw op de toppen van de Radnor Hills. Met hun rug naar de wind keken ze hoe het woelige water langs de pijlers spoelde.

'Nee.' Ze rilde over haar hele lichaam. 'Je kunt nog niet thuiskomen. Het is verschrikkelijk om je broer in zo'n toestand te zien.'

Benjamins liefde voor Lewis was dodelijk.

De lente kwam. De stinkende gouwe maakte sterretjes in de heggen. Het was nog steeds of Benjamins woede nooit zou bekoelen. Om niet aan haar misère te hoeven denken putte Mary zich uit met huishoudelijk werk; ze stopte elk motgaatje dat ze in de dekens kon vinden; ze breide sokken voor haar beide zoons; ze vulde de provisiekast aan en mestte alle verborgen hoeken uit, alsof ze zich voorbereidde op een lange reis. En als ze niet meer kon, zakte ze in de schommelstoel en luisterde naar het bonzen van haar hart.

Beelden van India bleven aan haar ogen voorbijtrekken. Ze zag een glimmerende watervlakte na een overstroming en een witte koepel die wazig boven het water zweefde. Mannen met tulbanden droegen een in doeken gewikkelde vorm naar de oever. Er smeulden vuren en in de lucht cirkelden wouwen. Er gleed een boot voorbij, stroomafwaarts.

'De rivier! De rivier!' fluisterde ze en schudde zichzelf wakker uit haar rêverie.

Op een dag in de eerste week van september werd ze wakker met een opgeblazen gevoel en indigestie. Ze bakte een paar plakken bacon voor Benjamins ontbijt maar had niet de kracht om ze met een vork uit het pannetje te halen. Een pijn omklemde haar borst. Hij had haar voor de attaque kwam naar de slaapkamer gedragen.

Hij sprong op zijn fiets, reed naar de telefooncel in Maesyfelin en belde de dokter.

Om zes uur die avond kwam Lewis terug van een lading veekoeken afleveren. In het kantoor zat de administrateur aan de radio gekluisterd te luisteren naar het laatste nieuws over Polen. Hij keek even op en zei dat hij de dokter moest bellen.

'Je moeder heeft een hartinfarct gehad,' vertelde Galbraith hem. 'Een nogal zwaar, volgens mij. Ik heb haar morfine toegediend en ze houdt zich taai. Maar ik zou er wel zo vlug mogelijk heen gaan.'

Benjamin zat geknield aan het voeteneinde van het bed. De avondzon scheen tussen de lariksen door schuin naar binnen en viel op de zwarte lijst van de Holman Hunt-prent. Ze zweette. Haar huid was gelig en haar blik strak op de deurknop gericht. De naam van Lewis ruiste over haar lippen. Haar handen lagen roerloos op de zwarte fluwelen sterren.

Van de weg klonk het geluid van een auto.

'Hij is er,' zei Benjamin. Vanuit het dakkapelraam zag hij zijn broer e taxi betalen.

'Hij is er,' herhaalde ze. En toen haar hoofd opzij viel op het kussen, ield Benjamin haar rechterhand vast en Lewis haar linker.

De volgende morgen hingen ze zwarte crêpe over de bijenkorven m de bijen te vertellen dat ze er niet meer was.

)e avond na de begrafenis was de avond van hun wekelijkse bad. Ben-
amin zette de koperen wasteil op het vuur in de bijkeuken en spreid-
e een zeiltje over het haardkleed. Ze zeepten om beurten elkaars rug
1 en boenden hem schoon met een luffaspons. Hun lievelingshond
wam naast de teil liggen, met zijn kop op zijn voorpoten en het
chijnsel van de vlammen in zijn ogen. Lewis droogde zich af en zag
p tafel twee van hun vaders nachthemden van ongebleekt katoen
laarliggen.

Ze trokken ze aan.

Benjamin had de lamp in de slaapkamer van hun ouders aangesto-
en. Hij zei: 'Help even met de lakens.'

Ze sloegen een paar schone linnen lakens uit de ladekast open. Er
ielen korreltjes lavendel voor Lewis op de vloer. Ze maakten het bed
p en trokken de lappendeken glad. Benjamin schudde de kussens op;
n een veertje dat zich door de tijk had gewurmd dwarrelde in het
amplicht omhoog.

Ze klommen in bed.

'Welterusten dan maar!'

'Welterusten!'

Eindelijk herenigd door de nagedachtenis aan hun moeder, verga-
en ze dat heel Europa in lichterlaaie stond.

38

De oorlog spoelde over hen heen zonder hun tweezaamheid te ver
storen.

Nu en dan herinnerde het dreunen van een vijandelijk vliegtuig o
een pietluttige oorlogsmaatregel hen eraan dat er aan de andere kan
van de Malvern Hills werd gevochten. Maar de Slag om Engeland wa
te groot voor het knipselboek van Lewis. Een invasiemelding – Dui
se parachutisten op de Brecon Beacons – bleek loos alarm. En toe
Benjamin op een novemberavond een rode gloed aan de horizo
zag en vurige projectielen die de hemel deden oplichten – het wa
het bombardement op Coventry – zei hij: 'Maar goed dat wij dat nie
zijn!' – en ging terug naar bed.

Lewis dacht erover zich op te geven voor de burgerwacht, maar Ben
jamin wist hem te bepraten.

In de kerk zat de tweeling naast elkaar in de bank van hun ouders
Voor elke dienst brachten ze wel een uur in stille overdenking doo
bij het graf. Op sommige zondagen, vooral als er eerst Bijbelles wa
kwam de kleine Meg van The Rock naar de kerk met een van haa
pleegzusters; en als Lewis haar zag – een hoekig schooiertje met ee
mottige baret – kwamen er herinneringen bij hem boven aan verlore
liefde, en werd hij bevangen door droefheid.

Op een stormachtige morgen kwam ze blauw van de kou binne
met een bosje sneeuwklokjes in haar hand geklemd. De predikan
had de gewoonte om het eerste vers van een gezang voor te dragen e
het daarna door een van de kinderen regel voor regel te laten herhale
Nadat hij hymne nummer drie had aangekondigd – William Cow
pers 'Ode aan de Geopende Bron' – bleef zijn vinger rusten op Meg:

Er is een bron gevuld met bloed
uit de wonde in Emmanuels zij
en wie wordt gedompeld in die vloed
is van alle zondesmetten vrij.

Haar greep op de sneeuwklokjes verstevigend worstelde Meg zich door de eerste regel heen, maar de krachtsinspanning voor 'Emmanuels zij' snoerde haar de mond. De stukgeknepen bloemen vielen voor haar voeten en ze begon op haar duim te zuigen.

De schoolmeester zei dat 'er niets te beginnen was met dat kind'. Meg kon weliswaar niet lezen of schrijven of de eenvoudigste sommen maken, maar ze kon wel het geluid van alle dieren en vogels nabootsen en ze borduurde op witte batisten zakdoeken guirlandes van bloemen en bladeren.

'Ja,' vertrouwde de meester Lewis toe, 'Meg is handig met naald en draad. Ik geloof dat juffrouw Fifield haar die kunst heeft bijgebracht' – en voegde er op roddeltoon aan toe dat Billy Fifield piloot bij de RAF was en dat Rosie alleen op The Tump woonde en met bronchitis te bed lag.

Na het middageten vulde Lewis een mand met levensmiddelen en een melkkruik in het melkhok. Een tinnen zon hing laag boven de Zwarte Heuvel. De melk klotste tegen het deksel onder het lopen. De beuken waren grijs achter het huisje en roeken vlogen op, hun vleugelpunten glinsterend als schilfers ijs. In de tuin stonden kerstrozen.

Ze hadden elkaar vierentwintig jaar niet gezien.

Rosie kwam naar de deur geschuifeld in een mannenoverjas. Haar ogen waren nog altijd blauw, maar haar wangen waren ingevallen en haar haar was grijs. Haar mond viel open toen ze de lange grijzende vreemdeling op de stoep zag staan.

'Ik hoorde dat je ziek was,' zei hij. 'Dus ik kom wat brengen.'

'Dus het is Lewis Jones,' bracht ze piepend uit. 'Kom erin, dan kun je je warmen.'

De kamer was klein en vuil en de witkalk bladderde van de muren. Op een plank boven de haard stonden theebusjes en haar klok van de Hemelse Tweeling. Aan de achtermuur hing een kleurenlithografie – van een blond meisje dat een ruiker plukt langs een bospad. Over een leunstoel hing een merklap, half afgemaakt. Een dagpauwoog, die door de zon was gewekt, fladderde tegen het raam, hoewel zijn vleugels vastzaten in een stoffig spinnenweb. De vloer was bezaaid met boeken. Op tafel stonden een paar potten inmaakuitjes – het enige dat ze te eten had.

Ze pakte de mand uit en bekeek begerig de honing en de koekjes, de hoofdkaas en de bacon, die ze naast elkaar uitstalde zonder een woord van dank.

'Ga zitten, dan krijg je een kop thee,' zei ze en ging naar het bijkeukentje om de koppen schoon te spoelen.

Hij keek naar de prent en dacht terug aan hun wandelingen langs de rivier.

Ze pakte een blaasbalg om het vuur op te stoken en toen de vlammen aan de beroete onderkant van de ketel lekten, viel haar jas open zodat een roze katoenflanellen nachthemd zichtbaar werd, dat half van haar schouder was afgegleden. Hij informeerde naar kleine Meg.

Haar gezicht klaarde op: 'Het is een lief kind! Zo eerlijk als goud. Heel anders als die anderen die het hemd van je lijf stelen! Ooh! Mijn bloed kookt als ik eraan denk hoe ze haar behandelen. Ze heb nog nooit een vlieg kwaad gedaan. Ik heb haar hier in de tuin gezien en de vinken aten uit haar hand.'

De thee was gloeiend heet. Hij dronk met kleine teugjes, slecht op zijn gemak, in stilte.

'Hij is dood, niet?' Haar stem klonk scherp en beschuldigend.

Hij wachtte even met de volgende slok en zei: 'Dat spijt me te horen.'

'Daar heb jij geen pijn aan.'

'In een vliegtuig?'

'Niet hem!' bitste ze. 'Ik bedoel niet mijn Billy. Zijn vader!'

'Bickerton?'

'Ja, Bickerton!'

'O, die is morsdood,' antwoordde hij. 'In Afrikanië, als ik het goed gehoord heb. Hij heb zich doodgezopen.'

'Zijn verdiende loon!' zei ze.

Voor hij opstapte voerde hij de schapen die al een week geen hooi hadden gehad. Hij nam de melkkruik mee en beloofde donderdags terug te komen.

Ze greep zijn hand en piepte: 'Tot donderdag dan?'

Ze keek hem door het slaapkamerraam na terwijl hij langs het rijtje meidoorns liep, met het zonlicht tussen zijn benen. Vijf keer veegde e het beslagen raam schoon, tot de zwarte stip uit het zicht verdween. 'Wat moet ik ermee?' zei ze hardop. 'Ik haat mannen – stuk voor tuk!'

Op donderdag was het beter met haar bronchitis en hoewel ze minder moeite had met praten, had maar één onderwerp haar aandacht: Lurkenhope Castle, dat zojuist voor Amerikaanse troepen was gevorderd.

Het kasteel had vijf jaar leeggestaan.

Reggie Bickerton was in Kenia aan delirium tremens gestorven in het jaar dat zijn koffieplantage failliet ging.

Het landgoed was geërfd door een verre neef die ook weer successierechten kreeg te betalen. Isobel was ook overleden, in India, en Nancy was verhuisd naar een woning boven de stallen – die, volgens haar vader, beter waren gebouwd dan het huis. En daar woonde ze, alleen met haar mopshondjes, piekerend over haar moeder die in Zuid-Frankrijk was geïnterneerd.

Ze gaf een etentje voor een stel zwarte Amerikaanse soldaten en de vreemdste geruchten deden de ronde.

Behalve de negerbokser op de kermis in Rhulen had de tweeling nog nooit een zwarte gezien. Nu ging er nauwelijks een dag voorbij of ze kwamen van die donkere bomen van vreemdelingen tegen, die in groepjes van twee of drie langs de weg slenterden.

Benjamin deed alsof hij geschokt was door de verhalen die over het kasteel de ronde deden. Kon het waar zijn dat ze de vloeren openbraken om de haard brandende te houden?

'Och!' Hij wreef zich in zijn handen. 'Het is snikheet waar hun vandaan komen.'

Op een siberisch koude avond, toen hij van Maesyfelin naar huis liep, werd hij aangesproken door een smetteloos geklede reus.

'Hallo, maat! Ik ben Chuck!'

'Ik mag ook niet klagen,' zei Benjamin bedeesd.

Het gezicht van de man stond ernstig. Hij bleef een praatje maken en had het over de oorlog en de gruwelen van het nazisme. Maar toen Benjamin vroeg hoe het was om 'in Afrikanië' te wonen, sloeg hij dubbel van het lachen en hield zijn buik vast alsof hij nooit meer zou ophouden. Toen verdween hij in het donker, met een brede witte grijns boven de opstaande kraag van zijn overjas.

Nog een gedenkwaardige belevenis was de dag dat troepen uit het Gemenebest een oefenaanval uitvoerden op Bickertons Bult.

Toen de tweeling terugkwam van Lower Brechfa waar ze wat kalveren hadden gedrenkt, wemelde het erf van de 'zwartjes', sommigen met scheve baretten, anderen 'met handdoeken om hun kop' – dat waren Gurkha's en sikhs – die 'allemaal liepen te kwekken als apen en de kippen de stuipen op het lijf joegen'.

Maar hét evenement van de oorlog was het neergestorte vliegtuig. De piloot van een Avro Anson, die terugkeerde van een verkenningsvlucht, vergiste zich in de hoogte van de Zwarte Heuvel en sloeg te pletter tegen de rotswand boven Craig-y-Fedw. Een overlevende hinkte de helling af en wekte Jim van The Rock, die meeging met de reddingsploeg en de piloot dood aantrof.

'Ik zag hem,' zei Jim later. 'Finaal doodgevroren en zijn kop opengebarsten en alles hing eruit.'

De burgerwacht sloot het terrein af en haalde zeven wagenladingen schroot van de plek weg.

Lewis was diep teleurgesteld dat Jim het wrak had gezien en hij niet. Het enige dat hij vond, verspreid over de hei, waren wat flarden canvas en een reep aluminium met een bout erdoor. Hij propte ze in zijn zakken en bewaarde ze als souvenir.

Intussen had Benjamin van de slappe markt geprofiteerd om een boerderij van vijfentwintig bunder aan hun lijst van bezittingen toe te voegen.

The Pant lag een kilometer verderop in het dal en had twee grote lappen bouwland aan weerskanten van de beek. Na ploegen en zaaien brachten deze een uitstekende aardappeloogst op; en om de tweeling bij het rooien te helpen wees de man van het ministerie de tweeling een Duitse krijgsgevangene toe.

Hij heette Manfred Kluge. Het was een gespierde kerel met rode wangen uit een plattelandsdorp in Baden-Württemberg. Zijn vader, de plaatselijke boswachter, had hem sadistisch afgeranseld en zijn moeder was dood. Na zijn inlijving in het leger had hij gediend bij het Afrika Korps, zijn gevangenneming bij El Alamein was een van de weinige meevallers die hij had gehad.

De tweeling kon niet genoeg krijgen van zijn verhalen:

'Ik heb de Führer gezien met mijn ogen. *Ja!* Ik ben in Siegmaringen *Ja!*... En vele mensen! Gansvelemensen! *Ja! "Heil Hitler!... Heil Hitler!*

…?... *Ja?* En ik zeg "Idioot!" KEIHARD!! En deze man naast mij in die ²assa... Gansgroteman. RODE-KOP-GROTE-MAN... *Ja?* Die zegt ²ij: "Jij zegt: Idioot!" En ik zeg hem: "*Ja,* gans idioot!" En hij slaat! *Ja?* ²n andere mensen slaan allemaal! *Ja?* En ik ren weg...! Ha! Ha! Ha!'

Manfred was een harde werker. Aan het eind van de dag zaten er weetplekken onder de oksels van zijn uniform; en met de toegeeflijk²eid van ouders voor hun troetelkind gaf de tweeling hem andere ²leren voor in huis. Een derde pet in het portaal, een derde paar schoe²en, een derde stoel aan tafel – dat alles hielp ze eraan herinneren dat ²et leven niet volkomen aan ze voorbij was gegaan.

Hij verslond zijn eten en stond altijd klaar met een demonstratie ²an genegenheid zolang er een stevig maal in zicht was. Hij hield er ²eurige gewoonten op na en sliep op zolder, in het kamertje van Ouwe ²am. Elke donderdag moest hij zich melden bij de kazerne. De twee²ing zag op tegen de donderdag, want de kans bestond dat hij overge²laatst werd.

Omdat hij een bijzonder oog had voor pluimvee lieten ze Manfred ²ijn eigen ganzen fokken en de opbrengst houden als zakgeld. Hij ²as gek op zijn ganzen en je kon ze in de boomgaard met elkaar horen ²euvelen: *'Komm, mein Lieseli! Komm... schon! Komm zu Vati!'*

En op een prachtige lentemorgen werd de oorlog voor beëindigd ²erklaard met een vette kop in de *Radnorshire Gazette*:

ZALM VAN 46½ POND 'GELAND'
BIJ COLEMANS POOL

Brigadegeneraal vertelt over 3 uur
lange worsteling met reuzenvis

²oor lezers die op de hoogte wensten te blijven van internationale ²ebeurtenissen was er een kortere kolom onder aan de pagina:
'Geallieerden trekken Berlijn binnen – Hitler dood in Bunker – ²ussolini gedood door Partisanen.'

Manfred kon zich evenmin opwinden over de Val van Duitsland, ²aar een paar maanden later veerde hij wel op toen hij in de *News of ²he World* een foto zag van de paddenstoelwolk boven Nagasaki.

'Is goed. *Ja?*'

'Nee.' Benjamin schudde zijn hoofd. 'Verschrikkelijk.'

'*Nein, nein!* Is goed! Japan afgelopen! Oorlog afgelopen!'

Die avond had de tweeling eenzelfde nachtmerrie: dat hun bed gordijnen vlam hadden gevat, hun haar in lichterlaaie stond en hun hoofd afbrandde tot een smeulende stomp.

Manfred stond niet te popelen om naar huis terug te keren toen de eerste groepen gevangenen werden gerepatrieerd. Hij had het erover dat hij in de buurt wilde blijven wonen, met een vrouw en een hoenderfokkerij; en de tweeling moedigde hem aan te blijven.

Helaas had hij een groot zwak voor drank. Zodra de oorlogsrantsoeneringen werden opgeheven vond hij een drinkebroer in Jim van The Rock. Hij kwam geregeld op de gekste tijden naar huis gestrompeld en de volgende morgen vond de tweeling hem stomdronken in het stro. Benjamin vermoedde dat hij scharrelde met een van de meisjes Watkins en vroeg zich af of ze hem de laan uit moesten sturen.

Op een zomermiddag hoorden ze de gent snateren en blazen en Manfred honderduit kwebbelen in het Duits.

Toen ze het portaal uitkwamen zagen ze op het erf een vrouw van middelbare leeftijd met een bruine corduroy broek en een blauw overhemd aan. In haar hand had ze een kaart. Haar gezicht lichtte op toen ze zich naar hen toedraaide:

'Zo!' riep ze uit. 'Een tsweeling!'

39

Lotte Zons was een grote statige vrouw met scheefstaande grijze ogen en goudblonde kabelvlechten. Ze was geen maand te vroeg vertrokken uit Wenen. Haar vader, een chirurg, was te ziek geweest om te reizen en haar zuster te blind voor het gevaar. Ze was op Victoria Station aangekomen met een diploma in de huishoudkunde in haar handtas; in de lente van 1939 wist je je alleen als dienstbode verzekerd van toestemming om Engeland binnen te komen.

Haar liefde voor Engeland, ontsproten uit de Engelse literatuur, had zich in haar geheugen vermengd met voettochten in Vorarlberg, gentianen, de geur van dennen en de bladzijden uit Jane Austen die haar verblindden in de alpenzon.

Ze bewoog zich met de struise gratie van dames uit het tijdperk voor Serajewo. Haar leven in Londen in oorlogstijd was grauwer geweest dan alles wat ze had meegemaakt.

Eerst werd ze geïnterneerd. Later kreeg ze vanwege haar opleiding als psychotherapeute een baan bij een kliniek in Swiss Cottage, waar ze slachtoffers van luchtaanvallen moest behandelen. Haar salaris was amper toereikend om een vreugdeloze kamer te huren. Haar kracht ebde weg door een rantsoen van corned beef en aardappelpuree uit pakjes. Om te koken had ze maar één gaspit ter beschikking.

Soms ontmoette ze andere joodse vluchtelingen in een café in Hampstead; maar de *Nusstorte* was niet te eten, het geroddel maakte haar nog triester en ze moest op de tast naar huis door de mistige, verduisterde straten.

Zolang de oorlog doorging had ze zich de luxe toegestaan om te hopen. Met de overwinning was alle hoop verdwenen. Er kwam geen nieuws uit Wenen. Nadat ze de foto's van Belsen had gezien, stortte ze volkomen in.

Het hoofd van de kliniek opperde dat ze vakantie moest nemen.

'Misschien wel,' zei ze weifelend, 'maar waar vind ik een paar ber gen?'

Ze nam een trein naar Hereford en de bus naar Rhulen. Dagenlang dwaalde ze over lommerrijke weggetjes die niet waren veranderd sinds de tijd van koningin Elizabeth. Een pint cider steeg haar naar het hoofd. Ze las Shakespeare op door klimop overwoekerde kerkho ven.

Op haar laatste dag voelde ze zich sterk genoeg om naar de top van de Zwarte Heuvel te klimmen.

'Aah!' verzuchtte ze in het Engels. 'Hier kan man eindelijk ademha len...!'

Op de terugweg kwam ze toevallig over het erf van The Vision en hoorde Manfred in het Duits tegen zijn ganzen praten.

Lewis gaf de bezoekster een hand en zei: 'Kom alstublieft binnen. Na de thee noteerde ze Benjamins recept voor krentenbollen, en hij bood aan om haar het huis te laten zien.

Hij deed de deur van de slaapkamer open zonder een spoor van ver legenheid. Haar wenkbrauw ging omhoog bij het zien van hun met kant afgezette kussenslopen: 'Dus jullie hielden heel veel van je moe der?'

Benjamin boog zijn hoofd.

Voor ze opstapte vroeg ze of ze nog eens welkom zou zijn.

'Wanneer u zin hebt,' zei hij; want iets in haar optreden had hem aan Mary doen denken.

Het jaar daarop kwam ze eind september, aan het stuur van een kleine grijze coupé. Ze vroeg naar 'mijn jonge vriend Manfred' en Benjamin fronste: 'Die hebben we moeten wegsturen.'

Manfred had Lizzie van The Rock zwanger gemaakt. Hij was echter zo 'fatsoenlijk' geweest om met haar te trouwen en had daarmee zijn recht veilig gesteld om in Groot-Brittannië te blijven. Het paar was in Kington gaan werken op een kippenfokkerij.

Lotte nam de tweeling mee op autotochtjes in de omgeving.

Ze bezochten megalitische graven, bouwvallige abdijen en een kerk met een Heilige Doorn. Ze liepen een stuk van Offa's Dyke en be lommen Caer Cradoc, waar Caractacus standhield tegen de Romeinen.

Hun belangstelling voor de oudheidkunde leefde weer op. Tegen de gure herfstwind droeg ze een pruimkleurig pilo jack met grote opgenaaide zakken en schoudervullingen. Ze legde hun commentaren vast in een notitieboek met een stijve linnen band.

Ze leek de hele inhoud van de uitleenbibliotheek vanbuiten te kennen. Er was iets angstaanjagends aan haar kennis van de plaatselijke geschiedenis; en soms kon ze als een tijgerin uit de hoek komen.

Tijdens een uitstapje naar Painscastle ontmoetten ze een oudere man in een plusfour, een amateur-oudheidkenner die de slotgracht aan het opmeten was. Hij vermeldde terloops dat Owen Glendower het kasteel had verdedigd in 1400.

'Volkomen fout!' sprak ze hem tegen. De slag was uitgevochten bij Pilleth in plaats van Painscastle – in 1401, niet 1400. De man raakte van zijn à propos, excuseerde zich en maakte zich uit de voeten.

Lewis lachte: 'Oeh! Ze is wel goed bij de tijd!' – en Benjamin was het ermee eens.

Ze had een kamer genomen in een pension in Rhulen en maakte geen aanstalten om naar Londen terug te gaan. Stukje bij beetje brak ze door hun verlegenheid heen. Ze won haar plaats als de derde persoon in hun leven en wist ze ten slotte de meest intieme geheimen te ontfutselen.

Niet dat ze een geheim maakte van haar belangstelling voor hen! Ze vertelde ze dat ze voor de oorlog in Wenen een studie had gemaakt van tweelingen die nooit van elkaar gescheiden waren geweest. Nu zou ze daar graag mee doorgaan.

Tweelingen, zei ze, spelen een rol in de meeste mythologieën. Het Griekse paar, Castor en Pollux, waren de zoons van Zeus en een zwaan, en waren allebei uit hetzelfde ei gekomen:

'Net als jullie twee!'

'Stel je voor!' Ze spitsten hun oren.

Vervolgens legde ze uit wat het verschil was tussen ééneiige en tweeeiige tweelingen; waarom sommigen identiek waren en anderen niet. Het was een winderige avond en er werden rookvlagen door de schoorsteen teruggeblazen. Ze drukten hun handen tegen hun slapen terwijl ze haar duizelingwekkende stroom van veellettergrepige woorden probeerden te volgen, maar haar woorden leken weg te zweven naar het grensgebied van de nonsens: '...psychoanalyse... ver gelijkend onderzoek... problemen van erfelijkheid en milieu...' Wa betekende het allemaal? Op een gegeven moment stond Benjamin o en vroeg haar het woord 'monozygotisch' op een stukje papier t schrijven. Hij vouwde dit dubbel en liet het in zijn vestzak glijden.

Tot slot zei ze dat veel eeneiige tweelingen onafscheidelijk warei – tot in de dood.

'Ah!' zei Benjamin met dromerige ogen. 'Zo heb ik het heel mijn le ven gevoeld.'

Ze sloeg haar handen ineen, leunde naar voren in het lamplicht ei vroeg of ze een uitgebreide lijst vragen wilden beantwoorden.

'Ik zou u niet tegenhouden,' zei hij.

Lewis zat rechtop op het bankje en staarde in het vuur. Hij wild geen vragen beantwoorden. Hij leek zijn moeder te horen zeggen 'Pas op voor deze vreemde vrouw!' Maar ten slotte ging hij door d knieën, om Benjamin te plezieren.

Lotte volgde de tweeling bij hun dagelijkse werkzaamheden. Gee van beiden was gewend zich bloot te geven; maar haar warme begri en haar rauwe Duitse accent zorgden voor een juist evenwicht tusse nabijheid en afstand. Ze had algauw een fors dossier verzameld.

Eerst kreeg ze van Benjamin de indruk dat hij een bijbelse funda mentalist was.

Ze vroeg: 'Hoe stel je je het hellevuur dan voor?'

'Zoiets als Londen, zou ik denken.' Hij trok zijn neus op en grinnik te. Pas toen ze wat dieper groef ontdekte ze dat zijn voorstelling va het hiernamaals – in de hemel of in de hel – een totale en hopeloz leegte was. Hoe kon je in een onsterfelijke ziel geloven wanneer j eigen ziel, als je die al had, het beeld van je broer aan de andere kan van de ontbijttafel was?

'Maar waarom ga je dan naar de kerk?'

'Om moeder!'

Beide broers zeiden dat ze er een hekel aan hadden met elkaar ver ward te worden. Allebei herinnerden ze zich dat ze hun eigen spiege beeld hadden aangezien voor hun alter ego: 'En één keer,' verteld Lewis nog, 'vergiste ik me in mijn eigen echo.' Maar toen ze haar on derzoek in de richting van de slaapkamer stuurde, kreeg ze van allebe dezelfde onschuldige antwoorden.

Ze merkte dat Benjamin degene was die de thee serveerde, terwij

ewis het brood sneed; Lewis die de honden voerde en Benjamin de
ippen en ganzen. Ze vroeg hoe ze hun werk verdeelden en allebei
ntwoordden ze: 'Half om half, dacht ik.'

Lewis herinnerde zich hoe hij op school al zijn geld aan Benjamin
ad gegeven en sindsdien was het bezit van sixpence – laat staan een
hequeboek – ondenkbaar geweest.

Op een middag vond Lotte hem in de koeienstal, in een lange bruine
verkjas, bezig het stro op een kruiwagen te vorken. Zijn gezicht was
ood en stond op storm. Met een gescherpt instinct voor het juiste
noment vroeg ze of hij kwaad was op Benjamin.

'Woest!' zei hij. Benjamin was naar Rhulen gegaan om weer een
tuk land te kopen.

Het had totaal geen zin, zei hij. Tenminste niet zonder iemand om
et te bewerken. En Benjamin was veel te veel op de penning om
emand loon te betalen! Ze moesten een tractor kopen! Dat moesten
e!

'Maar een tractor kopen doet hij pas met sint-juttemis!' mopperde
ij. 'Soms denk ik dat ik beter af zou wezen in mijn eentje.'

Haar weemoedige blik kruiste de zijne. Hij zette zijn vork weg en de
voede vloeide uit hem weg:

Hij had altijd van Benjamin gehouden! Meer dan van wat dan ook
op de wereld. Dat kon niemand ontkennen! Maar hij had zich altijd
chtergesteld gevoeld... 'Opzij gezet, zeg maar...'

Hij zweeg even: 'Ik was de sterkste en hij een teer bleekneusje. Maar
iij was altijd de slimste. Meer ondergrond gehad, snapt u? En daarom
vas moeder dol op hem!'

'Ga verder!' zei ze. Hij was bijna in tranen.

'Ja, en daar prakkezeer ik wel eens over! Soms kan ik niet slapen en
lan lig ik me af te vragen hoe het zou wezen als hij er niet was. Als hij
vas weggegaan... of doodgegaan zelfs. Dan had ik mijn eigen leven
gehad, niet? Kinderen gehad?'

'Ik weet het, ik weet het,' zei ze bedaard. 'Maar zo eenvoudig is ons leven niet.'

Op haar laatste zondag reed Lotte de tweeling naar Bacton om het
grafmonument te bezichtigen van Lady Blanche Parry, een hofdame
van koningin Elizabeth.

Het kerkhof was overwoekerd met wilgenroosjes. Uit de boom gevallen taxusbessen vormden rode korstjes op het pad naar het kerk-

portaal. Het monument had pilaren en een Romeinse boog en sto
in een hoek van het koor. Aan de rechterkant stond een witte marm
ren beeltenis van de koningin zelf – een met juwelen bezet mens
dat een guirlande van Tudorrozen torste. Lady Blanche zat gekni
naast haar, en profil. Haar gezicht was strak maar mooi en in ha
hand had ze een gebedenboek. Ze droeg een plooikraag en daarond
hing een borstkruis aan een lint.

Het was kil in de kerk; Benjamin verveelde zich. Hij bleef buiten
de auto, terwijl Lotte de inscriptie in haar notitieboek overschreef:

... ALZO VERGINGEN MIJN DAGEN
ALS MAAGD AAN 'T HOF EN NIMMER
ALS GADE VAN EEN MAN
GEBONDEN AAN DE VERTREKKEN
VAN VORSTIN ELISABETH
DE MAAGDELIJKE KONINGINNE ALTOOS DIENSTBAAR
VERLIET IK ALS MAAGD HET AARDSE LEVEN

Ze maakte de regel af. Het potlood viel uit haar hand en stuiterde va
het altaarkleed op de plavuizenvloer. Want plotseling was de hele ee
zaamheid van haar leven haar naar de keel gevlogen – het smalle be
van de oude vrijster, het schuldgevoel over haar vertrek uit Oostenri
en de bittere ruzies in de kliniek.

Lewis bukte zich om het potlood op te rapen; en ook hij dacht teru
aan het verdriet van zijn eerste liefdes en het fiasco van de derde. H
pakte haar hand en drukte hem tegen zijn lippen.

Ze trok hem zachtjes terug.

'Nee,' zei ze. 'Het zou geen pas geven.'

Na de thee nam ze Benjamin apart en vertelde hem in niet mis te ve
stane bewoordingen dat hij een tractor voor Lewis moest kopen.

40

ggie Watkins stierf tijdens de verschrikkelijke winter van '47. Ze was ruim negentig jaar geworden. De sneeuw was tot over het dak gestoven en ze stierf in duisternis.

Jim had geen hooi meer. De koeien hielden iedereen wakker met hun geloei. De honden jankten en de katten wipten in en uit met van honger uitpuilende ogen. Zeven van zijn pony's waren zoek op de heuvel.

Hij schoof zijn moeder in een zak en legde haar stijfbevroren op de houtstapel, buiten bereik van de honden maar niet van de katten en ratten. Drie weken later, toen het begon te dooien, bonden hij en Ethel haar op een geïmproviseerde slee en trokken haar naar Lurkenhope om te begraven. De doodgraver was verbijsterd over de staat waarin het lijk verkeerde.

Jim vond zijn pony's een paar dagen later, in een kloof tussen enkele rotsen. Ze waren staande in een kring gestorven en hun snuiten wezen naar binnen als de spaken van een wiel. Hij wilde een graf voor ze graven, maar Ethel hield hem binnen om te helpen met het huis.

Er was een grote bult in de gevelspits verschenen en de hele muur leek het te gaan begeven. Een aantal dakspanten waren doorgezakt onder het gewicht van de sneeuw. Het ijswater was door Jims opgezette dieren gesijpeld en liep van de zolder naar de keuken. En hoewel hij almaar zei 'ik mot enkel een paar leien hebben en dan fiks ik het weer als nieuw,' was het enige dat hij deed een lekkend stuk zeil over het dak leggen.

Toen het voorjaar kwam probeerde hij de muur te stutten met stenen en spoorbielzen maar daarbij ondermijnde hij de funderingen zodanig dat hij volledig instortte. De volgende winter woonde er niemand in de oostkant van het huis en dat hoefde ook niet, want alle meisjes Watkins, behalve kleine Meg, waren het huis uit.

Lizzie was getrouwd met Manfred en deed alsof The Rock niet bestond. Brennie was ervandoor gegaan met 'een of andere zwarte', een Amerikaanse soldaat, van wie taal noch teken werd vernomen tot er een ansichtkaart uit Californië kwam. En op de meikermis in Rhulen liep Sarah tegen een vrachtrijder op, die met haar ging samenwonen in zijn boerderijtje achter de Begwyns.

Sarah was een forse, slonzige jonge vrouw met warrig zwart haar en een zeer onvoorspelbaar humeur. Haar enige grote angst was dat ze zou terugzinken in armoede; en daardoor maakte ze soms een gevoelloze en hebberige indruk. Maar in tegenstelling tot Lizzie hield ze een oogje op The Rock en zorgde ze dat ze nooit honger leden.

In 1952 maakte een tweede zware storm de keuken onbewoonbaar, waarop Ethel hem prijsgaf aan de kippen en al het meubilair opstapelde in de enige kamer die overbleef.

Dat vertrek zag er nu uit als een uitdragerij. Achter de kromgetrokken houten bank stond een eiken kist, met daarop een ladekast en een stapel kartonnen dozen. De tafels waren bezaaid met een assortiment potten, pannen, kroezen, jampotten, vuile borden en gewoonlijk een emmer kippenvoer. Alle drie de bewoners sliepen in de bedstee. Het bederfelijke eten werd bewaard in manden die aan de dakbalken bungelden. De schoorsteenmantel was bedolven onder een allegaartje van voorwerpen – van scheerkommen tot schapenscharen – roestig, wormstekig, onder lagen kaarsvet en bespikkeld met vliegenuitwerpselen.

Tinnen soldaatjes zonder hoofd marcheerden in gelid over de vensterbank.

Als er weer brokken pleisterkalk omlaagkwamen spijkerde Jim krantenpapier en dakvilt tegen de muren.

'Die zit,' zei hij dan optimistisch. 'Zo komt er geen zuchtje wind meer door.'

Door de rook uit de schoorsteen zat alles onder een laagje bruine hars. Op den duur waren de muren zo kleverig dat als een plaatje hem aanstond – een ansichtkaart uit Californië, het etiket van een blik Hawaiiaanse ananas of de benen van Rita Hayworth – hij het enkel tegen de muur hoefde te drukken en dan bleef het vanzelf plakken.

Als er een vreemde in de buurt kwam, greep hij zijn antieke voorlader – zonder hagel of kruit om hem te laden – en toen de belastinginspecteur langskwam voor een zekere 'James Watkins', stak Jim zijn hoofd over de palissade en schudde zijn hoofd: 'Heb ik al tijden niet gezien. Die is naar Frankrijk. Om tegen de Duitsers te vechten, als ik goed gehoord heb.'

Ondanks haar aanvallen van emfyseem kwam Ethel op marktdag steevast naar de stad gelopen, met kwieke stap en midden op de weg, altijd in dezelfde smerige oranje tweedjas en met een boodschappentas aan beide uiteinden van een paardenbuikriem om haar nek.

Op een dag kwam Lewis Jones haar op de top van Cefn Hill achteroprijden met zijn nieuwe tractor; ze zwaaide dat hij moest stoppen en sprong op de treeplank.

Vanaf die dag mikte ze het zo uit dat haar vertrek samenviel met dat van hem. Ze bedankte hem nooit voor de lift en stapte altijd af bij het oorlogsmonument. De ochtend bracht ze zoet met het afschuimen van de stalletjes. Rond twaalven liep ze binnen bij Prothero, de kruidenier.

Omdat hij wist dat ze lange vingers had, gaf meneer Prothero een knipoog aan zijn bediende, alsof hij wilde zeggen: 'Hou een oogje op het mensje, wil je?' Hij was een goedhartige man met een glimmend gezicht, als een Edammer kaas, die altijd een oogje toekneep als ze een blikje sardientjes of cacao wegnam. Maar als ze het te bont maakte en, bijvoorbeeld, een groot blik ham pakte, kwam hij achter de toonbank vandaan en versperde de deur:

'Vooruit, juffrouw Watkins! Wat hebben we vanmorgen in de tas? Dat hoort daar toch niet?' – en dan staarde Ethel strak uit het raam.

Dit ging jarenlang goed tot Prothero ging rentenieren en zijn winkel verkocht. Hij zei tegen de nieuwe eigenaars dat ze haar pekelzonden maar door de vingers moesten zien, maar de eerste keer dat Ethel een blikje melk stal, ontstaken ze in heilige burgermansverontwaardiging en haalden de politie erbij.

De volgende keer was het een boete van vijf pond; daarna zes weken gevangenis in Hereford.

Ze werd nooit meer de oude. De mensen zagen haar als een slaapwandelaar over de markt zwerven, af en toe bukkend om een leeg sigarettendoosje op te rapen en in haar tas te stoppen.

Op een druilerige novemberavond zagen de passagiers die op de laatste bus stonden te wachten een in elkaar gedoken gestalte in de hoek van het wachthuisje. De bus kwam aanrijden en een man riep: 'Wakker worden! Wakker worden! Anders mis je de bus!' Hij schudde haar door elkaar, maar ze was dood.

Meg was inmiddels negentien, een lief stevig meisje met kuiltjes in haar wangen en ogen die feller straalden dan de zon.

Ze stond op bij het krieken van de dag en was de hele dag in touw, zonder ooit The Rock te verlaten, behalve om blauwbessen te zoeken op de heuvel. Soms zag een wandelaar haar piepkleine gestalte met een emmer rammelen bij de vijver, terwijl een rijtje eenden naar haar toe waggelde. Als iemand te dicht in de buurt kwam, vloog ze het huis binnen.

Ze deed nooit haar kleren uit en sliep met haar hoed op.

De hoed, een grijze vilten klokhoed, had door ouderdom en vette vingers veel weg gekregen van een koeienvlaai. Haar twee broeken – een bruine over een beige – waren gescheurd op de knieën zodat de vastgeregen stukken fungeerden als beenkappen, terwijl de rest er vanaf haar middel in lappen bij hing. Ze droeg vijf of zes groene truien over elkaar, allemaal met zoveel gaten dat er stukjes huid zichtbaar waren. En wanneer een trui tot op de draad versleten was, bewaarde ze de wol en gebruikte die om de andere te stoppen met honderden minuscule groene lusjes.

Sarah ergerde zich dood dat Meg in zulke kleren rondliep. Ze kocht bloezen en vesten en dikke wollen truien; maar Meg droeg alleen groene jumpers en alleen als ze bijna van haar lijf vielen.

Bij een van Sarahs bezoeken zag ze Jim in de bagger ploeteren.

'En hoe is het met jou?' gromde hij. 'En wat mot je hier trouwens? Waarom laat je ons niet met rust?'

'Ik kom voor Meg, niet voor jou!' snauwde ze, waarop hij binnensmonds op haar vloekend weghinkte. Een week eerder had Meg geklaagd over pijn in haar buik.

Sarah laveerde tussen de kippen door en vond Meg op haar hurken bij de haard, waar ze lusteloos de smeulende houtskool zat aan te waaieren. Haar gezicht was vertrokken van pijn en haar armen zaten onder de zweren.

'Jij gaat met mij mee,' zei Sarah. 'Ik breng je naar de dokter.'

Meg huiverde, schommelde heen en weer en begon een monotone jeremiade af te steken:

'Nee, Sarah, ik ken hier niet weg. Heel aardig van je, Sarah, maar ik ken hier van mijn leven niet weg. Jim en ik horen bij mekaar. We doen het werk samen. Ja-a, de schapen en de kippen voeren en we hebben ons eigen leven met mekaar. En die arme eenden gaan zonder eten dood as ik wegging. Ja-a, en de kippen gaan zonder eten dood. En dat arme kuikentje in die doos daar! Ze lag al op apegapen en toen heb ik haar gered. Maar die gaat dood as ik weg was. En de vogeltjes bij de beek, die gaan dood as ik ze geen eten gaf. En de kat? Je weet niet wat er met de kat gebeurt as ik weg was...'

Sarah probeerde haar te bepraten. De dokter, zei ze, zat maar vijf kilometer verderop, in Rhulen: 'Doe niet zo mal! Je kunt zijn huis vanaf de heuvel zien. Ik breng je na het spreekuur meteen weer terug.'

Maar Meg had haar vingers onder de rand van haar hoed geschoven en zei, met beide handen voor haar gezicht: 'Nee, Sarah, ik ken hier van mijn leven niet weg.'

Vrijdagmorgen werd Sarah bij dag en dauw uit bed gebeld voor een telefoontje, voor haar rekening, vanuit de cel bij Maesyfelin. Het was Jim van The Rock, uit wiens onsamenhangende gestotter ze opmaakte dat Meg ziek was, of misschien wel op sterven lag.

De velden rond Craig-y-Fedw waren keihard bevroren: ze kon met haar bestelwagen tot het hek komen. Over het huis en de bijgebouwen lag een deken van mist. De honden huilden en probeerden los te breken uit hun hokken. Jim stond in de deur op en neer te wippen als een gewonde vogel.

'Hoe is het met haar?' vroeg Sarah.

'Slecht,' zei hij.

In de voorkamer zaten de kippen nog te suffen op hun roest. Meg lag op de grond, met haar ogen dicht, tussen de uitwerpselen. Ze kreunde zachtjes. Ze rolden haar op een plank en droegen haar naar de bestelwagen.

Halverwege de heuvel begon Sarah zich verschrikkelijk te schamen bij de gedachte dat ze Meg in zo'n toestand bij de dokter zou binnenbrengen. In plaats van rechtstreeks naar Rhulen te rijden, nam ze de zieke mee naar huis, waar ze haar met zeep, warm water en een nette jas iets toonbaarder maakte. Tegen de tijd dat ze bij de dokter arriveerden, lag Meg te ijlen.

Er kwam een jonge dokter naar buiten die achter in de bestelwagen klom. 'Buikvliesontsteking.' Hij spuwde het woord door zijn tanden

en schreeuwde naar zijn secretaresse dat ze een ambulance moes
bellen. Hij deed heel hatelijk tegen Sarah omdat ze haar niet eerder
had gebracht.

Naderhand had Meg enkel zeer vage herinneringen aan haar weke
in het ziekenhuis. De metalen bedden, de medicijnen, de verbanden
de felle lampen, liften, rolwagentjes en bladen vol glimmende instru
menten waren dingen die zo ver af stonden van wat ze kende dat ze di
afdeed als fragmenten van een nachtmerrie. Ook vertelden de dok
toren haar niet dat ze haar baarmoeder hadden weggenomen. Ze her
innerde zich alleen wat haar wel was verteld: 'Helegaar op! Dat zeie
ze dat ik was en dat was ik ook. Helegaar op! Maar ze vertelden niet d
helft van waar ik aan lee.'

41

De eerste tractor op The Vision was een Fordson Major. De carrosserie was blauw, de wielen waren oranje en de naam 'Fordson' stond in oranje reliëfletters op de zijkanten van de radiateur.

Lewis hield van zijn tractor, zag er een vrouw in en wilde er een vrouwennaam aan geven. Hij dacht eerst aan 'Maudie', daarna aan 'Maggie', en toen aan 'Annie'; maar geen van deze namen paste bij haar persoonlijkheid en uiteindelijk bleef ze naamloos.

In het begin was ze zeer nukkig. Hij kwam met de schrik vrij toen ze zijwaarts een greppel inkieperde; en toen hij haar koppeling aanzag voor het rempedaal liet ze hem in de heg belanden. Maar zodra hij haar eenmaal in bedwang had, speelde hij met de gedachte om deel te nemen aan een ploegwedstrijd.

Hij hoorde niets liever dan het geluid van al haar acht cilinders, stationair snorrend of grommend de heuvel opkruipend met de ploeg erachter.

Ook haar motor was even verbluffend als de anatomie van een vrouw! Hij deed niets anders dan haar bougies controleren, aan haar carburateur prutsen en met zijn vetspuit zoeken naar haar nippels en tobben over haar algehele gezondheid.

Bij het minste gesputter greep hij naar het onderhoudsboek en las hardop uit de lijst van mogelijke kwalen: 'Gebrekkige chokewerking... te rijk mengsel... defecte stroomkabels... vuil in de vlotterkamer' – terwijl zijn broer een gezicht zette alsof hij stond te luisteren naar obscene taal.

Keer op keer mopperde Benjamin over de kosten om de tractor draaiende te houden en herhaalde hij op sombere toon: 'We zullen weer terug moeten naar paarden.' Nu hij voor een ploeg, een rijenzaai-machine en een aanhangbak had betaald, leek er geen einde te komen aan de lijst en kosten van mogelijke accessoires. Wat moest Lewis met een aardappellichter? Waarom zouden ze een balenpers kopen? Of een mestverspreider? Het einde was toch zoek?

Lewis haalde zijn schouders op over de uitbarstingen van zijn broer en liet zich door de accountant uitleggen dat ze helemaal niet aan de grond zaten, maar rijk waren.

In 1953 kregen ze het aan de stok met de fiscus.

Ze hadden geen cent belasting betaald sinds Mary's overlijden. De inspecteur behandelde hen clement maar stond erop dat ze een deskundige consulent in de arm namen.

De jongeman die hun boeken kwam bekijken had het puistige en ondervoede gezicht van iemand die op kamers woont: toch stond zelfs hij versteld van hun spaarzaamheid. Ze hadden kleren voor de rest van hun leven; en omdat de rekeningen van de kruidenier, de dierenarts en de handelaar in landbouwbenodigdheden allemaal per cheque werden betaald, ging er zelden contant geld door hun handen.

'En wat zullen we opvoeren onder bijkomstige uitgaven?' vroeg de accountant.

'Geld voor op zak, bedoelt u?' zei Benjamin.

'Zakgeld, als u wilt.'

'Een pond of twintig?'

'Per week?'

'O nee, nee... Met twintig kunnen we het hele jaar vooruit.'

Toen de jongeman probeerde uit te leggen dat het gunstig was om met verlies te boeren, rimpelde Benjamin zijn voorhoofd en zei: 'Dat kan niet goed wezen.'

Tegen 1957 was de belastbare winstrekening van The Vision uitgegroeid tot een fiks bedrag; en ook de accountant was erop vooruitgegaan. Een bierbuik puilde over de band van zijn gekeperde cavaleriebroek. Een rijmantel, gele sokken en pololaarzen completeerden zijn uitmonstering en hij zat maar te kankeren op een zekere meneer Nasser.

Hij bonkte met zijn vuist op tafel: 'Of u besteedt vijfduizend pond aan landbouwmachines, of u geeft het cadeau aan de regering!'

'Dan kunnen we maar beter een nieuwe tractor kopen,' zei Benjamin.

Lewis verdiepte zich in prospectussen en liet zijn keuze vallen op een International Harvester. Hij ruimde een stal om haar te huisvesten en koos een mooie droge middag uit om haar op te halen uit Rhulen.

Ze was niet het soort tractor dat je gebruikte. Hij schrobde haar banden, schuierde het stof van haar af met een stoffer en ging af en toe de weg met haar op en neer om haar te luchten; maar jarenlang bewaarde hij haar als een kostbaar relikwie achter slot en grendel in de stal. Van tijd tot tijd gluurde hij door een reet in de deur en verlustigde zich in haar scharlakenrode lakwerk als een klein jongetje dat bij een bordeel binnengluurt.

De jaren vijftig brachten een aantal spectaculaire vliegrampen: twee Comets neergestort, dertig toeschouwers gedood op de luchtvaartshow van Farnborough. Benjamin kreeg hernia. The Vision werd aangesloten op het elektriciteitsnet, en van de oudere generatie werd de een na de ander ziek en ging dood. Er ging zelden een maand voorbij zonder een begrafenisdienst in de kerk en toen de oude mevrouw Bickerton overleed in Zuid-Frankrijk – op tweeënnegentigjarige leeftijd had ze zich verdronken in haar zwembad – was er een prachtige herdenkingsdienst in de anglicaanse kerk en mevrouw Nancy van het kasteel gaf een officiële lunch voor alle oude pachters en landgoedknechten.

Het kasteel was een ruïne aan het worden, tot op een augustusavond een schooljongen binnensloop om met pijl en boog op ratten te jagen en een brandende sigarettenpeuk weggooide; het hele gebouw ging in vlammen op. En in april 1959 kreeg Lewis zijn fietsongeluk.

Hij was naar Maesyfelin gefietst met een bosje muurbloemen om op de graven te leggen. Het was een bitter koude middag. De gesp van zijn overjas raakte los; de riem kwam tussen de spaken van het voorwiel – en hij vloog pardoes over het voorwiel! Een plastisch chirurg restaureerde zijn neus in het ziekenhuis van Hereford en daarna bleef hij altijd een beetje doof aan zijn ene oor.

De dag van hun zestigste verjaardag was bijna een dag van rouw.

Elke keer dat ze een blaadje van de kalender scheurden hadden ze het voorgevoel dat ze een ellendige oude dag tegemoet gingen. Dan keken ze naar de muur met familiefoto's – rijen en nog eens rijen lachende gezichten – stuk voor stuk dood of verdwenen. Hoe was het mogelijk, vroegen ze zich af, dat ze alleen waren komen te staan?

Hun gekibbel was voorbij. Ze waren nu even onafscheidelijk als ze waren geweest voor Benjamins eerste ziekte. Maar er moest toch ergens wel een neef zijn die ze konden vertrouwen? Wat had je aan land of tractoren als je uitgerekend een erfgenaam miste?

Ze keken naar de prent van de Indiaan en dachten aan oom Eddie. Misschien had hij kleinzoons? Maar die zouden in Canada zitten en nooit meer terugkomen. Ze dachten zelfs aan de zoon van hun oude vriend Manfred, een bleekogige knaap die soms op bezoek kwam.

Manfred was zijn eigen kippenfokkerij begonnen, in een stel golfplaatbarakken die waren neergezet voor Poolse vluchtelingen, en ondanks zijn zware Duitse accent was hij nu 'Engelser dan een Engelsman'. Hij had zijn naam officieel laten veranderen van Kluge in Clegg. Hij droeg groene tweedpakken, ontbrak zelden bij een jachtpartij en was voorzitter van de plaatselijke afdeling van de conservatieve partij.

Trots reed hij de tweeling naar zijn bedrijf; maar de kooien van kippengaas, de stank van kippenstront en vismeel en de rauwe verenloze nekken wekten bij Benjamin zo'n weerzin dat hij er liever niet terugkwam.

December 1965 was op de kalender een plaat van de dichtgevroren Norfolk Broads. Op de elfde – een datum die de tweeling nooit zou vergeten – kwam een roestige Ford bestelwagen het erf oprijden en een vrouw met rubber kaplaarzen stapte uit en stelde zich voor als mevrouw Redpath.

42

Ze had grijzend kastanjebruin haar en hazelnootkleurige ogen en voor een vrouw van haar leeftijd ongewoon frêle roze wangen. Wel een minuut lang stond ze bij het tuinhek nerveus aan de klink te morelen. Toen zei ze dat ze iets belangrijks te bespreken had.

'Kom toch binnen!' wenkte Lewis. 'Dan kunt u een kop thee krijgen.'

Ze verontschuldigde zich voor de modder aan haar laarzen.

'Een beetje modder kan geen kwaad,' zei hij vriendelijk.

Ze zei: 'Dank u, geen boterham!' maar wilde wel een plak vruchtencake, die ze in keurige partjes sneed en een voor een sierlijk op het puntje van haar tong deponeerde. Af en toe keek ze even de kamer rond en vroeg zich hardop af waar de tweeling de tijd vandaan haalde om 'al die curiosa' af te stoffen. Ze praatte over haar man, die bij het waterschap werkte. Ze praatte over het zachte weer en de kerstinkopen die zo duur waren. 'Ja,' antwoordde ze Benjamin, 'ik lust nog wel een kopje.' Ze nam ook nu weer vier klontjes suiker en stak van wal.

Haar hele leven had ze niet beter geweten dan dat haar moeder een timmermansweduwe was, die kostgangers had moeten nemen en haar jeugd had vergald. Tot ze verleden jaar, toen de oude vrouw op sterven lag, had gehoord dat ze een onwettig kind was, een vondeling. Haar echte moeder, een meisje van een boerderij op de Zwarte Heuvel, had haar in 1924 in de kost gedaan en was overzee verdwenen met een Ier.

'Rebecca's baby,' mompelde Lewis en zijn theelepel kletterde op het schoteltje.

'Ja,' fluisterde mevrouw Redpath en legde al haar emotie in een di
pe zucht. 'Mijn moeder was Rebecca Jones.'

Ze had haar geboortebewijs gecontroleerd, het kerkregister nag
trokken – en hier was ze dan, hun verloren gewaande nichtje!

Lewis keek knipperend naar de knappe, eenvoudige vrouw tege
over hem en zag in al haar gebaren een gelijkenis met zijn moede
Benjamin hield zich stil. In de scherpe schaduwen die het kale peert
wierp was hem haar onvriendelijke mond opgevallen.

'Wacht maar tot u mijn kleine Kevin ziet!' Ze pakte een mes e
sneed nog een plak cake voor zichzelf af. 'Hij lijkt als twee druppe
water op u twee.'

Ze wilde de volgende dag al met Kevin langskomen op The Visio
maar Benjamin was niet bijster happig: 'Nee, nee. We komen wel ee
keer langs.'

De hele week erna lagen de broers weer met elkaar overhoop.

Lewis vond dat Kevin Redpath een geschenk uit de Hemel was. Ben
jamin had het vermoeden dat mevrouw Redpath – zelfs als haar ve
haal waar was, zelfs als hij hun achterneef was – op hun geld uit wa
en dat er alleen maar ellende van zou komen.

Op de zeventiende kwam er een kerstkaart – van de kerstman op ee
rendierslee – met 'De Beste Wensen van Meneer en Mevrouw Rec
path, en Kevin!!' De thee stond weer op tafel toen ze voor de tweed
maal verscheen en vroeg of ze diezelfde avond wilden meerijden naa
het kerstspel in Llanfechan, waarin haar zoon nota bene Jozef zo
spelen.

'Ja, ik zou wel willen,' zei Lewis in een opwelling. En terwijl hij ee
ketel van de haardplaat pakte, knikte hij tegen zijn broer en ging naa
boven om zich te scheren en om te kleden. Met haar alleen in de keu
ken werd de verlegenheid Benjamin te machtig. En hij liep ook de tra
op naar de slaapkamer.

Het was donker tegen de tijd dat ze vertrokken. De lucht was helder e
de sterren draaiden rond als vuurraderen. Er lag een sluier van rij
over de hagen en er doemden witbestoven vormen op in het schijnse
van de koplampen. De bestelwagen slipte in een bocht maar me
vrouw Redpath reed voorzichtig. Benjamin zat als een geslagen hond
achterin op een strozak en verbeet zijn woede. Ze stopte voor het pa
rochiehuis en moest meteen weg om te zien of Kevin aangekleed was

Binnen was het steenkoud. Twee petroleumkachels bleken niet toereikend om de banken achterin te verwarmen. De tocht kwam fluitend onder de deur door en de vloerplanken stonken naar een ontsmettingsmiddel. Het publiek was dik ingepakt in omslagdoeken en overjassen. De predikant, een uit Afrika teruggekeerde zendeling, gaf elk lid van zijn gemeente een hand.

Voor het toneel hing een gordijn dat bestond uit drie oude grijze paardedekens, doorzeefd met motgaten.

Mevrouw Redpath voegde zich weer bij haar ooms. De lampen gingen uit, op het toneellicht na. Van achter het gordijn hoorden ze het gefluister van kinderen.

De schooljuffrouw glipte door het gordijn en nam plaats op de pianokruk. Haar gebreide muts had dezelfde donkerroze kleur als de azalea op de piano, en toen haar vingers op de toetsen begonnen te hameren, deinde de muts op en neer en trilden de blaadjes van de azalea mee.

'Kerstlied nummer één,' kondigde ze aan. '"Te Bethlehem geboren" dat alleen door de kinderen zal worden gezongen.'

Na de openingsmaten klonk achter het gordijn het geluid van aarzelende sopraantjes en door de motgaten zag de tweeling flitsen glinsterend zilver, van de uit folie vervaardigde stralenkransen van de engelen.

Na het kerstlied stapte er een blond meisje tevoorschijn, kleumend in een witte nachtpon. Op haar diadeem zat een ster van zilverpapier. 'Ik ben de ster van Bethlehem...' Haar tanden klapperden. 'Tienduizend jaar geleden hing God een grote ster aan de hemel. Ik ben die ster...'

Ze bracht de inleiding tot een goed einde. Toen zwaaide het gordijn met katrolgepiep open en daar was de maagd Maria, in het blauw, die op een rood rubberen knielmatje de vloer van haar huis in Nazareth zat te boenen. De engel Gabriël stond naast haar.

'Ik ben de engel Gabriël,' zei hij met verstikte stem. 'En ik ben gekomen om u te vertellen dat u een baby zult krijgen.'

'O!' zei de maagd Maria, met een dieprode blos. 'Dank u wel, meneer!' Maar de engel verhaspelde de volgende regel en Maria verhaspelde de regel daarna en toen stonden ze allebei hulpeloos midden op het toneel.

De juffrouw probeerde ze te souffleren. Maar toen ze zag dat ze kon souffleren wat ze wilde maar de situatie niet zou redden, riep ze 'Doek!' en vroeg alle aanwezigen om 'De Herdertjes Lagen Bij Nach te' te zingen.

Iedereen kende de tekst zonder de gezangbundel te hoeven open slaan. En toen het gordijn weer openging brulde iedereen het uit om de tweepersoons-ezel die schopte en bokte en balkte en knikte me zijn kop van papier-maché. Twee toneelknechten sjouwden een baa hooi en een kribbe voor het voeren van kalveren het toneel op.

'Dat is mijn Kevin!' fluisterde mevrouw Redpath, Benjamin in zijn ribben porrend.

Er was een jongetje opgekomen in een groen geruite kamerjas. Om zijn hoofd was een oranje handdoek gewikkeld. Op zijn kin zat een zwarte baard geplakt.

De broers gingen rechtop zitten en rekten hun hals, maar in plaats van zich tot de zaal te richten, wendde Jozef zich schichtig af en sprak zijn regels tegen het decor: 'Hebt u geen kamer voor ons, meneer? Mijn vrouw kan elk moment een baby krijgen.'

'Ik heb geen kamer meer vrij,' antwoordde Ruben de herbergier. 'De hele stad zit stampvol lui die hun belasting komen betalen. De schuld van de Romeinse regering, niet van mij!'

'Maar ik heb nog wel een stal,' vervolgde hij, wijzend naar de kribbe. 'Daar kunt u slapen als u wilt.'

'Nou, hartelijk dank, meneer!' zei de Maagd opgetogen. 'Dat is goed genoeg voor eenvoudig volk als wij.'

Ze begon het stro op te schudden. Jozef stond nog steeds met zijn gezicht naar het decor. Hij stak zijn rechterarm stijf de lucht in.

'Maria!' riep hij, plotseling moed verzamelend. 'Ik zie daarboven iets! Het lijkt wel een kruis!'

'Een kruis? Jakkes! Praat me niet van kruizen. Dan moet ik aan Caesar Augustus denken!'

Door de dubbele laag corduroy broekstof voelde Lewis de knie van zijn broer bibberen: want vader Jozef had zich omgedraaid en glimlachte in hun richting.

'Ja,' zei de maagd Maria tegen het einde van de slotscène. 'Ik vind het de mooiste baby die ik ooit heb gezien.'

En de tweeling Jones was ook in Bethlehem. Maar wat zij zagen was niet de plastic pop. Ook niet de herbergier of de herders. Ook niet de ezel van papier-maché of de echte schapen die aan het stro stonden te knabbelen. Ook niet Melchior met zijn doos chocolaatjes. Ook niet Caspar met zijn fles shampoo. Ook niet de zwarte Balthazar met zijn kroon van rood cellofaan en een gemberpot. Ook niet de cherubijnen en serafijnen, of Gabriël of de Maagd zelf. Zij hadden enkel oog voor een ovaal gezichtje met ernstige ogen en een randje zwart onder een tot tulband opgebonden handdoek. En toen het engelenkoor 'Wij zullen u wiegen, u wiegen, u wiegen' inzette, wiegden ze met hun hoofd mee in de maat en er drupten tranen op hun horlogeketting.

Na afloop van de voorstelling nam de predikant een paar kiekjes met flitslicht. De tweeling wachtte buiten voor de kerk, waar de moeders hun kinderen omkleedden.

'Kevin!... Kevin!' klonk een schelle stem. 'Als je niet gauw hier komt, krijg je een pak voor je broek...'

43

Het was een lief joch, druk en aanhankelijk, dat met smaak de vruchtencake van zijn oom Benjamin at en dol was op ritjes met zijn oom Lewis op de tractor.

In de grote vakantie liet zijn moeder hem weken achter elkaar logeren: ze begonnen net zo erg als hij op te zien tegen de eerste schooldag.

Hoog gezeten op het spatbord van de tractor keek hij hoe de ploegschaar zich in de stoppels beet, terwijl de zilvermeeuwen krijsten en zich op de verse voor stortten. Hij zag lammetjes geboren en aardappels gerooid worden. Hij zag een koe kalven en op een morgen stond er een veulen in de wei.

De tweeling zei dat op een dag alles van hem zou zijn.

Ze vertroetelden hem alsof hij een prinsje was, bedienden hem aan tafel, leerden dat ze hem nooit kaas of rode bietjes moesten voorzetten en vonden op zolder een bromtol die zoemde als een tevreden bij. Bewust teruggrijpend op hun eigen jeugd dachten ze er zelfs over om hem mee te nemen naar zee.

Op sommige avonden steunde hij, met oogleden zwaar van de slaap, zijn hoofd op zijn handen en geeuwde: 'Hè, willen jullie me alsjeblieft dragen?' Dus droegen ze hem de trap op naar hun oude slaapkamer en kleedden hem uit; ze trokken hem zijn pyjama aan en liepen op hun tenen de kamer uit, waar het nachtlampje brandde.

In een hoekje van de moestuin plantte hij sla, radijs en worteltjes en een rijtje lathyrus. Hij luisterde graag naar het grissende geluid van zaadjes in hun zakjes, maar zag niets in tweejarige planten.

'Twee jaar,' zeurde hij. 'Dat is veel te lang om af te wachten!'

Met een emmer over zijn arm speurde hij de heggen af naar alles wat zijn interesse wekte – padden, slakken, harige rupsen – en één keer kwam hij thuis met een spitsmuis. Toen zijn kikkervisjes babykikkers werden, bouwde hij een kikkerkasteel op een steen in het midden van een oude stenen trog.

Rond die tijd begon de boer van beneden Cwm Cringlyn een pony-manege; en in de zomermaanden draafden er soms wel vijftig jongens en meisjes over The Vision op weg naar de heuvel. Vaak vergaten ze de hekken te sluiten en vertrapten het weiland tot prut. Kevin maakte een bord van 'Verboden Toegang voor Onbevoegden'.

Op een middag stond Lewis brandnetels te maaien bij de varkensstal toen hij over het veld kwam aanrennen.

'Oom! Oom!' schreeuwde hij buiten adem. 'Ik heb een heel raar mens gezien.'

Hij trok Lewis mee en samen liepen ze naar de rand van de dalgeul.

'Sstt!' Kevin legde een vinger op zijn lippen. Toen trok hij de bladeren opzij en wees naar iets achter het kreupelhout. 'Kijk!' fluisterde hij.

Lewis keek en zag niets.

De zon blikkerde door de hazelaars en bespetterde de oever met veelkleurig licht. Het beekje murmelde. Kromstaven jonge varens krulden omhoog door de wilde kervel. Houtduiven koerden. Vlakbij zat een gaai te snappen en allerlei kleinere vogels tjilpten en kwetterden rond een met mos begroeide boomstronk.

De gaai zweefde van zijn tak en wipte op een stronk. De kleinere vogels vluchtten alle kanten op. De stronk bewoog.

Het was Meg van The Rock.

'Sstt!' Kevin wees opnieuw. Ze had de gaai van zich afgeveegd en de andere vogels kwamen terug om uit haar hand te eten.

Haar huid zat onder een roodachtige modderkoek. Haar broek had de kleur van modder. Haar hoed was écht een rottende stronk. En de gerafelde groene truien, allemaal aan elkaar geregen, waren het mos, en de boomkruipers en varens.

Ze sloegen haar een poosje gade en gingen toen weg.

'Is ze niet mooi?' zei Kevin, kniediep in de gele ganzenbloemen.

'Ja,' zei zijn oom.

Aan het begin van de kerstvakantie zei Kevin dat hij de 'Vogelvrouw' een cadeautje wilde geven. Van zijn eigen zakgeld kocht hij een geglaceerde chocoladetaart, en omdat Jim altijd donderdags naar de markt ging, kozen hij en Lewis een donderdag om de taart naar The Rock te brengen.

Leikleurige wolken rolden over de heuvel toen ze omzichtig hun weg zochten door de verdedigingslinies. De wind zwiepte het water van de vijver op. Meg zat binnen, tot haar ellebogen in een emmer hondenvoer. Ze kromp ineen bij het zien van bezoekers.

'Ik heb een taart voor u meegebracht,' hakkelde Kevin en trok zijn neus op voor de stank.

Ze sloeg haar ogen neer en zei: 'Nou, dankjewel!' en glipte naar buiten met de emmer.

Ze hoorden haar schreeuwen: 'Koest, ouwe boeven!' En toen ze weer binnenkwam, zei ze: 'Die honden benne zo wild als haviken.'

Ze staarde eerst naar de taart en toen naar de jongen en haar gezicht lichtte op: 'Zal ik een ketel opzetten voor thee?'

'Ja.'

Ze kloofde wat brandhout met een bijl en maakte een vuurtje. Er was in geen jaren iemand op de thee geweest. Ze herinnerde zich vaag dat juffrouw Fifield haar had laten zien hoe je een tafel moest dekken. Ze fladderde door de kamer met de lichtvoetigheid van een danseres, en met een gebarsten kopje uit de ene hoek, een gescherfd bord uit de andere, dekte ze voor drie personen, zelfs met mes en vork. Ze deed een snufje thee in de pot en prikte een blikje gecondenseerde melk open. Ze veegde het broodmes af aan haar broek, sneed drie forse hompen taart af en gooide de kruimels naar een stel bantams.

'Arme stakkers!' zei ze. 'Ze waren half kapot van de kou, maar ik heb ze binnen gevoerd.'

De schuwheid was van haar afgevallen. Ze zei dat Sarah met Jim naar Hereford was om wat eenden te verkopen: 'Dat zeien ze tenminste!' Ze zette haar handen op haar heupen. 'Maar ze krijgen geen cent want het benne ouwe stakkers. Laat ze leven, dat vind ik! Laat ze toch leven! Laat die konijnen leven! En die hazen leven! Laat die hermelijntjes toch doorspelen! Ja-a, en die vossen, die doen ik geen kwaad. Laat alle schepsels van God leven...'

Ze klemde beide handen om haar kopje en haar hoofd wiegde op en neer. Haar wangen rimpelden van plezier toen Lewis de ponyrijders ter sprake bracht:

'Ja, die heb ik gezien,' zei ze. 'Ladderzat en maar gillen en brullen en omdronken van hun paard vallen.'

Kevin, gruwend van de beestenbende, zat te popelen om weg te moen.

'Zal ik nog een stuk voor je snijden?' vroeg ze.

'Nee, dank u,' zei hij.

Ze sneed een tweede, groter stuk voor zichzelf en verslond het. Ze ooide de kruimels niet naar de bantams, maar pakte ze op met haar ingers en stopte ze in haar mond. Daarna likte ze haar vingers een oor een af, boerde en sloeg zich op de buik.

'We moeten ervandoor,' zei Lewis

Ze liet haar oogleden zakken. Op terneergeslagen toon zei ze: 'En wat ben ik je schuldig voor de taart?'

'Het was een cadeau,' zei Kevin.

'Maar je neemt hem toch wel mee?' Ze stopte de rest van de taart erug in de doos en deed met tegenzin het deksel dicht: 'Ik ken niet ebben dat Jim me ziet met een taart.'

Buiten het erf hielp Lewis haar een zeil van wat hooibalen tillen. Het regenwater dat erop was blijven liggen klotste over de rand en lensde in Kevins rubber kaplaarzen. Op het dak van de schuur kletterde een losse golfplaat in de wind. Plotseling lichtte een windvlaag nem op en hij vloog als een monsterlijke vogel op hen af en belandde met een klap op de schroothoop.

Kevin dook plat op zijn buik in de modder.

'Verdomde storm,' zei Meg. 'Blaast die platen alle kanten op!'

De jongen hield zijn oom krampachtig bij de arm toen ze wegliepen over het bultige weiland. Hij zat onder de vuiligheid en liep bang te reinen. De wolken schoven open en flarden blauw dreven laag over. Een voor een hielden de honden op met blaffen. Ze keken om en zaen Meg bij de wilgen haar eendjes roepen. Haar stem werd door de vind aangedragen: 'Wid! Wid! Kom dan! Wid! Wid!...'

'Zou hij haar straks slaan?' vroeg de jongen.

'Ik weet niet,' zei Lewis.

'Hij is vast een heel gemene man.'

'Jim is de kwaadste niet.'

'Ik wil daar nooit meer naartoe.'

44

Kevin werd veel sneller groot dan zijn beide ooms voor mogelij
hielden. De ene zomer zong hij nog met een sopraan. De volgend
– zo leek het tenminste – was hij de langharige waaghals die een wil
paard bereed tijdens de tentoonstelling van Lurkenhope.

Toen hij twaalf was, vermaakte de tweeling hun bezit aan hen
Owen Lloyd, de notaris, wees erop dat het voordeliger was om lan
en opstallen van The Vision nog tijdens hun leven aan Kevin over t
dragen. Het was allerminst zijn bedoeling, zei hij, om hen op enigerl
wijze te beïnvloeden: maar als ze nog vijf jaar zouden leven, zoude
er over hun bezit geen successierechten betaald hoeven te worden.

'Niets te betalen?' Benjamin veerde op en leunde naar voren ove
het bureau van de notaris.

'Niets. Alleen zegelrecht,' zei meneer Lloyd.

Zeker voor Benjamin was het idee dat ze de overheid een hak ko
den zetten onweerstaanbaar. En afgezien daarvan, Kevin kon in zij
ogen geen kwaad doen. Zijn tekortkomingen, als hij die al had, ware
de tekortkomingen van Lewis – en dat maakte ze alleen maar inn
mender!

Uiteraard, ging meneer Lloyd verder, zou Kevin wettelijk verplic
zijn om voor hun oude dag te zorgen, vooral, voegde hij er gedemp
aan toe, 'als een van u beide heren ziek mocht worden...'

Benjamin keek even om naar Lewis, die knikte.

'Dat is dan geregeld,' zei Benjamin en gaf de notaris opdracht om d
akte van overdracht op te stellen. Kevin zou erven op zijn eenentwi
tigste – wanneer de tweeling inmiddels tachtig zou zijn.

Nauwelijks waren de papieren getekend of zijn moeder, vrouw Re

…ath, begon hun het leven zuur te maken. Zolang de erfenis nog niet zeker was, had ze zich niet opgedrongen en mooi weer gespeeld. Ploteling, van de ene dag op de andere, tapte ze uit een ander vaatje. Ze gedroeg zich alsof de boerderij haar geboorterecht was – bijna alsof de tweeling het haar met list en bedrog ontfutseld had. Ze viel hen lastig om geld, snuffelde in hun laden en maakte spottende opmerkingen over het feit dat ze in één bed sliepen.

Ze zei: 'Hoe bestaat het dat jullie nog op zo'n oud fornuis koken! Geen wonder dat het eten naar roet smaakt! Er bestaat toevallig zoiets als elektrische kookplaten!... En die stenen vloeren! In deze moderne tijd! Zo onhygiënisch! Wat die vloer nodig heeft is een vochtwerende laag en daaroverheen mooie vinyltegels.'

Op een zondag onthulde ze, enkel en alleen om de lunch te bederven, dat haar moeder nog leefde en inmiddels een rijke weduwe in Californië was.

Benjamin liet zijn vork vallen en schudde toen zijn hoofd.

'Dat lijkt me sterk,' zei hij. 'Ze had vast geschreven als ze nog leefde' – waarop mevrouw Redpath uitbarstte in een stortvloed van krokodillentranen. Niemand had ooit van haar gehouden. Niemand had haar willen hebben. Ze was altijd afgedankt, doorgeschoven.

In een poging om haar te troosten vouwde Lewis de groene lakense doek van het zilverwerkkistje open en gaf haar Rebecca's dooplepel. Haar ogen vernauwden zich. Ze vroeg scherp: 'Wat hebben jullie nog meer van moeder?'

De broers gingen haar voor naar de zolder, maakten een kist open en haalden er alles uit wat nog over was van Rebecca's bezittingen. Een zonnestraal die door het daklicht viel speelde over de ruitjesjes, de witzijden kousen, de knoopjeslaarzen, een baret met een pompoen en een paar met kant afgezette bloesjes.

Stil van ontroering staarde de tweeling naar deze treurige, verkreukelde relieken en dacht terug aan die andere zondagen, lang geleden, toen ze met zijn allen naar de vroege ochtenddienst reden in de dogcar. Tot mevrouw Redpath, zonder ook maar iets te vragen, alles bij elkaar pakte en vertrok.

Ook Kevin was ze teleur gaan stellen.

Hij was charmant: hij kreeg Benjamin zelfs zo gek dat hij hem een motor gaf. Maar hij was een onverbeterlijke luiwammes en probeerde zijn luiheid te verdoezelen door te strooien met technisch jargon. Hij had geen goed woord over voor de landbouwmethoden van de tweeling en maakte hen doodongerust met zijn gepraat over inkuilen en foetusimplantatie.

Hij zou twee dagen per week op The Vision werken en drie dagen een ambachtsschool in de buurt bezoeken. In de praktijk deed hij geen van beide. Hij kwam af en toe opdagen, met een zonnebril op en een spijkerjack verfraaid met metalen knopen en een doodskop. Aan zijn pols bungelde een transistorradio. Hij had een slang op zijn arm laten tatoeëren en hij had slechte vrienden.

In het voorjaar van '73 kocht een jong Amerikaans stel, Johnny en Leila, de oude boerenwoning van Gillyfaenog, waarin ze een 'leefgemeente' begonnen. Ze beschikten over eigen geld. Hun natuurvoedingswinkel in Castle Street was al het gesprek van de dag; en toen Lewis Jones er een kijkje had genomen, zei hij dat het iets weghad van 'een meelzolder'.

Sommige leden van de commune droegen wijde oranje gewaden en schoren hun hoofd kaal. Anderen droegen een paardenstaart en victoriaanse kledij. Ze hielden een kudde witte geiten; speelden gitaar en fluit; en werden soms gesignaleerd in hun boomgaard, in kleermakerszit in een kring, zonder iets te zeggen of te doen, hun ogen half gesloten. Het was de vrouw van Owen Morgan die het gerucht in de wereld bracht dat de hippies 'als varkens' bij elkaar sliepen.

Die augustus bouwde Johnny een eigenaardige vuurrode toren in de moestuin, waaraan langwerpige vaantjes kwamen te hangen, bedrukt met roze bloemen die vervlochten waren met zwarte letters. Dat waren volgens vrouw Morgan de symbolen van de cultus. Iets Indiaas, dacht ze.

'Dus het heeft wat te schaften met de paus?' zei Lewis. Hij had haar niet verstaan door het lawaai van de tractor.

Ze stonden voor de kerk van Maesyfelin.

'Nee,' riep ze. 'Dat is Italiaans.'

'O!' knikte hij.

Een week later gaf hij een lift aan een roodgebaarde reus, gehuld in een hes van geitenwol, zijn voeten omwonden met jute: zijn overtuiging, zei hij, verbood het gebruik van leer.

Lewis zette hem af bij het tuinhek en vroeg naar de letters op de vlag

De jongeman boog zijn hoofd, bracht zijn handen in gebed omhoog en begon heel langzaam te zingen: 'OM MANI PADME HUM' – wat hij even later vertaalde: 'Heil, Juweel in de Lotus! Hum!'

'Dank u beleefd,' zei Lewis, terwijl hij aan zijn pet tikte en de tractor in zijn versnelling zette.

Na deze ontmoeting herzagen de broers hun mening over de hippies en Benjamin opperde dat ze een 'een soort rustkuur' deden. Toch had hij liever niet dat neef Kevin zich met hen inliet. Halverwege een groenige zonsondergang was de knaap over het tuinpad aan komen walken, met een glazige en dromerige blik in zijn ogen de keuken binnengezeild en had zijn gele motorhelm in de schommelstoel laten vallen.

'Nee, oom,' grinnikte hij. 'Paddenstoelen gegeten.'

45

De tweelingbroers waren in de zeventig toen ze een nieuwe onver
wachte vriendin kregen in Nancy, de laatste Bickerton, die nu in d
oude pastorie van Lurkenhope woonde.

Ondanks haar jicht, bijziendheid en povere beheersing van de pe
dalen had ze de examinator weten te overtuigen dat ze in staat wa
om haar 'rammelkast van een Sunbeam' te besturen en daarmee tro
ze er voortdurend op uit. Ze had haar hele leven over The Vision hore
praten en gaf nu de wens te kennen om er een bezoek te brengen. Z
kwam een keer en nog een keer en toen weer, altijd onaangekondig
rond theetijd, met een zakvol krentencakes en haar vijf kwijlend
mopshondjes.

De landadel verveelde haar. Bovendien had ze met de tweeling Jone
bepaalde herinneringen gemeen aan gelukkiger dagen voor de Eerst
Wereldoorlog. Ze zei dat The Vision de mooiste boerderij was die z
ooit had gezien en als mevrouw Redpath hun ook maar 'één jota la
bezorgde', moesten ze haar maar de deur wijzen.

Ze drong erop aan dat ze bij de pastorie zouden langskomen, waa
ze sinds de dood van dominee Tuke niet meer waren geweest; ze aa
zelden wekenlang voor ze de uitnodiging aannamen.

Toen ze arriveerden stond ze halverwege de border van overblijve
de planten, in een roze kiel en met een raffia hoed op, rukkend aan ee
winde die de herfstseringen dreigde te verstikken.

Lewis kuchte.

'O, zijn jullie daar?' Ze draaide zich naar hen om; stotteren deed z
allang niet meer.

De twee oude heren stonden naast elkaar op het gazon, zenuwacl
tig plukkend aan hun pet.

'O, wat ben ík blij dat jullie zijn gekomen!' zei ze en gaf hun een
ndleiding door de tuin.

Een dikke laag make-up verhulde de vlekken in haar gezicht en een
el ivoren armbanden gleden op en neer langs haar uitgemergelde
m en klakten als ze tegen haar hand kwamen.

'Dat daar!' gebaarde ze naar een wolk witte bloesems. 'Dat is *crambe
rdifolia*!'

Ze hield niet op zich te verontschuldigen voor de wanorde: 'Een
inman is net zo moeilijk te vinden als de Heilige Graal!'

De pijlers van de pergola waren omgevallen; de rotstuin was een
erg onkruid; de rododendrons waren doorgeschoten of aan het af-
erven en de overige struiken van de dominee waren 'weer wilder-
s geworden'. Op de deur van de kweekkas vonden de broers een
oefijzer dat ze daar hadden vastgespijkerd als geluksteken.

Een briesje blies wolken distelpluis over de lelievijver. Ze stonden
in de rand en keken naar de onder de plompenbladeren doorschie-
nde goudvissen, verzonken in gemijmer over juffrouw Nancy die
oor haar broer over het meer werd geroeid. Toen riep de huishoud-
er hen binnen voor de thee.

Ze stapten door de tuindeuren een zee van souvenirs binnen.

Nancy was van nature niet in staat om ook maar iets weg te gooien
had de acht kamers van de pastorie volgestouwd met de relieken uit
veeënvijftig kasteelvertrekken.

Aan een muur van de salon hing een mottig wandkleed, van Tobias;
an een andere een enorm schilderij van de Ark van Noë en de berg
rarat, het stroperige oppervlak gebobbeld van bitumenribbels. Er
onden 'gotieke' kasten, een buste van Napoleon, een half harnas,
en olifantspoot en talloze andere grootwildtrofeeën. Potgeraniums
eten hun vergelende bladeren vallen op de stapels brochures en jaar-
ingen van *Country Life*. Een grasparkiet hing met zijn klauwtjes aan
e tralies van zijn kooi; mandflessen eigengemaakte wijn stonden
ruk te gisten onder het consoletafeltje, terwijl het vloerkleed hier en
aar was bevuild met de urinevlekken van generaties incontinente
opshonden.

De thee met toebehoren rolde rammelend binnen op een wagen-
e.

'Chinese of Indiase?'

'Moeder heeft in India gewoond,' zei Benjamin verstrooid.

'Dan moeten jullie eens kennismaken met mijn nicht Philippa Geboren in India! Is er weg van! Gaat er de hele tijd heen! Ik bedoeld de thee!'

'Dank u,' zei hij. Voor alle zekerheid schonk ze daarom maar twee kopjes Indiase thee met melk voor hen in.

Tegen zessen ging ze buiten op het terras zitten. Ze schonk vlierbessenwijn voor hen in en ze haalden herinneringen op aan vroeger. De tweeling bracht de perziken van meneer Earnshaw ter sprake.

'Dat was nog eens een échte tuinman!' zei ze. 'Die zou het niet mee zo leuk vinden, hè?'

De wijn maakte Lewis spraakzamer. Met een verhit gezicht bekend hij hoe ze zich als jongens achter een boom hadden verstopt om haa te zien langsrijden.

'Tjonge,' zuchtte ze, 'had ik dat maar geweten...'

'Ja,' gniffelde Benjamin. 'En u had moeten horen wat hij tegen moe der zei!'

'Vertel op!' Ze keek Lewis recht in de ogen.

'Nee. Nee,' zei hij, schaapachtig grijnzend. 'Nee, ik kijk wel uit.'

'Hij zei,' zei Benjamin, '"Als ik groot ben, ga ik trouwen met juf frouw Bickerton."'

'Nou dan!' Ze stootte een schorre lach uit. 'Nu is hij groot. Waa wachten we nog op?'

Er viel een stilte. Zwaluwen zaten te kwetteren onder de dakranc Bijen zoemden rond de 's nachts geurende violieren. Verdrietig spra ze over haar broer Reggie:

'We hadden allemaal met hem te doen. Zijn been, weten jullie nog Maar eigenlijk deugde hij niet. Had met dat meisje moeten trouwen Zij zou hem eroverheen hebben geholpen. En het was allemaal mijn schuld, wisten jullie dat?'

In de loop der jaren had ze vaak geprobeerd het goed te maken me Rosie, maar de deur van het huisje was altijd voor haar neus dichtge slagen.

Er viel weer een stilte. De ondergaande zon gaf de steeneik een gou den randje.

'Mijn God!' mompelde ze. 'Een taaie vrouw, hoor!'

De week daarvoor nog had ze haar vanuit de auto gadegeslagen – een gebogen gestalte met naar binnen wijzende voeten en een ge breide muts op, die bij de dominee aanklopte om haar wekelijks

nvelop met twee vijfpondsbiljetten op te halen. Alleen Nancy en de
ominee wisten waar de envelop vandaan kwam: ze durfde het bedrag
iet te verhogen om geen argwaan bij Rosie te wekken.

'Jullie moeten nog eens komen.' Nancy greep beide broers bij de
and. 'Het was enig. Beloof me dat jullie komen!'

'En komt u dan weer bij ons?' zei Benjamin.

'Jazeker! Ik kom aanstaande zondag! En dan neem ik mijn nicht,
'hilippa, mee! Kunnen jullie eens lekker kletsen over India.'

)e theevisite van Philippa Townsend was een doorslaand succes.
senjamin zette zijn beste beentje voor, voerde zijn moeders recept
oor kersencake tot op de letter uit, en toen hij het deksel van de schaal
aet het wilgendessin oplichtte, klapte de eregaste in haar handen en
ei: 'Jeetje! Kaneeltoast!'

Toen de tafel was afgeruimd, pakte Lewis Mary's schetsboek uit en
'hilippa sloeg de bladen om en riep de namen van de afgebeelde plaat-
en: 'Dat is Benares! Daar heb je Sarnath!... Moeten jullie kijken! Dat
; het Holi-feest. Kijk al dat prachtige rode poeder!... O, wat een fraaie
vaaierbediende!'

Ze was een kleine en heel dappere vrouw met lachrimpeltjes rond-
om haar leigrijze ogen en zilverwit ponyhaar. Elk jaar trok ze een paar
aanden in haar eentje door India, op de fiets. Ze sloeg de een na laat-
te bladzijde om en staarde als door de bliksem getroffen naar een
quarel van een pagodeachtig bouwwerk, dat tussen coniferen stond
net daarachter het oprijzende Himalayagebergte.

'Dit is ongelooflijk,' riep ze luidkeels uit. 'Ik dacht dat ik de enige
lanke vrouw was die de tempel had gezien.' Maar Mary Latimer had
em gezien in de jaren negentig.

Philippa vertelde hun dat ze werkte aan een boek over Engelse rei-
igsters in de negentiende eeuw. Ze vroeg of ze de aquarel mocht
opiëren als illustratie.

'Dat mag,' zei Benjamin, die erop stond dat ze het boek meenam.

Drie weken later kwam het schetsboek per aangetekende post te-
ug. In hetzelfde pakket zat een prachtig kleurenfotoboek, getiteld
)e Luister van Brits-Indië, en hoewel geen van beide broers precies
vist wat ze bekeken, werd het een van de schatten van het huishou-
en.

Om de paar maanden hield het Antiquarisch Genootschap van Radnor een bijeenkomst in het dorpshuis van Lurkenhope; en telkens als er een lezing met lichtbeelden was, nam Nancy haar 'twee beste vriendjes' mee. In de loop van het jaar kregen ze over de meest uiteenlopende onderwerpen te horen – 'Oude Engelse Doopvonten in Herefordshire', 'De Bedevaart naar Santiago' en toen Philippa Townsend een causerie hield over reizigers in India, vertelde ze de aanwezigen over het 'fascinerende schetsboek' op The Vision, terwijl de tweelingbroers op de eerste rij zaten te glunderen met allebei een identieke rode primula in hun knoopsgat.

Na afloop werden er achter in de zaal verversingen geserveerd en voor hij er erg in had werd Lewis in een hoek gemanoeuvreerd door een gezette man in een paars streepjeshemd. De man praatte heel rad waarbij zijn woorden als een half verstaanbare brij door een verkleurd gebit stroomden en zijn ogen schichtig heen en weer schoten. Hij doopte zijn gemberkoekje in zijn koffie en slurpte het naar binnen.

Daarna drukte hij Lewis een kaartje in handen met 'Vernon Cole – Pendragon Antiek, Ross-on-Wye' en vroeg of hij eens bij hen langs mocht komen.

'Ja, hoor,' antwoordde Lewis die veronderstelde dat 'Antiek' en 'Antiquarisch' hetzelfde was. 'We zouden het leuk vinden als u kwam.'

De heer Cole kwam de volgende dag al in een volkswagenbusje.

Het motregende en de heuvel was gehuld in wolken. De honden maakten een kabaal van jewelste toen de vreemdeling omzichtig tussen de toffeekleurige plassen door stapte. Lewis en Benjamin waren de koeienstal aan het uitmesten en ergerden zich aan de onderbreking; maar uit beleefdheid staken ze hun mestvork in de dampende hoop en noodden hem binnen.

De antiekhandelaar was volkomen op zijn gemak. Hij liet zijn ogen de keuken rondgaan, draaide een schoteltje om en zei: 'Doulton' bekeek de 'Indiaan' van dichtbij om zich ervan te vergewissen dat het maar een prent was, en vroeg of ze toevallig ook apostellepels hadden.

Een halfuur later vroeg hij, zijn boterham besmerend met aardbeienjam, of ze ooit hadden gehoord van Nostradamus:

'Nooit gehoord van de profeet Nostradamus? Nou breekt mijn klomp!'

Nostradamus, vervolgde hij, leefde eeuwen geleden in Frankrijk och had hij Hitler 'op de kop af goed' voorspeld: zijn Antichrist was waarschijnlijk kolonel Khadaffi; en hij had geprofeteerd dat het Einde van de Wereld zou komen in 1980.

'1980?' vroeg Benjamin.

'1980.'

De tweeling staarde bedrukt naar het theeservies.

Meneer Cole rondde zijn monoloog af, liep naar de piano, legde zijn handen op Mary's secretaire en zei: 'Het is toch verschrikkelijk!'

'Verschrikkelijk?'

'Zulke prachtige marqueterie! Heiligschennis is het!'

Het fineer van de klep was kromgetrokken en gebarsten en er waren een paar stukjes weg.

'Ik bedoel, dit moet gerepareerd worden,' vervolgde hij. 'Daar weet ik wel een mannetje voor.'

De broers vonden het vreselijk om de secretaire te laten gaan maar de gedachte dat ze een aandenken aan Mary hadden verwaarloosd stuitte ze nog meer tegen de borst.

'Weet u wat?' ratelde hij verder. 'Ik neem hem mee en laat hem aan hem zien. Als hij binnen een week niet langskomt, breng ik hem meteen terug.'

Hij trok een reçuboekje uit zijn zak, waarop hij iets onleesbaars krabbelde. 'Als hij binnen een week niet langskomt, breng ik hem meteen terug.'

'Wat... uh... wat voor bedrag zullen we zeggen? Honderd pond?... Honderdtwintig! Voor alle zekerheid! Hier, wilt u dit even tekenen?'

Lewis tekende, Benjamin tekende. De man scheurde de onderste kopie af, nam zijn 'vondst' in beslag; wenste hun een heel goede middag en vertrok.

Na twee slapeloze nachten besloot de tweeling Kevin de secretaire te laten terughalen. In plaats daarvan kwam er met de postbode een cheque – goed voor 125 pond.

Ze voelden zich onwel en moesten gaan zitten.

Kevin leende een auto en bood aan hen naar Ross te brengen, maar de moed ontbrak hun. Nancy Bickerton bood aan om 'die man zijn oren te wassen' maar zij was vijfentachtig. En toen ze bij Lloyd de notaris langsgingen, nam hij het reçu aan, ontcijferde de woorden: 'Eén antieke Sheratonsecretaire. Ter verkoop in commissie' – en schudde zijn hoofd.

Hij stuurde echter wel een scherpe advocatenbrief maar kreeg va
Coles advocaat een veel scherpere brief terug: de beroepseer van zij
cliënt was in twijfel getrokken en hij zou er werk van maken.

Er was niets aan te doen.

Verbitterd en diep gekwetst kropen de broers weer terug in hu
schulp. De secretaire kwijtraken door diefstal of brand, dat hadden z
nog kunnen verwerken. Maar hem kwijtraken door hun eigen stom
miteit, aan een man die ze hadden uitgenodigd, die aan Mary's taf
had gezeten en uit een kopje van haar thee had gedronken – dat wa
een gedachte die aan hen knaagde en hen ziek maakte.

Benjamin kreeg een aanval van bronchitis. Lewis had nog lange
nodig om te herstellen van een middenoorontsteking, maar helemaa
de oude werd hij niet meer.

Vanaf die tijd leefden ze in voortdurende angst om beroofd te worden
's Nachts barricadeerden ze de deur; en Lewis kocht een doos patro
nen die hij naast het oude kaliber 12-geweer legde. Op een stormach
tige nacht in december hoorden ze iemand op de deur bonzen. Z
bleven roerloos onder de dekens liggen tot het gedreun ophield. D
volgende ochtend bij dageraad vonden ze Meg van The Rock slapen
tussen de laarzen in het portaal.

Ze was verstijfd van de kou. Ze ondersteunden haar naar het haard
bankje en ze ging zitten, haar handen tegen haar wangen, haar bene
uit elkaar.

'Jim is dood!' Zij was degene die de stilte verbrak.

'Ja,' vervolgde ze met lage, monotone stem. 'Zijn benen waren hele
gaar groen as mos en zijn handen waren vuurrood. En toen stopte i
hem in bed en hij sliep. En toen werd ik vannacht wakker en de hon
den jankten en Jim lag buiten bed, op de grond, en zijn kop zat hele
gaar onder het bloed waar-ie gevallen was. Maar hij leefde nog e
praatte nog, dat wel, en toen stopte ik hem weer in bed.

"Nou, het beste!" zei die. "Geef ze te vreten!" zei-die. "Geef ze t
vreten, die ooien! En stop ze wat hooi toe als je heb! Geef ze te vre
ten! Blijf ze voeren! En geef die pony's wat veekoek als je heb. E
laat Sarah ze niet verkopen! Die redden het best met een beetj
voer...

En zeg tegen die van Jones dat er pruimen benne bij Cock-a-Lofti
Laat ze wat pruimen plukken! Ik heb ze gezien... Prachtige gele pru

men! En de zon is op! De zon schijnt! Ik zie hem! De zon schijnt krek door de pruimen..."

Dat zei die – dat jullie wat pruimen mosten plukken. En toen voelde ik zijn voeten en die waren koud. En toen voelde ik vanboven en hij was helegaar koud. En de honden zaten te huilen en te janken en te piepen en aan de ketting te rammelen... en toen wist ik dat Jim er niet meer was...!'

46

Een uur na Jims begrafenis hadden de vier belangrijkste rouwgaste zich genesteld in de gelagkamer van de Red Dragon, soep en hache besteld en zaten bij te komen van de vrieskou. Het was een gure e druilerige dag. Hun schoenen waren doornat van de sneeuwbagge op het kerkhof. Manfred en Lizzie waren in het zwart en grijs, Sara droeg een pantalon en een blauwe nylon parka; en Frank de vrach rijder, een lijvige man in een tweedpak dat hem verscheidene mate te klein was, liet zijn hoofd van verlegenheid hangen en staarde naa zijn kruis.

Bij de tap zette een ciderliefhebber zijn pul met een smak neer, boe de en zei: 'Aah! De wijn van het westen!' Een man en een meisje stor den een computerspelletje te spelen en het elektronische getierelie beheerste het vertrek. Manfred prakkizeerde zich suf hoe hij een ru zie tussen zijn vrouw en zijn schoonzuster kon voorkomen. Hij boo zich voorover naar de spelers en vroeg: 'Hoe heet dat spel?'

'Space Invaders,' zei het meisje nors en goot een zakje pinda's lee in haar mond.

Lizzie kneep haar kleurloze lippen op elkaar en zei niets. Maa Sarah, die al gloeiende wangen had van de haard, ritste haar park open en besloot iets te zeggen.

'Lekkere uiensoep,' zei ze.

'Franse uiensoep,' zei de magere vrouw.

Er volgde een stilte. Een groepje wandelaars kwam binnen en gooi de hun rugzakken op een hoop. Frank wilde geen hap van zijn soe nemen en bleef naar zijn kruis staren. Zijn vrouw probeerde nog maals een gesprek op gang te brengen.

Ze keek opzij naar een reusachtige bruine forel in een glazen kastje boven de schoorsteenmantel en zei: 'Ben benieuwd wie die vis heeft gevangen.'

'Joost mag het weten,' zei Lizzie schouderophalend en blies op haar pelsoep.

De vriendin van de barkeeper kwam met de hachee: 'Ja,' zei ze met en zwaar Lancashire-accent, 'over die forel wordt veel gepraat. Een Amerikaan heeft hem gevangen in het bassin bij Rosgoch. Hij zat bij de luchtmacht. Hij had het record van Wales gebroken als hij hem niet had gegromd. Hij heeft hem hier gelaten om op te zetten.'

'Een kanjer,' knikte Manfred.

'Het is een vrouwtje,' ging de vrouw verder. 'Dat kun je zien aan de vorm van de kaak. En een kannibaal ook nog! Moet wel om zo groot te worden! De preparateur had de grootste moeite om ogen te vinden die groot genoeg waren.'

'Ja,' zei Sarah.

'En waar er één zit, daar zitten er twee. Dat zeggen de vissers tenminste.'

'Nog een vrouwtje?' vroeg Sarah.

'Een mannetje, zou ik denken.'

Sarah keek op haar polshorloge en zag dat het bijna twee uur was. Over een halfuur hadden ze een afspraak met Lloyd de notaris. Ze had nog iets op haar lever en keek Lizzie recht in de ogen.

'Hoe moet het met Meg?' zei ze.

'Hoezo?'

'Waar moet ze wonen?'

'Weet ik veel.'

'Ze moet toch ergens wonen.'

'Geef haar een caravan en een paar boenders en ze is dik tevreden.'

'Neen,' kwam Manfred tussenbeide, terwijl zijn wangen rood kleurden. 'Zij is niet tevreden. Als jij haar weghaalt van The Rock, wordt zij ziek.'

'In elk geval kan ze niet in die zwijnenstal blijven wonen,' bitste Lizzie.

'Waarom niet? Zij woont daar haar ganse leven.'

'Omdat het verkocht gaat worden.'

'Wat krijgen we nou?' Sarah draaide haar hoofd met een ruk om – en de ruzie brandde in alle hevigheid los.

Sarah vond dat zij The Rock moest krijgen. Twintig jaar lang had ze Jim uit de nesten gehaald; en hij had beloofd haar alles na te laten. Herhaaldelijk had ze hem bij de arm gepakt: 'Je bent toch wel bij de notaris geweest, hè?' 'Ja, Sarah,' zei hij dan. 'Ik ben bij Lloyd de notaris geweest en ik heb gedaan wat je zei.'

Ze had erop gerekend dat zij de boel zou kunnen verkopen zodra hij dood was. Franks vrachtbedrijf liep slecht en The Rock zou trouwens 'een aardig appeltje-voor-de-dorst' opbrengen voor haar tiener dochter Eileen. Ze had zelfs een koper op het oog – een zakenman uit Londen die er chalets in Zweedse stijl wilde neerzetten.

Lizzie, van haar kant, hield vol dat The Rock net zoveel haar huis was als van de anderen en dat ze dus recht had op een eerlijk deel. De verwijten vlogen over en weer – en Sarah werd huilerig en hysterisch en ratelde maar door over de opofferingen die ze zich had getroost, het geld dat ze had gespendeerd, de keren dat ze zich door de sneeuwbanken had geworsteld, de keren dat ze hun het leven had gered – 'En wat krijg ik ervoor terug? Stank voor dank, meer niet!'

Toen begonnen Lizzie en Sarah te krijsen en te gillen en hoe Manfred ook 'Asjoublief! Asjoublief!' riep en hoe Frank ook 'O, hou toch op!' grauwde, de lunch eindigde bijna in een vechtpartij.

De barkeeper verzocht hen te vertrekken.

Frank betaalde de rekening en ze liepen voetje voor voetje door de sneeuwslik in Broad Street tot ze voor de deur van de notaris stonden. Beide vrouwen verbleekten toen meneer Lloyd zijn bril afzette en zei: 'Er is geen testament.' En omdat Sarah noch Lizzie bloedverwanten van Jim waren, zou zijn bezit vervallen aan de bewindvoerder. Meg, voegde meneer Lloyd eraan toe, kon het meest aanspraak doen gelden op de boerderij – want zij was de officiële bewoonster en had er haar hele leven gezeten.

En zo bleef Meg alleen op The Rock wonen. Ze zei: 'Ik ken niet leven voor de dooien. Ik heb mijn eigen leven te leven.'

Op ijzige ochtenden zat ze op een omgekeerde emmer haar handen te warmen om een kroes thee, terwijl de mezen en boekvinken op haar schouder zaten. Toen een groene specht wat kruimels uit haar hand at, verbeeldde ze zich dat de vogel een boodschapper van God was en de hele dag in koeterwaals Zijn Lof zong.

Na donker kroop ze bij het vuur en bakte haar spek en aardappelen.

En wanneer de kaars bijna op was, nestelde ze zich in de bedstee met een zwarte kat als gezelschap, een jas als deken en een met varens volgepropte zak als kussen.

Omdat er zo weinig was om de echte wereld te scheiden van de droomwereld, beeldde ze zich in dat zij degene was die met de dassenjongen speelde; zij die met de haviken hoog over de heuvel zeilde. Op een nacht droomde ze dat ze werd aangevallen door vreemde mannen.

'Ik hoorde ze,' vertelde ze Sarah. 'Een jonge en een ouwe. Stommelend op het dak! Ja-a! En toen haalden ze de pannen los en kwamen van boven binnen. Dus ik stak een kaars aan en ik riep: "Smeer 'm, stelletje boeven! Ik heb hier een geweer en ik schiet jullie vuile kop eraf!" Dat zei ik en daarna heb ik nooit meer wat gehoord!' – wat Sarah enkel stijfde in de mening dat Meg 'ze niet allemaal meer op een rijtje' had.

Sarah had met Prothero geregeld dat Megs boodschappen bezorgd werden in een olievat aan de kant van de weg. Maar deze geheime plek werd algauw ontdekt door Johnny de Woonwagen, een roodogige schooier die in een oude kermiswagen in de buurt woonde. Er waren weken dat Meg bijna flauwviel van de honger; en dat de honden dag en nacht huilden omdat er geen vlees was.

Toen het voorjaar aanbrak begonnen Sarah en Lizzie haar te paaien. Ze kwamen allebei aan met cakes of een doos chocola, maar Meg doorzag hun strooplikkerij en zei: 'Hartelijk bedankt en tot volgende week.' Soms probeerden ze haar een kant-en-klare verklaring te laten ondertekenen; het enige dat ze deed was naar het potlood staren alsof het vergiftigd was.

Op een dag kwam Sarah met een aanhangwagentje aanrijden om een pony op te halen, waarvan ze beweerde dat hij van haar was. Ze liep met een halster naar de stal, maar Meg stond met haar armen over elkaar voor de deur.

'Je ken hem meenemen,' zei ze, 'maar wanneer doen jullie 's wat aan die honden?'

Jim had dertien schapenhonden nagelaten; ze zaten opgesloten in plaatijzeren hokken en waren zo schurftig en vraatzuchtig geworden van water en brood dat het gevaarlijk was om ze van de ketting te halen.

'Die arme stakkers benne dol,' zei Meg. 'Ze motten afgeschoten worden.'

'We kunnen ze toch naar de dierenarts brengen?' opperde Sarah zonder veel overtuiging.

'Nee,' zei Meg terug. 'Ik stop die honden niet in een lijkwagen! Laat die Frank van jou maar langskomen met zijn geweer, dan graaf ik wel een gat en stop ze onder de grond.'

De ochtend van de slachting was nat en mistig. Meg gaf de honden hun laatste maal, bracht ze twee bij twee naar buiten en bond ze vast aan een wilde appelboom in het weiland. Om elf uur sloeg Frank een slok whisky achterover, trok zijn patroongordel strakker en liep de mist in, in de richting van de boom.

Meg stopte haar oren dicht; Sarah deed hetzelfde; en haar dochter Eileen zat in de Land Rover naar rockmuziek te luisteren door de koptelefoon van haar cassetterecorder. Een vleug kruitdamp dreef met de wind mee. Er klonk een laatste jankkreet, één schot nog, en toen kwam Frank weer tevoorschijn uit de mist, ontdaan en op het punt om over te geven.

'Opgeruimd staat netjes,' zei Meg, terwijl ze een schop over haar schouder gooide. 'Hartelijk bedankt allemaal.'

De volgende morgen zag ze Lewis Jones in de verte langsrijden op zijn rode International Harvester. Ze rende naar de haag en hij zette de motor af.

'Ze benne gekommen om de honden af te schieten,' zei ze, naar adem happend. 'Die arme stakkers hebben nooit iemand kwaad gedaan. Nooit achter schapen of niemand aangejaagd. Maar ze waren helegaar uitgehongerd en met de zomer die eran komt en de hitte die eran komt en de stank in die hokken en de kettingen beten in hun nek, zeg maar... Ja-a! En onder het bloed zaten ze! En dan kommen die vliegen en die leggen eitjes en dan kommen er wormen in hun nek. Arme stakkers! En daarom heb ik ze laten schieten.'

Haar ogen flikkerden. 'Maar één ding zeg ik u wel, meneer Jones. Het benne de mensen en niet de honden die gestraft zouen motten worden...!'

Niet lang daarna liep Sarah Lizzie tegen het lijf voor de drogist in Rhulen. Ze besloten samen te gaan koffiedrinken in de Hafod Tearoom, allebei hopend dat de ander een afschuwelijk gerucht zou ontzenuwen: dat Meg een vrijer had.

47

Theo de Tent was zijn naam. Hij was de roodbaardige reus die Lewis langs de weg was tegengekomen. Hij werd 'De Tent' genoemd vanwege een koepelconstructie van jonge berken en canvas in een weiland op de Zwarte Heuvel waar hij alleen woonde, met een muilezel, die Max heette, en een ezel om Max gezelschap te houden.

Zijn echte naam was Theodoor. Hij stamde uit een familie van onbuigzame Afrikaners, die een fruitkwekerij in Oranje Vrijstaat hadden. Hij had ruzie met zijn vader gekregen om het ontslag van een stel arbeiders, was uit Zuid-Afrika vertrokken, naar Engeland gekomen en drop-out geworden. Op het Free Festival bij Glastonbury ontmoette hij een groep boeddhisten en sloot zich bij hen aan.

Nu hij de Dharma nastreefde in het Zwarte Heuvel Klooster voelde hij zich voor het eerst van zijn leven vredig en gelukkig. Hij nam al het zware werk voor zijn rekening; en hij genoot van de bezoeken van een Tibetaanse Rinpoche die af en toe een cursus in hogere meditatie kwam geven.

Zijn verschijning schrikte de mensen soms af. Maar als ze merkten dat hij geen vlieg kwaad deed, begonnen ze te profiteren van het feit dat hij zo zachtaardig en goed van vertrouwen was. Hij kreeg een toelage van zijn moeder waar de leiders van de commune zich naar believen van bedienden. Tijdens één financiële crisis lieten ze hem zijn hele jaargeld van de bank halen, in contanten.

Op weg naar Rhulen stopte hij bij de dennenaanplant en ging languit in het gras liggen. De lucht was wolkeloos. Grasklokjes ritselden. Een pauwenoog zat te knipperen op een warme steen – en plotseling stond alles van het klooster hem tegen. De paarse muren, de geur van wierookstokjes en patchouli, de bonte mandala's en onnozel glimlachende beelden – alles leek goedkoop en smakeloos; en hij besefte dat hoe hard hij ook mediteerde of de *Bardo Thodol* bestudeerde, hij nooit langs die Weg de Verlichting zou bereiken.

Hij pakte zijn weinige spullen bij elkaar en ging weg. Kort daarna verkochten de overige boeddhisten het klooster en vertrokken naar Amerika.

Hij kocht zijn weilandje op een steile helling die uitkeek over de Wye en daar bouwde hij zijn tent – of liever zijn yurt – naar een tekening in een boek over de hooglanden van Azië.

Jaar in, jaar uit zwierf hij door de Radnor Hills, speelde fluit voor de wulpen en leerde de stellingen van de *Tao Te Ching* uit zijn hoofd. Op keien, in hekpalen en boomstronken kraste hij de drieregelige haiku's die hem invielen.

Hij dacht terug aan de bosjesmannen in Afrika die hij door de Kalahariwoestijn had zien trekken, de moeders lachend, met hun kinderen op hun rug. En hij was tot de overtuiging gekomen dat alle mensen bestemd waren om te zwerven zoals zij, zoals Sint Franciscus; en dat je door de Weg van de Kosmos te volgen de Grote Geest overal kon vinden – in de geur van adelaarsvarens na de regen, het zoemen van een bij in een klokje van vingerhoedskruid, of in de ogen van een muilezel, die liefdevol de stuntelige bewegingen van zijn baas gadesloeg.

Soms had hij het gevoel dat zelfs zijn eenvoudige onderkomen hem ervan weerhield om De Weg te volgen.

Op een woeste dag in maart, toen hij op de steenhelling boven Craig-y-Fedw stond, tuurde hij naar beneden en zag de kleine gestalte van Meg, gebukt onder een bos rijshout.

Hij besloot haar een bezoek te brengen, niet wetend dat Meg hem al langer in de gaten hield.

Ze had hem over de berg zien dwalen in de grijze winterregen. Ze had hem aan de horizon zien staan met de wolken opgestapeld achter hem. Ze stond met haar armen over elkaar in de deur toen hij de muilezel vastbond. Op een of andere manier voelde ze dat hij niet het soort vreemde was om voor weg te kruipen.

'Ik vroeg me al af wanneer je zou kommen,' zei ze. 'De thee is klaar. Kom binnen en pak een stoel.'

Hij kon ternauwernood haar gezicht onderscheiden door de rook in de kamer.

'Mot je horen wat ik al heb gedaan,' ging ze verder. 'Ik ben gelijk met de zon opgestaan. Ik heb de schapen gevoerd. Ik heb de paarden hooi gegeven. Ja-a! En de koeien een brok veekoek. Ik heb de kippen en ganzen gevoerd. Ik heb een bos hout opgescharreld. En ik was net toe aan een kop thee en ik zat erover te prakkezeren om de stal uit te mesten.'

'Ik zal je helpen,' zei Theo.

De zwarte kat sprong op haar schoot, zette zijn nagels in haar broek en schramde de plekken blote dij.

'Oe! Au!' schreeuwde ze. 'Waar kom jij vandaan, kleine zwartkop? Wat heb je uitgespookt, kleine zwartepiet?' – en gierde het uit van het lachen tot de kat kalmeerde en begon te snorren.

De stal was in geen jaren schoongemaakt; de lagen drek waren opgehoopt tot ruim een meter hoog en de vaarzen schurkten hun rug aan de dakbalken. Meg en Theo gingen aan de slag met vork en schop en halverwege de middag lag er een grote bruine hoop op het erf.

Ze vertoonde geen spoor van vermoeidheid. Nu en dan, wanneer ze een vorkvol mest de deur uitgooide, schoten er lussen van haar truien los. Hij zag dat ze daaronder een mooi, stevig lijf had.

Hij zei: 'Jij bent een taaie, Meg.'

'Mot wel,' grijnsde ze en haar ogen vernauwden zich tot een paar Mongoolse spleetjes.

Drie dagen later kwam Theo terug om haar raam te maken en een deur recht te hangen. Ze had een paar munten in Jims zakken gevonden en stond erop om hem loon te betalen. En telkens als hij een klusje deed, pakte ze een dichtgeknoopte sok, maakte hem los en overhandigde hem een munt van tien pence.

'Rijk zal je er niet van worden,' zei ze dan.

Hij nam elke munt aan alsof ze hem een fortuin schonk.

Hij leende een stel hengelstokken om haar schoorsteen te vegen. Halverwege bleef de borstel steken tegen iets hards. Hij duwde, harder, en er kwamen kluiten roet naar beneden in de haard.

Meg schaterde het uit toen ze zijn zwarte gezicht en baard zag: 'Je zou haast denken dat je de duvel was!'

Zolang haar zachtaardige reus in de buurt was, voelde ze zich veilig voor Sarah of Lizzie of andere dreigingen van buiten. 'Er komt niks van in,' zei ze vaak. 'Ik zal zorgen dat ze met hun tengels afblijven van me kippen.'

Als hij een week wegbleef, raakte ze vreselijk in de put en beeldde zich in dat 'mannen van het ministerie' haar zouden komen opsluiten of vermoorden. 'Ik weet er alles van,' zei ze somber. 'Dat wordt een van die dingen die in de krant kommen.'

Er waren momenten dat zelfs Theo dacht dat ze 'ze zag vliegen'.

'Ik heb een paar stadse honden gezien,' zei ze. 'Zwart als de nacht! Holden helegaar dol langs de beek en achter die kleine lammetjes an! En toen ging ik erheen en ik vond ze dood en toen dacht ik dat ze waren doodgegaan van de kou maar ze waren doodgegaan van benauwdheid voor die stadse honden.'

Ze kon de gedachte niet verdragen dat hij op een dag zou weggaan.

Hij kon uren achter elkaar bij de haard zitten luisteren naar de rauwe en aardse muziek van haar stem. Ze praatte over het weer, de vogels en de dieren, de sterren en de schijngestalten van de maan. Hij had het idee dat haar vodden iets heiligs hadden en maakte ter ere daarvan dit gedicht:

Vijf groene truien
duizenden gaten
en daardoorheen hemels licht

Hij bracht kleine traktaties voor haar mee uit Rhulen – een chocoladecake of een pakje dadels – en om wat bij te verdienen bouwde hij voor mensen natuurstenen muren zonder specie.

Een van zijn eerste klussen bracht hem naar The Vision, waar Kevin met de tractor achteruit een varkensstal was binnengereden.

Kevin was uit de gratie bij zijn ooms.

Hij zou de boerderij over anderhalf jaar in bezit krijgen; maar hij vertoonde niet de minste neiging om te gaan boeren.

Hij ging om met 'lui van buiten'. Hij dronk. Hij maakte schulden; en toen de bankdirecteur hem een lening weigerde, demonstreerde hij zijn verachting voor het leven door lid te worden van een parachutistenclub. En om zijn lijst van schandalen helemaal te completeren, maakte hij een meisje zwanger.

Gewoonlijk was zijn grijns zo aanstekelijk dat de tweeling hem alles vergaf: ditmaal was hij lijkbleek van angst. Het meisje, biechtte hij op, was Sarahs dochter Eileen; en Benjamin verbood hem de toegang tot het huis.

Eileen was een knap meisje van negentien jaar met een geknepen mond, een sproetige neus en een springerige rosse krullenbol. Haar gezicht vertoonde doorgaans een pruilmondje, maar als ze iets wilde, kon ze een air van engelachtige argeloosheid aannemen. Ze was dol op paarden, won trofeeën op ruiterfeesten en, zoals bij veel paardenliefhebbers, haar financiële behoeften waren groot.

Ze leerde Kevin kennen op de paardententoonstelling in Lurkenhope.

Bij het zien van zijn slanke figuur, volmaakt in balans schrijlings op de bokkende pony, kreeg ze kippenvel. Ze voelde een brok in haar keel toen hij de prijs in ontvangst nam. Toen ze hoorde dat hij rijk was – of althans zou worden – begon ze methodisch haar plan te beramen.

Een week later, na een avond flirten bij country & western-muziek in de Red Dragon, kroop het stel in de achterbak van Sarahs landrover. Nog een week later had hij beloofd dat hij met haar zou trouwen.

Met de waarschuwing dat ze zijn ooms niet voor het hoofd moest stoten, nam hij haar als aanstaande bruid mee naar The Vision, en hoewel haar tafelmanieren uitmuntend waren, hoewel ze elke snuisterij in huis omstandig bewonderde, en hoewel Lewis haar 'een aardig wijfje' vond, kon Benjamin maar slecht verkroppen dat ze een Watkins was.

Op een smoorhete dag begin september blameerde ze hem door in bikini in haar auto te rijden en hem in het voorbijrijden een kushand toe te werpen. In december vergat ze, al dan niet met opzet, de pil.

Benjamin bleef weg bij de trouwerij, die op aandringen van Sarah werd gehouden in een anglicaanse kerk. Lewis ging alleen en kwam aangeschoten terug van de receptie; hoewel het een 'moetje' was – een uitdrukking die hij een andere gast had horen gebruiken – was het een heel mooie bruiloft geweest en de bruid had er prachtig uitgezien in het wit.

Het paar ging op huwelijksreis naar de Canarische Eilanden en toen ze stralend en gebruind terugkwamen, ging Benjamin door de knieën. Niet dat ze hem kon charmeren: hij was immuun voor haar soort charme. Wat hem wel aansprak was haar gezond verstand, haar inzicht in geldzaken en haar belofte Kevin van zijn wilde haren af te helpen.

De tweeling werd het erover eens om een bungalow voor de jongelui te laten bouwen bij Lower Brechfa.

In de tussentijd trok Kevin bij zijn schoonouders in – die hem meteen de handen uit de mouwen lieten steken. Er was altijd wel een onderdeel voor Franks vrachtwagen dat uit Hereford moest komen, of Sarahs springpaard had een verstuikte enkel, of Eileen kreeg plotseling ontzettende trek in gerookte haring en stuurde haar man naar de visboer.

Vandaar dat Kevin tijdens de laatste weken van Eileens zwangerschap amper tijd voor The Vision had; hij ontbrak bij het schapen drijven, het scheren en het hooien; en omdat ze het werk niet aankonden, namen ze Theo in dienst om te helpen.

Theo was een geweldige werker maar omdat hij strikt vegetarisch leefde, maakte hij telkens een scène als ze een dier naar de slacht stuurden. Hij weigerde tractor te rijden of de simpelste machinerie te gebruiken, en vergeleken bij zijn kijk op de wereld voelde Benjamin zich uiterst modern.

Op een keer vroeg Lewis zich hardop af of het wel verstandig was om in een tent te wonen – waarop de Zuid-Afrikaan zeer geprikkeld raakte en zei dat de God van Israël in een tent had gewoond, en als een tent goed genoeg was voor God, dan was hij goed genoeg voor hem.

'Ja, ja,' knikte Lewis sceptisch. 'Maar Israël is een warm klimaat, niet?'

Maar ondanks hun verschillen waren Theo en de tweeling aan elkaar verknocht en op de eerste zondag van augustus nodigde hij ze uit voor de lunch.

'Dank je beleefd,' zei Lewis.

Toen ze de horizon boven Craig-y-Fedw bereikten, hielden de twee oude heren stil om op adem te komen en hun voorhoofd af te wissen.

Een warme westenwind streek door de grasprieten, veldleeuweriken scheerden over hun hoofd en vanuit Wales kwamen roomwitte wolken aangedreven. In de verte waren de heuvels gelaagd in strepen nevelig blauw, en ze bepeinsden hoe weinig er was veranderd sinds ze hier hadden gelopen met hun grootvader, meer dan zeventig jaar geleden.

Twee straaljagers gierden laag over de Wye en herinnerden ze aan een verderfelijke wereld buiten de vallei. Maar terwijl hun zwakke ogen dwaalden over het netwerk van velden, afgebakend en rood of geel of groen gekleurd, en de witgepleisterde boerderijen waar hun Welshe voorouders waren geboren en gestorven, vonden ze het moeilijk – zo niet onmogelijk – te geloven wat Kevin zei: dat het allemaal van de ene dag op de andere met een grote klap zou verdwijnen.

Het hek van Theo's weiland was een staketsel van stokken en ijzerdraad en touw. Hij stond hen al op te wachten in zijn handgeweven hes en beenkappen. Op zijn muts prijkte kamperfoelie en hij zag eruit als 'De Oermensch'.

Theo ging ze voor de heuvel af, langs zijn moestuin, naar de ingang van de yurt.

'En hier woon je in?' zei de tweeling tegelijkertijd.

'Ja.'

'Tsjongejonge!'

Ze hadden nog nooit zo'n vreemd bouwsel gezien.

Twee zeilen, een groen over een zwart, zaten vastgesjord over een halfrond geraamte van berkentakken en werden op hun plaats gehouden met stenen. Een metalen schoorsteen stak omhoog in het midden: het vuur was uit.

Uit de wind zat een vriend van Theo, een dichter, water te koken voor rijst en in een pot lag wat groente te pruttelen.

'Kom erin,' zei Theo.

Op hun hurken kropen de broers door het deurgat en zaten even later op kussens op een rafelig blauw tapijt met Chinese karakters. Stiftdunne zonnestralen priemden door de gaten in het zeildoek. Er zeurde een vlieg rond. Alles ademde rust en elk voorwerp had zijn eigen plaats.

Een yurt, probeerde Theo uit te leggen, was een afspiegeling van het heelal. Aan de zuidkant bewaarde je de 'dingen van het lichaam' – voedsel, water, gereedschap, kleren; aan de noordkant de 'dingen van de geest'.

Hij liet zijn hemelbol zien, en zijn astronomische tabellen, een zandloper, een paar pennen van riet en een bamboefluit. Op een roodgeschilderde kist stond een verguld beeldje. Dit, zei hij, was Avalokitesvara, de bodhisattva van de Oneindige Genade.

'Rare naam,' zei Benjamin.

Op de zijkanten van de kist stonden in het wit een paar regels poëzie gedrukt.

'Wat staat daar precies?' vroeg Lewis. 'Ik kan niks zien zonder mijn goede bril.'

Theo vouwde zijn benen in de lotushouding, sloeg een half kruis voor zijn ogen en declameerde het hele vers:

Wie naar geen ambten streeft,
liefst als een vogel leeft,
zijn spijs zelf plukt en jaagt,
naar fijner kost niet vraagt,
die vlij' zich hier neder, hier neder.
Niets dat in 't veld
hem plaagt of kwelt
dan winter en ruw weder.

'Heel mooi,' zei Lewis.

'*Elck wat wils,*' zei Theo.

'Het zou mij ook te koud wezen in de winter.'

Vervolgens reikte Theo naar zijn boekenstander en las zijn lievelingsgedicht voor. De dichter, zei hij, was een Chinees die ook graag door de bergen zwierf. Zijn naam was Li Po.

'Li Po,' herhaalden ze langzaam. 'Is dat alles?'

'Ja.'

Theo zei dat het gedicht ging over twee vrienden die elkaar zelden zagen en elke keer als hij het las, moest hij denken aan een vriend in Zuid-Afrika. Er kwamen nog veel meer rare namen in het gedicht voor en de tweeling kon er geen touw aan vastknopen tot hij bij de laatste paar regels kwam:

Wat is de zin van praten, aan praten komt geen eind.
Er is geen eind aan dingen in het hart.
Ik roep de huisjongen,
laat hem hier op zijn knieën zitten
om dit te verzegelen,
en stuur het duizend kilometer,
vergezeld van mijn gedachten.

n toen Theo zuchtte, zuchtten zij mee, alsof ze ook duizenden kilo-
eters van iemand gescheiden waren.

Ze vonden de lunch 'heel smakelijk, dankjewel!' en om drie uur
ood Theo aan met ze terug te lopen tot Cock-a-Loftie. Ze liepen met
jn drieën achter elkaar over de schapenpaadjes. Niemand zei een
oord.

Bij de overstap van het hek keek Benjamin de Zuid-Afrikaan aan en
eet bezorgd op zijn lip: 'Hij zal vrijdag toch niet vergeten, hè?'

'Kevin?'

Vrijdag werden ze tachtig jaar.

'Nee,' glimlachte Theo van onder de rand van zijn hoed. 'Ik weet dat
ij het niet is vergeten.'

48

Op vrijdag 8 augustus werd de tweeling wakker met muziek.

Ze liepen in hun nachthemd naar het raam, schoven de gordijnen open en tuurden naar de mensen op het erf. De zon was op.

Kevin zat op zijn gitaar te tokkelen. Theo speelde fluit. Eileen, in positiekleren, hield haar jackrussellterriër in bedwang en de muilezel stond in de tuin op een rozenstruik te kauwen. Naast de schuur stond een rode auto geparkeerd.

Tijdens het ontbijt overhandigde Theo de tweeling zijn geschenk – een stel vriendschapslepels, met elkaar verbonden door een houten keten en door hem zelf gesneden uit één stuk taxushout. Op de verjaardagskaart stond: 'Van Harte Gefeliciteerd van Theo de Tent! Dat jullie driehonderd jaar mogen worden!'

'Dankjewel,' zei Lewis.

Kevins cadeau moest nog komen. Het zou om tien uur klaar zijn en het was een uur rijden.

Benjamin knipperde. 'En waar dan wel?'

'Dat is een verrassing,' grijnsde Kevin naar Theo. 'Het is een vraagtekentocht.'

'De beesten zijn al gevoerd,' zei hij, en Theo zou achterblijven om op het huis te passen.

'Vraagtekentocht' klonk als een bezoek aan een deftige gelegenheid, dus de broers gingen naar boven en kwamen terug met gesteven boorden om en hun bruine zondagse pak aan. Ze zetten hun horloge gelijk met de Big Ben en zeiden dat ze klaar waren om te vertrekken.

'Van wie is die auto?' vroeg Benjamin wantrouwend.

'Geleend,' zei Kevin.

Toen Lewis op de achterbank ging zitten, beet Eileens terriër in zijn mouw.

Hij zei: 'Een kwaad kreng, hè?' – en de auto schoot slingerend het pad af.

Ze reden door Rhulen en daarna een paar stompe heuvels op, waar Benjamin wees op een bord naar Bryn-Draenog. Zijn gezicht vertrok elke keer als Kevin een bocht nam. Toen werden de heuvels minder rotsachtig; de eiken waren groter en er waren huizen met zwart-wit geschilderde vakwerkgevels. In Kington High Street kwamen ze vast te zitten achter een bestelwagen, maar algauw reden ze weer door de velden met roodbont Herefordvee; en om de paar kilometer passeerden ze de poort van een groot uit rode bakstenen opgetrokken landhuis.

'Gaan we soms naar Croft Castle?' vroeg Benjamin.

'Wie weet?' zei Kevin.

'Een flink stuk rijden, dus?'

'Kilometers en nog eens kilometers,' zei hij en een kilometer verder sloeg hij af van de hoofdweg. De wagen hobbelde over een stuk ongelijke betonplaten. Het eerste dat Lewis zag was een oranje windzak: 'Heremetijd! Een luchthaven!'

Er kwam een zwarte hangar in zicht, toen een stel loodsen van golfplaat en toen de startbaan.

Benjamin leek bij het zien ervan ineen te schrompelen. Hij zag er broos en oud uit en zijn onderlip trilde: 'Nee. Nee. Ik ga niet in een vliegtuig.'

'Maar oom, het is veiliger dan autorijden...'

'Ja, zoals jij rijdt misschien! Nee, nee... Ik stap van mijn leven niet in een vliegtuig.'

De auto was nog niet tot stilstand gekomen of Lewis was eruit gewipt en stond op de betonbaan, met stomheid geslagen.

Op het gras stond in slagorde een dertigtal sportvliegtuigjes – hoofdzakelijk Cessna's, het eigendom van de West Midlands Vliegclub. Sommige waren wit. Andere waren felgekleurd. Weer andere hadden strepen en van allemaal trilden de vleugeltoppen alsof ze stonden te popelen om de lucht in te mogen.

Het begon harder te waaien. Vlekken schaduw en licht joegen elkaar achterna over de startbaan. Op de verkeerstoren slingerde een windmeter zijn kleine zwarte kapjes rond. Aan de andere kant van het vliegveld stond een rij wuivende populieren.

'Lekker windje,' zei Kevin, terwijl zijn haar in zijn ogen waaide.

Een jongeman in spijkerbroek en groen vliegersjack riep: 'Hoi, Kev!' en kwam sloffend met de hakken van zijn laarzen aangeslenterd over het asfalt.

'Ik ben jullie piloot.' Hij pakte Lewis bij de hand. 'Alex Pitt.'

'Dank u beleefd.'

'Gefeliciteerd met uw verjaardag!' zei hij, zich tot Benjamin wendend. 'Nooit te laat om te beginnen met vliegen, hè?' Daarna vroeg hij, wijzend naar de loodsen, of ze hem wilden volgen. 'Een paar formaliteitjes,' zei hij, 'en we kunnen de lucht in!'

'Ai ai, kaptein!' zei Lewis, in de veronderstelling dat je een piloot zo hoorde aan te spreken.

De eerste ruimte was een cafetaria. Boven de bar hing een houten propeller uit de Eerste Wereldoorlog; de muren waren behangen met kleurenprenten van de Slag om Engeland. Het vliegveld was vroeger een opleidingscentrum voor parachutisten geweest – en dat was het in zekere zin nog.

Een groepje jongelui, in springtenue, zat koffie te drinken. En zodra Kevin binnenstapte, kwam er een zware knaap overeind die zijn vriend een klap op zijn leren jack gaf en vroeg of hij ook meeging.

'Vandaag niet,' zei Kevin. 'Ik vlieg mee met mijn ooms.'

De piloot loodste hen naar de vluchtvoorlichtingskamer, waar Lewis gretig zijn ogen liet gaan over de kaarten met luchtwegen en een schoolbord vol krabbels van een instructeur.

Opeens sprong er een zwarte labrador uit het kantoor van de verkeersleider en zette zijn poten tegen Benjamins broek. In de smekende blik van het beest leek hij een waarschuwing te lezen om niet te gaan. Hij werd duizelig en moest gaan zitten.

De piloot legde drie formulieren op de blauwe formica tafel – een... twee... drie... en vroeg de passagiers ze te tekenen.

'Verzekering!' zei hij. 'Voor als we in een weiland terechtkomen en de koe van een oude boer pletten!'

Benjamin schrok en liet de balpen uit zijn vingers vallen.

'Maak mijn ooms niet bang,' zei Kevin met gespeelde ernst.

'Je ooms zijn niet bang te krijgen,' zei de piloot en Benjamin realiseerde zich dat hij had getekend.

Eileen en de terriër wuifden naar de passagiers terwijl ze over het gras naar de Cessna wandelden. Er liep een brede bruine streep van voren naar achteren over de romp en een veel dunnere streep langs de wielkappen. Het registratienummer van het vliegtuig was G–BCTK.

'TK betekent Tango Kilo,' zei Alex. 'Zo heet hij.'

'Rare naam,' zei Lewis.

Toen begon Alex met de uitwendige controle, waarbij hij punt voor punt uitleg gaf. Benjamin stond verloren bij de vleugeltop en dacht aan alle ongelukken in het plakboek van Lewis.

Maar Lewis scheen te denken dat hij Lindbergh was.

Hij zakte door zijn knieën. Hij stond op zijn tenen. Zijn ogen misten geen beweging van de jongeman. Hij keek hoe je het landingsgestel controleerde, de remkleppen en rolroeren nakeek en hoe je het alarm testte dat begon te piepen zodra het vliegtuig hoogte verloor.

Hij wees op een kleine deuk in de staartvin.

'Een vogel, waarschijnlijk,' zei Alex.

'O!' zei Benjamin.

Zijn gezicht betrok nog meer toen het moment aanbrak om aan boord te gaan. Hij ging in de achterste stoel zitten en toen Kevin zijn veiligheidsriemen vastgespte, voelde hij zich meer opgesloten dan ooit en diep ongelukkig.

Lewis zat rechts van de piloot en probeerde wijs te worden uit alle wijzers en meters.

'En dit?' waagde hij. 'De knuppel, zeker?'

Het vliegtuig was een trainingstoestel en had dubbele besturing.

Alex corrigeerde hem. 'Dat noemen we tegenwoordig de stuurkolom. Een voor mij en een voor u, als ik flauwval.'

Van de achterste stoel klonk gehik maar Benjamin werd overstemd door het gedreun van de propeller. Hij kneep zijn ogen dicht toen het vliegtuig naar het opstelpunt taxiede.

'Tango Kilo controle afgewerkt,' meldde de piloot over de radio. En met een klein beetje gas rolde het toestel de startbaan op.

'Tango Kilo verlaat circuit aan westzijde. Geschatte vliegtijd vijfenveertig minuten. Ik herhaal: vijfenveertig minuten.'

'Begrepen, Tango Kilo,' antwoordde een stem via de intercom.

'We stijgen op bij honderd!' schreeuwde Alex Lewis in het oor – en het geratel zwol aan tot gebrul.

Toen Benjamin zijn ogen weer opendeed, was het vliegtuig geklommen tot 1500 voet.

Beneden lag een veld mosterdplanten in bloei. Een kas schitterde in de zon. De pluim wit poeder was een boer die een veld bemestte. Er gleden bossen voorbij, een met eendenkroos bedekte vijver en een steengroeve met een stel gele bulldozers. Een zwarte auto vond hij iets weg hebben van een kever.

Hij voelde zich nog steeds een beetje misselijk, maar zijn vuisten waren niet langer gebald. Voor hen lag de Zwarte Heuvel met wolken die laag over de top dreven. Alex klom nog eens duizend voet en waarschuwde dat ze wat schokken konden verwachten.

'Turbulentie,' zei hij.

De dennen van Cefn Hill waren blauwgroen en zwartgroen in het geschakeerde licht. De heide was paars. De schapen hadden de vorm en afmetingen van maden en er waren inktzwarte vennen omringd door rietkragen. De schaduw van het vliegtuig gleed in de richting van een kudde razende pony's, die naar alle kanten uiteenstoven.

Eén ijzingwekkend moment kwamen de rotsen boven Craig-y-Fedw recht op hen afvliegen. Maar Alex zwenkte weg en gleed omlaag het dal in.

'Kijk!' schreeuwde Lewis. 'Daar heb je The Rock!'

En daar lag het – het roestige staketsel, de vijver, het kapotte dak en Megs witte ganzen in paniek!

En daar, links, lag The Vision. En daar stond Theo!

'Ja! Het is Theo hoor!' Nu was het Benjamins beurt om opgewonden te raken. Hij drukte zijn neus tegen het raam en tuurde naar de minuscule bruine figuur die met zijn hoed stond te zwaaien in de boomgaard, terwijl het toestel voor een tweede keer laag rondcirkelde en even met zijn vleugels wipte.

Vijf minuten later waren ze de heuvels uit en zat Benjamin volop te genieten.

Op dat moment wierp Alex een blik over zijn schouder naar Kevin, die knipoogde. Hij boog zich over naar Lewis en riep: 'Nu is het uw beurt.'

'Mijn beurt?' Hij fronste zijn wenkbrauwen.

'Om te vliegen.'

Voorzichtig legde Lewis zijn handen op de stuurkolom en spitste zijn goede oor om elk woord van de instructeur op te vangen. Hij trok hem naar zich toe en de neus kwam omhoog. Hij duwde hem van zich af en de neus wees omlaag. Hij drukte naar links en de horizon kantelde. Toen trok hij hem recht en drukte naar rechts.

'Nu moet u het verder alleen doen,' zei Alex bedaard en Lewis maakte dezelfde manoeuvres, helemaal alleen.

En plotseling had hij het gevoel dat – zelfs als de motor defect zou raken, zelfs als het toestel een duikvlucht zou maken en hun zielen naar de hemel zouden vliegen – dat alle frustraties van zijn verkrampte en sobere leven nu niet meer telden, omdat hij tien glorieuze minuten lang had gedaan wat hij wilde.

'Probeer eens een acht te draaien,' stelde Alex voor. 'Naar beneden links!... Ho maar!... Nu rechttrekken!... Nu naar beneden rechts!... Lampjes aan, dan breekt het lijntje niet!... Prima!... Nu nog een grote is en dan gaan we op huis aan.'

Pas toen hij de besturing had overgedragen realiseerde Lewis zich dat hij de cijfers acht en nul in de lucht had geschreven.

Ze zetten de landing in. Ze zagen de startbaan dichterbij komen, eerst als een vierhoek, daarna als een trapeze, toen als een afgezaagde piramide, terwijl de piloot zijn laatste berichten doorgaf en de wielen de grond raakten.

'Dank u zeer beleefd,' zei Lewis, bedeesd glimlachend.

'Het was me een waar genoegen,' zei Alex en hielp de tweeling met uitstappen.

Hij was beroepsfotograaf, en nog geen tien dagen daarvoor had Kevin een luchtfoto besteld van The Vision, in kleur.

Die was, gemonteerd en ingelijst, de andere helft van het verjaardagscadeau voor de tweeling. Ze pakten hem uit op het parkeerterrein en gaven het jonge stel elk een zoen.

De grote vraag was waar hij moest komen te hangen.

Hij hoorde duidelijk op de fotomuur in de keuken. Maar daar was niets bijgekomen sinds de dood van Amos en het behang was tussen de lijsten weliswaar verbleekt maar daarachter nog zo goed als nieuw.

Een hele week lang liep de tweeling te bakkeleien en te goochelen en ooms en tantes van haakjes te lichten waar ze zestig jaar lang aan hadden gehangen. En ten slotte, net toen Lewis het had opgegeven en besloot hem boven de piano te hangen, bij 'De Brede en de Smalle Weg', kwam Benjamin op de oplossing: als ze oom Eddie en de grizzlybeer naar boven verhuisden en Hannah en Ouwe Sam opzij, kwam er net genoeg ruimte vrij naast de trouwfoto van hun ouders.

49

De dagen werden korter. Zwaluwen zaten te kwetteren op de ele triciteitskabels, klaar voor de lange reis naar het zuiden. 's Nach stormde het en ze waren verdwenen. Tegen de tijd van de eerste vor kreeg de tweeling bezoek van Isaac Lewis, de predikant.

Ze gingen zelden meer naar de kerk, maar de kerk knaagde wel aa hun geweten en hun bezoeker maakte hen zenuwachtig.

Hij was helemaal uit Rhulen komen lopen, over Cefn Hill. Zij broekspijpen zaten onder de modder en hoewel hij zijn zolen lang de voetschrapper haalde, liet hij een spoor achter op de keukenvloe Een lange haarlok hing tussen zijn wenkbrauwen. Zijn uitpuilend bruine ogen schitterden van het licht des geloofs maar traande desondanks van de wind. Hij maakte een opmerking over het wee 'Guur voor september, niet?'

'Ja, guur!' beaamde Benjamin. 'Net de eerste winterdag.'

'En het Huis des Heren is verlaten,' vervolgde de predikant sombe 'En de mensen zijn verre van Hem... Om maar te zwijgen van de ko ten...!'

Hij was een Welshe nationalist met radicale opvattingen. Maar h verpakte deze opvattingen in zulke bedekte termen dat maar we nigen van zijn toehoorders enig idee hadden waarover hij het ha Pas na twintig minuten kreeg de tweeling door dat hij hun om ge vroeg.

De financiën van de kerk in Maesyfelin waren ontregeld. In ju had de leidekker tijdens het vervangen van een aantal dakpannen ee plek met droogrot ontdekt. De vooroorlogse bedrading was bran gevaarlijk gebleken en het interieur was overgeschilderd, in blauw.

De predikant was vuurrood geworden, evenzeer van verlegenheid
ls van de hitte van de haard. Hij zoog de lucht door zijn tanden naar
innen, alsof zijn hele leven bestond uit gênante gesprekken. Hij
orak over materialisme en over een goddeloos tijdperk. Stukje bij
eetje liet hij doorschemeren dat Tranter, de aannemer, op betaling
androng.

'Ik heb vijftig pond uit eigen zak betaald. Maar wat doe je tegen-
voordig met vijftig pond, vraag ik u?'

'Hoeveel was de rekening dan?' viel Benjamin hem in de rede.

'Vijfhonderd en zesentachtig pond,' zuchtte hij, alsof hij uitgeput
vas van het bidden.

'En mot het rechtstreeks op naam van meneer Tranter?'

'Ja, aan hem,' zei de predikant, te overrompeld om nog iets te zeggen.

Zijn ogen volgden Benjamins pen toen die de cheque uitschreef. Hij
vouwde hem zorgvuldig op en stak hem in zijn portefeuille.

De wind rukte aan de lariksen toen hij opstapte. Hij stond stil op de
toep en herinnerde de tweeling aan het dankfeest voor het gewas,
rijdags om drie uur.

'Voorwaar, een moment om dank te brengen!' zei hij en zette de
vraag op.

rijdagmorgen reed Lewis met zijn tractor naar The Tump en vroeg
Rosie Fifield of ze meewilde.

'Om wie te bedanken, en waarvoor?' snauwde ze en sloeg de deur
icht.

Om halfdrie kwam Kevin de tweeling met de auto ophalen. Hij was
ot in de puntjes gekleed in een nieuw grijs pak. Eileen kon elk mo-
nent bevallen en was thuis gebleven. Benjamin trok met zijn been
oor een aanval van ischias.

Voor de kerk stonden boeren met frisse, verweerde gezichten op
alme toon te lamenteren over de regering van mevrouw Thatcher.
Binnen speelden kinderen met witte sokjes verstoppertje tussen de
anken. Tom Griffiths deelde de bladen met oogstgezangen uit en
rouwen stonden hun dahlia's en chrysanten te schikken.

Betty Griffiths van Cwm Cringlyn – die door iedereen 'Bolle Betty'
werd genoemd – had een brood gebakken in de vorm van een tarwe-
choof. De communietafel was bedolven onder appels en peren;
otten honing en chutney; rijpe tomaten en groene tomaten; groene

druiven en paarse druiven; mergpompoenen, uien, kool en aardappe
len en snijbonen zo groot als zaagbladen.

Daisy Prothero kwam aan met een mand waar een etiket me
'Vruchten des Velds' op zat. Er waren poppetjes van tarwearen op d
pilaren van de zijbeuken geprikt en de kansel was omkranst met cle
matis.

De 'andere' tak van de familie Jones arriveerde, juffrouw Sarah zoal
gewoonlijk pronkend met haar jas van bisambont en haar hoed me
maartse viooltjes. Evan Bevan was er met zijn gezin, Jack William
van The Vron, Sam van The Bugle, alle nog in leven zijnde Morgans
en toen Jack Haines van Red Daren binnenhobbelde met een wande
stok stond Lewis op en gaf hem een hand: het was de eerste keer dat z
met elkaar spraken sinds de moord op mevrouw Musker.

Er viel een abrupte stilte toen Theo binnenkwam met Meg.

Behalve haar korte verblijf in het ziekenhuis was ze meer dan derti
jaar niet buiten Craig-y-Fedw geweest; haar verschijning in de wereld
was dan ook een evenement. Schuw, in een overjas tot op haar enkels
nam ze plaats naast de Zuid-Afrikaanse reus. Schuw sloeg ze haa
ogen op en toen ze de rijen glimlachende gezichten zag, vertrok z
haar eigen gezicht tot een glimlach.

De eerwaarde Isaac Lewis, in een ganzenpoepgroen pak, stond bi
de deur om zijn gemeente te verwelkomen. Hij had de eigenaardig
gewoonte om zijn handen voor zijn mond te houden en gaf de indru
dat hij wat hij net had gezegd wilde opvangen en terugproppen tusse
zijn tanden.

Met de Bijbel in de hand liep hij naar Theo toe en vroeg hem d
tweede schriftlezing te doen – hoofdstuk 21 van het boek Openba
ring: 'Misschien kunt u de verzen 19 en 20 maar beter weglaten. U zo
wel eens moeite kunnen hebben met de tekst.'

'Nee, hoor.' Theo streek door zijn baard. 'Ik ken de edelstenen va
het Nieuwe Jeruzalem.'

De eerste hymne – 'Voor de Schoonheid der Aarde' – kwam hortenc
en stotend op gang omdat de zangers en de harmoniumspeler he
niet eens konden worden over tempo en melodie. Slechts een paa
onverschrokken stemmen worstelden door tot het einde. Toen las d
predikant een hoofdstuk uit Prediker.

'"Er is een tijd om te baren, en een tijd om te sterven; een tijd om t
planten en een tijd om het geplante uit te rukken..."'

Lewis voelde de hitte van de radiator door zijn broek heen branden. Hij rook een vleug verschroeiende wol en beduidde zijn broer met een or dat hij moest opschuiven.

Benjamin staarde naar de zwarte krullen over de achterkant van Kevins kraag.

'"Een tijd om te zoeken en een tijd om verloren te laten gaan; een tijd om te bewaren en een tijd om weg te werpen..."'

Hij wierp een blik op het oogstgezangenblad, waarop plaatjes van het Heilige Land waren afgedrukt – vrouwen met sikkels, mannen die graan zaaiden, vissers bij Galilea en een kudde kamelen rond een bron.

Hij dacht aan zijn moeder, Mary, die ook in Galilea was geweest. En dat het volgend jaar, als de boerderij van Kevin was, veel gemakkelijker zou zijn om door het oog van de naald te kruipen en zich bij haar te voegen.

'"Een tijd om te beminnen en een tijd om te haten, een tijd van oorlog en een tijd van vrede..."'

Op de ommezijde stond onder het bijschrift 'De Oogst is Binnen' een foto van een stel lachende kortgeknipte jongens, met kroezen in hun hand en tenten op de achtergrond.

Hij las dat dit Palestijnse vluchtelingen waren en bedacht hoe leuk het zou zijn om ze een kerstcadeau te sturen – niet dat ze daarginds Kerstmis hadden, maar hun cadeau zouden ze toch krijgen!

Buiten betrok de lucht. Een donderslag klonk boven de heuvel. Windvlagen deden de ramen trillen en regendruppels tikten tegen de glas-in-loodramen.

'Gezang nummer twee,' zei de predikant. '"Wij ploegen de velden en verstrooien het goede zaad over het land..."'

De gemeente stond op en opende haar mond maar alle iele stemmen verstomden bij één rauwe stem achterin.

De hele kerk zinderde van het geluid van Megs gezang en toen ze bij de regel 'Door Hem worden de vogels gevoed' kwam, rolde er een traan onder Lewis' ooglid vandaan, die door de groef van zijn wang omlaagdruppelde.

Toen was het Theo's beurt om de aanwezigen in de ban te brengen:

'"En ik zag een nieuwe hemel en een nieuwe aarde, want de eerste hemel en de eerste aarde waren voorbijgegaan, en de zee was niet meer. En ik zag de heilige stad..."'

Theo sloeg zich door de tekst heen zonder een lettergreep te verha-
pelen van de jaspis en de hyacint, de chrysopraas en de chalcedoon. De
mensen met hun gezicht naar de ramen zagen een regenboog boven
het dal en daaronder een zwerm zwarte roeken.

Toen het tijd was voor de preek stond de predikant op en bedankte
zijn 'broeder in Christus' voor diens gedenkwaardige lezing. Hij kon
zich niet heugen dat de Heilige Stad ooit zo echt, zo tastbaar had geleken. In elk geval had hij het gevoel gehad dat hij zijn hand maar hoefde
uit te steken om haar aan te raken.

Maar het was geen stad die je kon aanraken! Het was geen stad van
baksteen of natuursteen! Niet een stad als Rome of Londen of Babylon! Niet een stad als Kanaän want er heerste huichelarij in Kanaän!
Dit was de stad die Abraham van verre zag, een luchtspiegeling aan
de horizon, toen hij de wildernis introk, met tenten en tabernakels.

Bij het woord 'tenten' dacht Benjamin aan Theo. Intussen was dominee Lewis het spoor van zijn onwelsprekendheid volslagen bijster.
Zijn armen gingen omhoog naar de dakbalken.

'En ook,' donderde hij, 'is het geen stad voor de rijken! Denkt aan
Abraham die zijn rijkdom terugschonk aan de koning van Sodom!
Denkt daaraan! Geen draad, geen schoenriem nam hij aan van het
koninkrijk Sodom...!'

Hij zweeg even om op adem te komen en ging verder op minder ge-
emotioneerde toon:

Ze waren in deze nederige kerk bijeengekomen om de Heer te bedanken voor zijn rijke gaven. De Heer had hen gevoed, gekleed en in
hun levensbehoeften voorzien. Hij was geen strenge opzichter. De
boodschap van Prediker was geen strenge boodschap. Er was een tijd
en een plaats voor alles – een tijd om plezier te hebben, om te lachen,
te dansen en te genieten van het schone der aarde, van deze prachtig
bloeiende bloemen...

Maar ze moesten ook bedenken dat rijkdom een last was, dat we-
reldse goederen hen zouden weerhouden van de reis naar de Stad van
het Lam...

'Want de Stad die wij zoeken is een Duurzame Stad, een plek in een
ander land waar we rust moeten vinden of voor eeuwig rusteloos
moeten blijven. Ons leven is een zeepbel. We worden geboren. We
zweven omhoog. We worden heen en weer gedreven door de wind.
We glinsteren in het zonlicht. Maar opeens barst de zeepbel en val

n we op aarde als spatjes vocht. We zijn als dahlia's, geveld door de erste herfstvorst...'

e ochtend van 15 november was helder en het vroor dat het kraakte. r stond centimeters ijs in de drinkbakken. Aan de andere kant van et dal stonden twintig ossen te wachten op voer.

Na het ontbijt hielp Theo Lewis de aanhangbak aan de Interna-onal Harvester bevestigen en laadde er met de vork een paar balen tro in. De tractor had moeite met starten. Lewis droeg een blauwe ebreide wollen das. De kou was weer eens op zijn middenoor gesla-en en hij voelde zich de laatste tijd vaak duizelig. Theo zwaaide ter-ijl de tractor het erf af zwenkte. Daarna ging hij naar binnen voor en praatje met Benjamin in de bijkeuken.

Benjamin stond met opgerolde hemdsmouwen eigeel van de bor-en te schuren. In de gootsteen waren randjes spekvet boven komen rijven. Hij was heel enthousiast over Kevins zoontje.

'Ja,' glimlachte hij. 'Het is een brutaal baasje.'

Hij kneep de vaatkwast uit en droogde zijn handen. Een vlijmende ijn schoot door zijn borst. Hij viel op de grond.

'Er is wat met Lewis,' bracht hij uit, terwijl Theo hem op een stoel ielp.

Theo holde naar buiten en keek over het dal naar het witbevroren eiland. De eiken wierpen lange blauwe schaduwen in het diagonale onlicht. Veldjakkers riepen vanuit de knollenvelden. Een koppel enden vloog langs de beek en een condensatiestreep doorsneed de cht. Hij kon het geluid van de tractor nergens horen.

Hij zag wel het hooi verspreid over het weiland liggen; maar de os-en waren alle kanten op gestoven, al begonnen er nu een of twee te-ug te kuieren in de richting van het hooi.

Hij zag een modderstreep die verticaal de heuvel af liep, evenwijdig an de heg. Daaronder lag iets roods en zwarts. Het was de tractor die p zijn kant lag.

Benjamin was door het portaal naar buiten gekomen, blootshoofds n bevend. 'Wacht hier!' zei Theo rustig en holde weg.

Benjamin kwam hinkend achter hem aan over het pad naar de dal-eul. De tractor was uit zijn versnelling geslipt en gekanteld. Hij oorde Theo voor zich uit rennen. Hij hoorde het gespat van water n door de bomen hoorde hij de zeemeeuwen krijsen.

De bladeren van de berken langs de beek waren gevallen. Rijppun jes glinsterden op de paarse twijgen. Het gras was hard en het wat spoelde kalm over de platte bruine stenen. Hij stond langs de oeve niet bij machte zich te verroeren.

Tussen de glimmende berkenstammen door kwam Theo langzaa naar hem toelopen. 'U kunt hem maar beter niet zien,' zei hij. Toe sloeg hij zijn armen om de schouders van de oude man en hield he tegen zich aan.

50

Bij het hek van het kerkhof van Maesyfelin staat een oude taxusboom die met zijn kronkelende wortels de stenen van het pad schots en scheef heeft gewrongen. Aan weerskanten van het pad staan rijen grafstenen, sommige met inscripties in klassieke letters, andere in gotische stijl en allemaal wollig van het korstmos. De steen is zacht, en op de grafstenen die naar de heersende westenwinden toe staan zijn de letters bijna weggesleten. Het zal niet lang meer duren voor niemand de namen van de doden meer kan lezen en de graven zelf zullen verkruimelen tot grond.

Daarentegen zijn de jongere graven gehouwen uit steen zo hard als de stenen van farao's. Hun oppervlak is machinaal gepolijst. De bloemen die erop staan zijn van plastic en de perkjes eromheen zijn niet van grint maar van groene glasscherven. De jongste zerk is een blok glanzend zwart graniet, de ene helft voorzien van een inscriptie, de andere nog opengelaten.

Nu en dan zal een toerist die achter de kerk verzeild raakt een oude heuvelboer, in een corduroy pak met beenkappen, op de rand van de zerk zien zitten, starend naar zijn spiegelbeeld, terwijl de wolken boven hem voorbijtrekken.

Benjamin was zo in de war en verloren na het ongeluk dat hij amper zijn overhemd dicht kon knopen. Uit vrees dat hij nog erger van streek zou raken werd hem verboden om in de buurt van het kerkhof te komen, en toen Kevin met vrouw en baby in The Vision trok, waarde hij recht door hen heen alsof ze vreemden waren.

In mei was Eileen begonnen te fluisteren dat oom 'ze niet allemaal meer op een rijtje had' en dat hij maar het best naar het bejaardentehuis kon.

Hij had haar het meubilair stuk voor stuk zien verkopen.

Ze verkocht de piano voor de aanschaf van een wasmachine en het hemelbed voor een nieuw slaapkamerameublement. Ze verfde de keuken geel, deed de familiefoto's weg naar zolder en verving ze door een portret van prinses Anne op een springpaard. Het merendeel van Mary's linnengoed ging naar een liefdadigheidsbazaar. De Staffordshirespaniëls verdwenen en de staande klok ook. En het oude ijzeren fornuis lag op het erf te roesten tussen de zuring en de brandnetels.

In augustus liep Benjamin op een dag de deur uit en toen hij tegen donker nog niet thuis was, moest Kevin een zoektocht organiseren.

Het was een warme avond. Ze vonden hem de volgende ochtend, hij zat op het graf kalmpjes tussen zijn tanden te peuteren met een grassprietje.

Sindsdien is Maesyfelin Benjamins tweede huis geworden – misschien wel zijn enige thuis. Hij schijnt heel gelukkig te zijn zolang hij elke dag een uur op het kerkhof kan doorbrengen. Op sommige middagen laat Nancy Bickerton hem per auto ophalen om thee te komen drinken.

Theo heeft zijn Zuid-Afrikaanse paspoort ingeruild voor een Brits, zijn weiland verkocht en is naar India vertrokken, waar hij van plan is de Himalaya te beklimmen.

Ook Rosie Fifield woont nog steeds in haar huisje. Omdat ze kreupel van de jicht is zijn haar kamers zwaar vervuild, maar toen de gezondheidsinspecteur haar voorstelde om naar een armenhuis te verhuizen, snauwde ze: 'Dan zal je me bij mijn voeten de deur uit moeten slepen.'

Voor haar tweeëntachtigste verjaardag heeft ze van haar zoon een oude legerveldkijker gekregen en in het weekend kijkt ze graag naar het zeilvliegen op de top van Bickertons Bult – 'helikopteren' noemt zij het – een stroom mannetjes zo groot als speldenknoppen die aan kleurige vleugels zweven, omlaagduiken, omhoogschieten door de opwaartse druk en dan als essennootjes naar de grond tollen.

Dit jaar heeft ze al één dodelijk ongeluk gezien.

In de reeks DE TWINTIGSTE EEUW verschenen: